GW00585258

La memoria

780

DELLA STESSA AUTRICE
in questa collana

Giorno da cani
Messaggeri dell'oscurità
Morti di carta
Riti di morte
Serpenti nel Paradiso
Un bastimento carico di riso
Il caso del lituano
Nido vuoto

nella collana «Il contesto»

Una stanza tutta per gli altri
Vita sentimentale di un camionista
Segreta Penelope
Giorni d'amore e inganno

Alicia Giménez-Bartlett

Il silenzio dei chiostri

Traduzione di
Maria Nicola

Sellerio editore
Palermo

e-mail: info@sellerio.it
www.sellerio.it

2009 luglio nona edizione

Giménez-Bartlett, Alicia <1951>

Il silenzio dei chiostri / Alicia Giménez-Bartlett ; traduzione di Maria Nicola. – Palermo: Sellerio, 2009.
(La memoria ; 780)
Tit. orig. : El silencio de los claustros
EAN 978-88-389-2372-2
I. Nicola, Maria.
863.64 CDD-21

CIP – *Biblioteca centrale della Regione siciliana «Alberto Bombace»*

Titolo originale: *El silencio de los claustros*

Il silenzio dei chiostri

A due pilastri dell'amicizia:

Per Álvaro Pombo.
Un maestro, un amico capace di ridere.

Per Begoña Martínez Santos che,
come Petra Delicado, è una donna
forte e dolce insieme.

1

La trovai sul divano. I capelli sciolti e scarmigliati le nascondevano la faccia. La testa era piegata sui cuscini in posizione innaturale. Le gambe puntavano verso il soffitto, nude e bianche, scoperte dalla gonna rovesciata intorno ai fianchi. Spalancai la bocca ed esclamai:

– Marina, cosa diavolo fai messa a quel modo?

Allora Marina, figlia del mio terzo marito e pertanto in via semiufficiale mia figliastra, ricompose la sua contorta figura per ritrovare la stazione eretta. Congestionata da quel sottosopra, rispose:

– Vedevo tutto all'incontrario.

– Mi ha fatto una gran brutta impressione trovarti così.

– Perché ti è tornata in mente la gente assassinata...

Quella bambina di otto anni, taciturna, discreta, intelligente, aveva il dono di leggermi nel pensiero con spaventosa facilità. Mi piantava addosso i suoi occhi azzurro chiaro e automaticamente sapeva qualunque cosa mi passasse per la mente. Ma quella sua virtù che mi costringeva a vivere con la guardia alzata non mi piaceva affatto. Mentii:

– Gente assassinata? Che idea! Non ho pensato proprio a niente del genere.

– E allora cos'è che ti ha fatto tanta impressione?

Improvvisai:

– Mi sei sembrata... un pollo appeso in una polleria!

Ci pensò su, cercando di trovare interessante l'idea di essere un pollo e probabilmente ci riuscì, perché con somma agilità si rimise gambe all'aria senza dire una parola.

Sospirai. Non avevo mai intrattenuto rapporti con i bambini fino al mio terzo matrimonio e dovevo ammettere che il loro comportamento aveva lati affascinanti. Erano strani, a volte incomprensibili, osservatori come i più acuti psicologi, sinceri come solo i matti sanno esserlo. In ogni caso, se con loro mi sentivo sempre sotto esame e mi vedevo costretta alla dissimulazione, potevo dare la colpa soltanto a me stessa e alla mia proverbiale capacità di complicarmi la vita. Marcos, il mio nuovo marito, non mi aveva mai chiesto di usare particolari cautele con i suoi figli riguardo alla mia attività di poliziotto. Certo, dava per scontato che non entrassi nei dettagli di un'autopsia mentre servivo la merenda, ma se c'era qualcuno che considerava poco adatte ai bambini le storie di commissariato, quella ero io. Sbagliavo, perché con tanti misteri riuscivo soltanto a eccitare ancora di più la loro curiosità e ormai le loro menti volavano come aquiloni nel vasto cielo delle più strampalate congetture. Hugo e Teo, i gemelli, erano i più inclini a concepire fantasie sul mio lavoro. Bastava che mi vedessero tirar fuori un dossier per chiedermi se avessi un nuovo caso “veramente mitico” da risolvere. Ci misi un po’ a capire che per loro “mitico” significava grondante sangue, meglio se a seguito di mutilazioni spaventose e sommarissimi squartamenti. Ma il non plus ultra sarebbe stato se un giorno si fosse deciso a comparire nella mia vita un autentico serial killer. Inutile spiegare che i serial killer, specie poco diffusa a qualunque latitudine, in Spagna sono rarissimi; sordi alle mie parole, i pargoli non erano disposti a rinunciare a quel bellissimo sogno.

Per fortuna quelli non erano i miei principali problemi. I figli di Marcos trascorrevano con noi solo qualche fine settimana, e devo dire che mi divertiva abbastanza far crollare i loro truculenti castelli in aria. Per il resto mi ero abituata senza particolari difficoltà alla mia nuova vita da donna sposata. Nei primi mesi ero vissuta con il sistema d’allarme perennemente inserito. Più che altro temevo che un riaffiorare delle mie manie da lupa della steppa mandasse in frantumi l’armonia coniugale. Le mie amiche non facevano che ricordare con accanimento degno di miglior causa i più banali scontri della loro vita di coppia. Quei resoconti di liti coniugali scoppiate per futili motivi avrebbero dovuto mettermi in guardia contro le insidie della convivenza. C’era chi, trovando ogni mattina il tubetto del dentifricio lasciato aperto sul lavandino, arrivava a concepire pensieri omicidi. Ma a me non succedeva niente del genere, dal momento che avevo seriamente deciso di lasciare i piccoli egoismi fuori dalla porta e far sì che il mio terzo tentativo matrimoniale fosse finalmente quello giusto. Né Marcos né io eravamo novellini, ma veterani carichi d'esperienza, e a qualcosa dovevano pur servire le vecchie ferite se, sposati da quasi un anno, non avevamo ancora nulla di cui lamentarci.

Quel venerdì pomeriggio Marina si trovava con me in via del tutto eccezionale. Dietro incarico di sua madre, un tassista era andato a prelevarla a scuola e l'aveva recapitata a casa nostra, dove sarebbe rimasta un paio d'ore finché suo padre non fosse passato a prenderla per portarla dal dentista. La lasciai lì dov'era e andai a fare una doccia. Avevo lavorato tutto il giorno e sentivo il bisogno di rinfrescarmi le idee.

Venti minuti dopo tornai di là e la ritrovai in quella scomoda posizione.

– Smettila, Marina, non credo ti faccia bene startene tanto tempo a testa in giù.

Lei obbedì e si sedette. Mi osservò con un certo distacco e poi mi disse:

– La madre superiora del catechismo vuole parlare con te.

Come? esclamai fra me e me. Una cosa simile esulava dalle mie mansioni di matrigna a tempo parziale. Ma non volevo essere brusca con la bambina.

– E come fa a sapere di me?

– Gliene ho parlato io. Le ho detto che fai il poliziotto e tutto il resto.

– Però lei sa che sono tuo padre e tua madre a occuparsi della tua educazione, vero?

– Credo di sì.

– E che cosa pensi possa volere da me?

– Non lo so, ma ha detto che è urgente. Devi chiamarla subito. Ho scritto il numero su quel foglietto.
– Cosa vuoi dire? Che ha appena chiamato?
– Sì, mentre eri nel bagno.
– Ma perché non me l'hai detto prima?
– Tu non me l'hai chiesto.

Era seccante riconoscerlo, ma come al solito aveva ragione. Allarmata, più che incuriosita, anche se non era facile capire cosa potesse volere da me una suora, feci il numero annotato da Marina. Lei, saggiamente, mi bisbigliò il nome che avevo dimenticato di chiederle.

– Si chiama Guillermina. Madre Guillermina.

Quella creatura si dimostrava meno distratta di me. Mi rispose una voce cantilenante:

– Sorelle del Cuore Immacolato. In cosa posso servirla?
– Vorrei parlare con madre Guillermina. Sono Petra Delicado. So che poco fa mi ha cercata.
– Certo, attenda un attimo per favore.

Marina non mi toglieva gli occhi di dosso. Il suo volto imperturbabile nascondeva abbastanza bene la curiosità.

– Ispettore Delicado? – Qualcuno mi interpellava con voce grave all'altro capo della linea.
– Sì, sono io.
– Grazie al cielo, ha telefonato!
– Qualcosa non va, madre Guillermina?
– Una vera tragedia, ispettore. La prego di venire qui al più presto.
– Mi scusi...

– Per telefono non posso dirle nulla, ispettore. Cerchi di capire. È meglio che venga personalmente.
– D'accordo. Ma, mi dica, si tratta di un reato?
– Temo di sì, purtroppo.
– Vengo subito, mi dia l'indirizzo.

Non avevo ancora finito di prendere nota che Marina già mi domandava che cosa fosse successo. Era stoica, ma non di pietra. Le sorrisi.

– Non lo so, cara. E così tu hai detto alle suore che tuo padre aveva sposato un ispettore di polizia?
– Ci sono rimaste secche quando l'hanno saputo.
– Me lo immagino. Ma quella non è la tua scuola, vero, Marina?
– No, lì ci vado solo una volta alla settimana perché mia madre vuole che faccia religione, e siccome papà non voleva mandarmi a scuola dalle suore... Sai, loro mi insegnano a fare la carità, cose del genere.
– Capisco.

Il solo problema era che Jacinta, la donna delle pulizie, aveva il pomeriggio libero proprio di venerdì. Marina sarebbe rimasta sola per almeno un'ora se fossi uscita subito. La guardai. Si era rimessa a testa in giù, esibendo con ostinazione le sue calzette rosa. Come potevo stare tranquilla? Una bambina capace di starsene mezzo pomeriggio in posizione da fachiro poteva farsi venire in mente idee ancora più balzane. Non me la sentivo di assumermi quella responsabilità. Perciò telefonai a Marcos. E lui mi rassicurò.

– Marina può rimanere sola senza problemi. È abbastanza giudiziosa. Che cosa sta facendo adesso? – mi domandò.

– La verticale sul sofà.

Ci fu un attimo di silenzio. Di certo non si aspettava che sua figlia si dedicasse a occupazioni così insolite.

– Va' pure tranquilla, Petra. Esco fra poco dall'ufficio. Non tarderò.

Impermeabile e borsetta in mano, mi piantai di fronte alla bambina.

– Marina, potresti farmi il favore di vedere per un attimo il mondo dal diritto?

Lei si tirò su e mi fissò spalancando gli occhi, con la faccia rossa e i capelli per aria.

– Tuo padre arriva subito, ma io devo uscire di corsa.

– Hanno assassinato una suora?

Sospirai.

– La vita normale non assomiglia ai film. E un assassinio non è normale, lo capisci?

– Sì.

– Credi che te la caverai da sola per un'oretta?

– Sì.

Cominciavo ad abituarmi ai suoi monosillabi e così non insistei con le domande.

– Non aprire a nessuno. Non accendere il fornello in cucina. Non sporgerti dalle finestre. Non toccare le prese della luce.

– In un'ora non avrò il tempo di fare tutte queste cose.

– Bene. Quel che puoi fare è leggere un libro, ascoltare un disco e, se non hai paura di rincretinirti, guardare la televisione.

– Posso mangiare una mela?

– Sì, ma non a testa in giù, che ti strozzi.

Lei rimase immobile, a considerare i rischi connessi con l'ingestione di mele in posizione capovolta, e alla fine annuì. La lasciai sul divano e mi tirai la porta dietro, sforzandomi di allontanare dalla mia mente ogni ansia da incidente domestico.

Il convento del Cuore Immacolato si trovava nei pressi della plaça de Sant Just. Incastonato in un antico muro, il suo portale vagamente barocco si levava inquietante e al tempo stesso sereno, se mai è possibile una simile combinazione. Un citofono abilmente dissimulato sembrava l'unico collegamento di quelle pietre con la modernità. Suonai, e un secondo dopo una voce niente affatto soave, da casalinga affaccendata più che da angelica suora portinaia, mi domandò chi fossi attraverso il ronzio dell'apparecchio. Mi bastò dire «Petra Delicado, ispettore di polizia» per avvertire un fortissimo senso di irrealtà. Cosa diavolo ci facevo lì? Che cosa mi aspettava fra quelle mura secolari? Cosa poteva essere capitato perché delle suore sentissero il bisogno di chiamarmi? Probabilmente una sciocchezza: una bambina aveva combinato un piccolo disastro o un turista, fingendosi esperto di antichità, si era portato via qualche calice di modesto valore. Avrei messo la faccenda nelle mani del collega competente dopo averle gentilmente ascoltate così da non far sfigurare Marina e la sua famiglia.

Una suora carica d'anni e di diottrie aprì la porta e mi guardò strizzando gli occhi strabici dietro gli occhiali. L'abito nero e uno strano modo di allungare il collo per vedere meglio le davano un'aria da uccellaccio del malaugurio.

– È della polizia? – si accertò. – Allora venga. Madre Guillermina la riceverà.

Mi lasciò in una saletta poco illuminata. C'era uno strano odore di candeggina misto a incenso e, con mia sorpresa, anche un lieve sentore di fumo di sigaretta. Sedetti su uno scomodo divano e passai in rivista i quadri alle pareti. Orribili quadri da sacrestia: angeli muscolosi come buttafuori da discoteca armati di spade fiammeggianti, sante inghirlandate di gigli con gli occhi rovesciati all'insù in un'estasi sospetta... Ma l'immagine più assurda era un Bambin Gesù in evidente sovrappeso adorato da tre Re Magi abbigliati in costume da pascià. Se in quel convento era stato commesso un furto e i beni trafugati erano del livello di quegli orrori, potevo fare a meno di disturbare i colleghi. Inoltrare una denuncia sarebbe stato più che sufficiente. In quel momento ricomparve zoppicando la suora portinaia del malaugurio che mi fece cenno di seguirla.

– La accompagno nell'ufficio della madre superiora – spiegò.

Percorremmo un tortuoso itinerario di corridoi lugubri e freddi, del tutto privi di segni di vita. Ma varcata la porta dell'annunciato ufficio la scena cambiò radicalmente. Era una stanza ampia e luminosa, arredata in modo funzionale, con un computer di ultima generazione a un lato della scrivania. L'atmosfera, resa più accogliente dai termosifoni accesi, era impregnata, ormai non avevo dubbi, dall'odore di sigaretta. Mi accomodai su una poltroncina e mi disposi ad aspettare. Che quella madre Guillermina si facesse attendere come un ministro poteva indicare una sola cosa: che il problema non era così grave. Finalmente una porta si aprì ed entrò a passo deciso una suora sulla cinquantina, alta e imponente, che mi diede una stretta di mano virile fissandomi con due occhi chiari velati da un paio d'occhiali.

– Ispettore Delicado, la ringrazio di essere venuta. Sono Guillermina de Arrinoaga, madre Guillermina del Cuore Immacolato, in questa casa. Stia comoda, per favore.

Sedette alla scrivania e sospirò. Mi perforò con lo sguardo e sospirò di nuovo. Io, ancora impressionata dalla sua corporatura e dall'energia che irradiava l'intera sua persona, tacevo.

– Posso chiamarla Petra? Marina ci parla sempre di lei. Le vuole bene, sa? Dice che di tutti i poliziotti di Barcellona lei è la migliore.

– Non ne conosce altri. Dubito che fra le amicizie di sua madre figurino dei questurini.

Lei rise.

– Come la capisco. Poliziotti e suore non godono di grande prestigio nei circoli mondani. Manchiamo di glamour, suppongo. Lei fuma, ispettore?

– Non compulsivamente. Posso aspettare.

– Bene. Con quel che le toccherà vedere qui non credo avrà molto da scandalizzarsi se fumo io. Ho vissuto quindici anni a Miami dove ho messo in piedi una comunità. Tutte le consorelle erano cubane, come può immaginare. Sono tornata in patria con due difetti: non sopporto più il freddo e non riesco a smettere di fumare. Quando c'è gente di solito mi trattengo, ma oggi sono così sconvolta per quello che è successo...

Aprì l'ultimo cassetto della scrivania e tirò fuori un pacchetto di sigarette. Lo posò davanti a me. Ne presi una. Non volevo metterle fretta, era meglio lasciarla parlare. Aspirammo insieme la prima boccata.

– Se non ho capito male, il suo cognome è basco – dissi.

– Di Pamplona.

– Bei posti.

– Una suora se lo dimentica in fretta il posto in cui è nata. Non ha più terra né famiglia, e nemmeno un nome. È più duro di quanto non si creda. Ma un compenso c'è. Sa quale?

– La fede?

– Esatto. Fede e tranquillità. Nei conventi c'è pace, ispettore. Non dico che non ci sia da lavorare, da brigare, da scontrarsi con la burocrazia... È la lotta per la sopravvivenza. Ma qui siamo al riparo dalle bufere che imperversano nel mondo. Lei mi capisce, vero, ispettore?

– Perfettamente.

– Perciò mi sono rivolta a lei. È accaduto un fatto terribile. Rischiamo di finire in pasto alle belve, e allora, addio pace. La prima cosa che desidero è la massima discrezione, una discrezione assoluta.

– Di cosa mi sta parlando, madre?

– Preferisco che veda con i suoi occhi. Poi le spiegherò.

Spegnemmo quel che restava delle sigarette in un posacenere di finto cristallo e ci alzammo. La seguii, cercando di tenermi al passo con la sua falcata d'atleta. Ormai avevo rinunciato a ogni congettura, non avevo la più pallida idea di cosa potesse attendermi, ma il cuore mi batteva a velocità da infarto tanta era l'apprensione che quell'ambiente riusciva a comunicarmi.

Al termine di un altro complicato percorso per corridoi deserti, madre Guillermina si fermò di colpo davanti a una porta a due battenti di legno scolpito, assai più imponente di tutte quelle che ci eravamo lasciate alle spalle. Infilò le mani fra le pieghe dell'abito e si diede a un'energica ricerca.

– Ma dove si sarà ficcata quella chiave?

Temetti di udire un'imprecazione, ma prima che ce ne fosse il tempo la chiave comparve. Era una grossa chiave di ferro battuto, antica e pesante. La girò nella toppa ed entrammo. Accese la luce, che illuminò fiocamente una piccola cappella gotica, bellissima nella sua semplicità.

– Da questa parte.

Il vigoroso passo della madre superiora si fece più misurato mentre aggiravamo l'altare. Lì si fermò. La sua mano mi indicò un fagotto informe sul pavimento. Nella penombra non si vedeva nulla.

– Si avvicini – mi disse. – Io l'ho già visto fin troppo.

Feci quel che mi aveva detto e mi chinai. I miei occhi dovevano essersi ormai abituati al buio perché riuscii a vedere con estrema chiarezza. Era un uomo steso a faccia in giù. Morto. Tutt'intorno una chiazza scura di sangue già rappreso. Non riuscii a registrare altri dettagli. Lo shock ebbe la meglio sulla professionalità. Mi voltai verso la madre superiora e abbastanza assurdamente la investii:

– Ma cosa mi fa vedere? Quell'uomo è morto!

– Perché crede che l'abbia chiamata? Certo che è morto. È stato assassinato!

– Da quanto tempo lo sa?

– L'ha trovato stamattina la sorella che fa le pulizie.

– Si rende conto di quante ore sono passate da stamattina?

– Certo che me ne rendo conto! Sono capace di contarle anch'io!

Eravamo furibonde, stavamo quasi gridando. Mi passai una mano sulla faccia come per svegliarmi da un brutto sogno. Non poteva essere vero.

– Lo sa che avrebbe dovuto chiamare immediatamente la polizia? Lo sa che...?

Mi interruppi, esasperata. Tirai fuori il cellulare.

– Ma cosa sta facendo? – mi chiese in malo modo la suora. – Se ho aspettato tanto e alla fine mi sono rivolta a lei è solo perché desidero discrezione. Questo è un convento, non possiamo finire sui giornali.

– Che cosa suggerisce, allora, che lo seppelliamo nella cripta e cancelliamo tutte le tracce?

– Non dica sciocchezze e la smetta di essere insolente. Questo è il mio convento e qui comando io! Lei non sa chi è quell'uomo. È frate Cristóbal dello Spirito Santo, dell'abbazia di Poblet! Vuole far scoppiare uno scandalo che mandi all'aria due ordini religiosi insieme?

Strinsi i denti e la guardai negli occhi.

– E va bene, lei è la madre superiora di questo convento e magari di altri ventitré, e quell'uomo può anche essere il papa di Roma fatto a pezzettini. Ma per me il risultato non cambia. C'è una legge in questo paese e tutti sono tenuti a rispettarla.

La vidi prendere fiato per prepararsi al contrattacco, ma prima che potesse articolare parola la bloccai:

– Madre Guillermina, se lei mi ostacola nell'esercizio delle mie funzioni o tenta di ritardare lo svolgimento delle indagini che necessariamente dovranno essere condotte, la avverto che verrà accusata di intralcio alla giustizia.

Lei mi lanciò uno sguardo che sostenni a fatica. Poi abbassò gli occhi e disse:

– Faccia quello che deve fare, la prego soltanto di essere discreta.

Cercando di non mostrarmi troppo orgogliosa per la vittoria, cercai il numero di Garzón. Le bisbigliai:

– Stia tranquilla.

Il viceispettore doveva trovarsi come minimo a un cocktail, a giudicare dalla musica di sottofondo e dall'incredibile vociare.

– Salve, Petra! Non mi aspettavo mi chiamasse. Avevamo il pomeriggio libero, ricorda?

– Si tratta di una questione piuttosto grave, viceispettore. Bisogna organizzare tutta la squadra per la rimozione di un cadavere. Mandi gli uomini al convento del Cuore Immacolato, dietro la chiesa dei santi Just i Pastor. E venga anche lei, in fretta!

– Apprezzo sempre il suo umorismo, ispettore. Lei mi aspetta sul far della sera in un convento neanche fossimo Juan Tenorio e doña Inés!

Mi allontanai di qualche passo dalla madre superiora e abbassai la voce:

– Viceispettore, posi il bicchiere e prenda un caffè. La voglio qui immediatamente, intesi?

– Ma... è il compleanno di mia moglie!

– Immediatamente, ho detto.

Chiusi la comunicazione. Colsi nello sguardo di madre Guillermina un brillio di ammirazione. Le personalità autoritarie apprezzano chi è fatto come loro.

– E adesso, nell'attesa che arrivino i colleghi della scientifica, il medico legale e il giudice, cominci a raccontarmi che cos'è successo.

– Lei non ha ancora visto tutto.

Mi tremarono le ginocchia.

– Non mi dirà che ci sono altri morti.

Si diresse verso una parete e indicò una grande teca di vetro. Vuota.

– Al contrario, ne manca uno. È sparito il nostro beato.

– Insomma, madre, se non mi spiega tutto dall'inizio mi farà impazzire.

– È semplicissimo, non si agiti. Da qualche giorno

frate Cristóbal si occupava dei necessari restauri al corpo incorrotto del nostro beato, frate Asercio de Montcada, una salma di epoca medievale, tanto per darle un'idea.

– Ora sì che comincio a capire. Stamattina, quando avete trovato frate Cristóbal assassinato, il corpo di frate Asercio non c'era più.

– Esatto. Comprenderà, ispettore, che prima di mettere la polizia a conoscenza della cosa era necessario che io stessa valutassi l'accaduto.

– Spero, almeno, che non abbia toccato nulla.

– Certo che no. Ho chiuso a chiave io stessa la cappella perché non entrasse nessuno.

– Quindi se qui dentro ci fosse stato qualcuno, non avrebbe potuto uscire dopo di lei.

– Qui non c'era nessuno quando io sono entrata, questo glielo posso assicurare.

– Se le cose sono andate come dice...

– Suor Marcela è venuta a fare le pulizie, ha trovato il corpo di frate Cristóbal ed è corsa immediatamente a chiamarmi.

– Ma nel frattempo qualcuno può essere uscito.

– E chi?

– Se potessimo rispondere a questa domanda avremmo già la soluzione, madre. Ieri notte la cappella era chiusa a chiave?

– Non è mai chiusa a chiave. Ciascuna di noi può venire qui a pregare quando lo desidera.

– Già. E il portoncino del convento, di notte, è ben chiuso?

– Certo, è sempre chiuso. Frate Cristóbal aveva le chiavi e chiudeva quando se ne andava. Di lì nessuno poteva entrare. Però stamattina è stata trovata aperta quella porta lì – e indicò il fondo della navata. – Quella che dà sulla strada. Questo vuol dire che ha aperto lui stesso al suo assassino, oppure che l'aveva lasciata aperta per qualche motivo.

– Altrimenti è sempre chiusa?

– Sempre, tranne la domenica, negli orari riservati alle visite dei turisti.

– E chi tiene la chiave?

– La lasciamo appesa lì – mi disse indicando un gancio in un angolo.

Dopo qualche minuto, di cui approfittai per osservare bene ogni particolare, entrò la suora portinaia, che mi parve ancora più miope e strabica di prima.

– Madre, è arrivata la polizia, insieme a un mucchio di altra gente.

La madre superiora sospirò come se prendesse aria prima di un'immersione. Poi si fece il segno della croce e disse rassegnata:

– Li faccia entrare.

Comparve per primo Garzón, così confuso che faticava a rendersi conto della situazione. Ma non appena ebbe afferrato di cosa si trattava reagì con la sua ben nota praticità.

– Senta, ispettore, qui bisogna informare subito il commissario Coronas. È probabile che il caso non sia di nostra competenza, quindi è inutile prendersi il disturbo.

– Non è neppure curioso? Strano che ammazzino un monaco in un posto simile, e ancora più strano che sparisca un corpo stecchito da secoli.

– Sarà stato un appassionato di mummie o qualcosa del genere.

La madre superiora si avvicinò. Era bianca in volto, visibilmente alterata dal bailamme che avevamo messo in moto. Intorno a noi si aggiravano il medico legale, il giudice, gli esperti della scientifica, i fotografi... Capii che si stava innervosendo.

– Quanto durerà tutto questo, ispettore?

– Dipende, ma di sicuro ne avranno per qualche ora.

– E nel frattempo darete inizio alle indagini?

– Non sappiamo nemmeno se ci verranno affidate. È probabile che siano di competenza dei Mossos d'Esquadra.*

– Ah, no! Io ho chiamato lei perché desidero che sia lei a occuparsene. Non ho nessuna intenzione che venga altra gente a ficcare il naso.

– Madre Guillermina, le sono molto grata della sua fiducia, ma io non sono un detective privato. Devo rispondere di quello che faccio ai miei superiori e rispettare le procedure.

– Sarà. Però dimentica quanto sappiamo essere insistenti noi suore. In questo non siamo seconde a nessuno. E io non cederò. Con l'aiuto di Dio, naturalmente.

– Lo vedremo. Ma ora non intendo discuterne con lei.

* La polizia autonoma catalana.

Un'ora dopo arrivò Coronas. Fece domande, si mosse a destra e a manca, raccolse informazioni.

– Pare che sia morto da più di dodici ore, Petra. Cosa diavolo è successo qui dentro?

– La madre superiora aveva dei problemi a chiamare la polizia. Sa com'è, lei ci tiene alla discrezione.

– Roba da matti.

– Pensi a cosa significa un incidente del genere per una comunità completamente isolata dal mondo.

– E di cosa vivono?

– Danno lezioni di catechismo, sbrigano lavori d'ufficio per esterni, ricevono sovvenzioni dalla diocesi e donazioni private. La domenica mattina raccolgono le offerte di turisti e pellegrini in visita al corpo del beato...

– Santo Dio, così hanno perso anche una fonte di reddito!

– Sarà il caso di fare domande nei dintorni, commissario? Se hanno portato via la salma, qualcuno dovrà pure aver visto qualcosa.

– No, lasci perdere. Adesso arrivano quelli della polizia autonoma. Noi non c'entriamo niente. Potete andarvene, se volete. Io rimango per le formalità.

Ce la filammo di soppiatto in modo a dire il vero un po' scortese. Ma passare a salutare la madre superiora significava impegolarsi in una discussione senza fine.

– Mi spiace di averla disturbata, Fermín.

– Non si preoccupi, ora torno alla festa.

– Farà gli auguri a Beatriz da parte mia?

– Ma certo, ogni suo desiderio è un ordine, ispettore.

Mentre guidavo verso casa non potei fare a meno di

pormi qualche domanda. Chi mai potrebbe uccidere un monaco cistercense dedito al restauro di salme medievali? E a chi mai verrebbe in mente di rubare un beato mummificato da secoli? A qualcuno doveva pur interessare, se i ladri avevano perfino ucciso per poterlo portare via. Ma una mummia del genere, non sarà fragilissima? Dovevano aver agito con estrema cautela. I santi e i beati hanno un valore sul mercato dell'antiquariato? Mi sembrava strano, a meno che la salma non fosse avvolta in ricchi paramenti sacri. Ma in tal caso, non sarebbe stato più facile spogliarla e lasciarla lì, nuda come un verme? E poi, se lo scopo era rubare la mummia, perché far fuori il povero cistercense? Solo perché aveva sorpreso i profanatori nella cappella? Mai e poi mai, in tutta la mia vita di poliziotto, mi ero trovata davanti a tanti interrogativi tutti insieme. Di solito, anche se poi le indagini finiscono per imboccare vie insospettate, ogni delitto appare fin dall'inizio come un fatto più o meno logico. Le ipotesi prendono forma prima ancora delle domande e tutto tende a rientrare in uno schema consueto. Comunque fosse, ormai non avrei potuto far altro che seguire da lontano i passi compiuti dalla polizia autonoma, ammesso che si degnasse di rivelarci qualcosa.

Quando arrivai a casa, Marina era già andata a dormire insieme ai suoi fratelli che nel frattempo erano arrivati per il fine settimana. Marcos mi aspettava sul divano leggendo un libro.

– Come mai non sei ancora a letto?

– Volevo vederti.

Ci abbracciammo. Il suo corpo emanava un piacevole tepore, profumava di dopobarba, di abiti freschi. Mi venne voglia di andare subito a letto senza dire una parola. Di colpo mi sentivo esausta. L'ansia che mi aveva tenuta vigile per tutte quelle ore mi aveva abbandonata.

– Ti ho preparato un'insalata, nel caso non avessi ancora cenato.

La fame mi era passata, ma non potevo deluderlo. Mi tolsi l'impermeabile, mi lavai le mani e andai in cucina. Lui era già lì. Aveva apparecchiato la tavola e stava tirando fuori dal frigo un'appetitosa insalata di tonno e una bottiglia di birra.

– Non era necessario che ti disturbassi.

– Sei arrivata più tardi di me. Se fosse stato il contrario tu avresti fatto la stessa cosa.

– Ma bene! – esclamai. – È bello sapere quel che si aspettano gli altri da te –. Scoppiai a ridere e lo baciai. – Però preferirei che tu non mi preparassi proprio niente.

– E si può sapere perché?

– A volte, nel mio lavoro, si sa quando si comincia ma non si sa quando si finisce. E tutto diventa più difficile quando a casa c'è un'insalata ad aspettarti.

– Bene, in questo caso ti presento le mie dimissioni come cuoco fuori orario.

– Diavolo! Non ti sarai lasciato convincere un po' troppo in fretta?

Fece il gesto di strangolarmi e mi abbracciò.

Mi misi a tavola e cominciai a sentire appetito. Mentre mangiavo Marcos volle sapere come mai le suore mi avessero chiamata con tanta urgenza. Gli spiegai l'accaduto e ne fu incuriosito quanto me. Naturalmente anche lui si pose un mucchio di domande.

– Mi sembra tutto così strano, Petra! E se ci fosse di mezzo una setta? O un fanatico religioso? Oppure la maledizione della mummia, come nei vecchi film?

– Sei peggio dei tuoi figli!

– Ma è una storia così fuori dal normale! Ho paura che questa volta sarò io il primo a romperti le scatole per sapere tutto.

– Ne ricaverai ben poco. Il caso è di competenza dei Mossos d'Esquadra, noi dobbiamo abbandonare il campo. E ti confesso che mi dispiace, perché avrei una gran voglia di metterci le mani. Sono sicura che dietro questo mistero non c'è proprio niente di ultraterreno.

– Non la smetti mai di protestare, ma questo è un bene. Vuol dire che ti piace il tuo mestiere.

– Ogni tanto. Lo sai cos'ha detto Marina alle suore? Che sono il miglior poliziotto di Barcellona.

– E lo sei, anche se Marina lo dice perché ti vuole bene.

– Solo che non capisco come mai debba andare dalle suore.

– Sua madre è convinta che una scuola laica non sia in grado di trasmetterle certi valori di fondo. Lei vede il catechismo come un complemento della sua educazione. In realtà credo che voglia solo contraddirmi. Tu avrai pure due divorzi alle spalle ma non hai avuto figli. Quando ci sono dei figli non c'è modo di fare la pace con gli ex.

– Piuttosto seccante. Sai una cosa? Quella madre superiora mi è piaciuta. È una donna con le idee chiare. Voleva ad ogni costo che fossi io a condurre le indagini.

– Sarà un po' delusa.

– Con tutti i guai che ha non credo che le rimarrà tempo per pensare a me.

– Io invece ho tutto il tempo del mondo per pensare a te. Che ne dici se ce ne andiamo a letto?

Lo seguii di sopra. Marcos era davvero un uomo raro: non se la prendeva mai, non mi criticava, e si mostrava sempre sinceramente preoccupato per il mio bene. Forse avevo trovato il marito ideale ed ero così sciocca da prendere sottogamba la cosa. Avrei dovuto esibirlo in rete, affinché migliaia di donne ritrovassero la fiducia nel destino.

Dormii tutta la notte in una sola tirata. Mi svegliai che erano già le nove. Marcos non era più a letto con me, i ragazzi dovevano essersi già alzati. Scesi avvolta in un accappatoio e li trovai seduti in cucina a fare colazione. Marcos si alzò e mi baciò. Tutti mi baciarono.

– Petra, ti ho lasciato del caffè caldo. Ora salgo un paio d'ore nello studio, sono un po' indietro con il lavoro.

Sorrisi e riempii la mia tazza. I bambini erano molto silenziosi, ma io avevo sempre le antenne alzate quando mi trovavo sola con loro. Temevo le loro domande, soprattutto quelle di Hugo e Teo che non tenevano mai la bocca chiusa su niente. Incrociai le dita e sperai che Marina non avesse parlato della telefonata dal convento. Zuccherai il caffè e mi sedetti accanto a lei. Nel corso della nostra intermittente convivenza non ero ancora riuscita a trovare il tono giusto per parlare con loro. Avevo sempre paura di usare un linguaggio troppo infantile o, all'estremo opposto, troppo adulto. Quella volta ci provai con un'allegria un po' forzata:

– E allora, come avete passato la settimana, ragazzi?

Loro si guardarono come se quella domanda fosse del tutto priva di senso. Teo accondiscese a rispondere:

– A scuola –. Lo disse in modo da mettere bene in chiaro tutto il fastidio che quell'impiego del tempo gli suscitava.

– Mi sembra fantastico – replicai, fallendo completamente nei miei intenti comunicativi.

– E a te com'è andata? – intervenne Hugo, con malcelato interesse. Ormai non avevo dubbi: Marina aveva raccontato tutto.

– In commissariato – risposi con un sospiro.

– E al commissariato è andata bene? – incalzò Teo.

– Le solite cose.

– Ne hai di problemi, vero? – ritentò Hugo. Ma io ero decisa a non mollare.

– Non più del solito.

Allora Marina, che fino a quel momento era stata zitta, mi informò con assoluta naturalezza:

– Vogliono sapere del crimine al convento.

E a quel colpo di gong mi si rovesciò addosso la cascata di domande che temevo:

– Hanno ammazzato una suora?

– È stato un criminale psicopatico?

– Ci sono già degli indizi?

– Avete fatto l'identikit dell'assassino?

– Se è uno psicopatico è meglio fare l'identikit psicologico – intervenne Marina con sicurezza.

Saltai letteralmente sulla sedia.

– Ma di cosa diamine state parlando? Siete diventati matti?

– Marina ci ha raccontato che ieri ha telefonato una suora, e poi papà ci ha detto che al convento hanno trovato un morto. Solo che quando gli abbiamo chiesto chi fosse lui ha detto che non lo sapeva. Secondo noi lo sa benissimo, però non vuole dirlo.

– Altolà! Andiamo con ordine. Prima di tutto dovete fidarvi di quel che vi dice vostro padre, altrimenti non vale proprio la pena che facciate delle domande.

Fecero di sì con la testa, pieni di scetticismo. Fingendo un autocontrollo che ero ben lontana dal possedere, andai avanti:

– È vero che c'è stato un omicidio. È stato ucciso un monaco. Però non posso dirvi altro perché non lo so. E nemmeno lo saprò. Se ne occuperanno i Mossos d'Esquadra.

– Allora lo sapremo dalla tele – concluse Teo con disprezzo.

– Secondo me non dovreste preoccuparvi di queste cose. Ma in fin dei conti siete abbastanza grandi per fare come volete.

– Però tu hai visto delle cose che alla tele non diranno. Possiamo farti delle domande precise?

– No, non potete. E se lo fate non vi risponderò,

perché è probabile che quel che ho visto io non serva a niente.

– Peccato! – esclamò Hugo, deluso.

– Io non ti chiederò niente – dichiarò Marina. L'avevo già ringraziata con un sorriso quando rovinò tutto dicendo:

– Però dimmi solo una cosa: è vero che per trovare uno psicopatico bisogna fare l'identikit psicologico?

– Sì, è vero. E per farlo ci vuole uno psichiatra.

– Visto? – Gli occhi di Marina fulminarono i due gemelli.

– Sei una scema – la apostrofò Hugo per tutta risposta.

– Adesso basta, ragazzi! – sbottai, cercando di apparire autoritaria.

In quel momento entrò Marcos.

– Siete ancora a tavola? Andate subito a fare la doccia e vestitevi, che poi vi porto alla partita di calcio.

– Anch'io ci voglio andare – disse Marina.

– Meraviglioso, verrai anche tu. Ah! Mi ero dimenticato di dirvi che stasera io e Petra abbiamo una cena. Verrà Sandra a farvi compagnia.

– Ma Sandra è una barba! – si lagnò Teo.

– Sì, lo so. Ma se lo scopo fosse quello di tenervi allegri avrei assoldato una banda di *majorettes*.

Hugo sghignazzò. Teo mostrò i denti come un lupo. Era chiaro che ci vuole più sangue freddo per avere figli che per dare la caccia a un assassino.

Quando i ragazzi ebbero sgombrato il campo, chiesi a Marcos:

– Di quale cena parlavi?
– Ma Petra, lo sai, la cena annuale dell'ordine degli architetti.
– È la prima volta che te lo sento dire.
– No, cara, ti ho anche mostrato l'invito, ne sono certo.
– E io sono certa di no.
– Dobbiamo litigare per questo?
– Mi pare un ottimo motivo.
– Perché?
– E va bene, lasciamo perdere. Ma sarebbe meglio che tu non fossi così distratto.
– Forse sarebbe meglio che tu mi ascoltassi quando ti parlo.

Rimasi sola davanti a un caffè ormai freddo. È incredibile quanto sia fragile l'armonia domestica, mi dissi. Ma subito dopo cominciai a domandarmi che cosa mi sarei messa quella sera.

Eravamo in macchina, diretti alla cena, quando Marcos ruppe il mio cupo silenzio.
– Profumi di arance verdi.
– È un nuovo profumo, *Sueños de Levante* o *Brisa de Levante*, qualcosa del genere. Ma ho la vaga impressione che puzzi terribilmente.
– Perché sei così arrabbiata, Petra?
– Non sono arrabbiata, sono preoccupata.
– Ma perché?
– Per tutto.
– Questo sì che è preoccupante.

– Non sto scherzando. Sono preoccupata per i tuoi figli, e anche per la cena di stasera.

– Capisco. I ragazzi ti avranno fatto un terzo grado, stamattina. Ma la cena cosa c'entra?

– Ho paura che i tuoi colleghi mi guarderanno con curiosità malsana. Lo sanno che sono un poliziotto?

– Alcuni sì, altri no... È importante?

– Certo che è importante. Penseranno che hai sposato una lurida questurina.

Marcos rise.

– Senti Petra, se dovessimo preoccuparci per tutto quello che la gente pensa o dice sul nostro conto passeremmo la vita chiusi in fondo a un pozzo. Lascia perdere, preoccupati solo delle cose che ricadono sotto il tuo controllo.

– Caspita! Ma perché non scrivi libri di self-help invece di progettare case?

Mi gettò un'occhiata di sbieco. Non sembrava disposto ad avviare una discussione coniugale. E nemmeno io. Sarebbe stato ingiusto. Aveva ragione lui. Non si può pretendere che tutti gli elementi di cui è fatta la nostra vita si incastrino al millimetro come in un puzzle. Col matrimonio avevo complicato il gioco e adesso mi ritrovavo un bel mucchietto di pezzi che non sapevo come sistemare. Era normale che fossi preoccupata. I colleghi di mio marito mi avrebbero guardata come un fenomeno da baraccone. Ma perché il mestiere del poliziotto incuriosisce sempre tanto? Forse perché abbiamo fama di essere duri e senza scrupoli? Forse perché ci occupiamo del male? Sarebbe più logico se la gente si interessasse a quello che fa un entomologo, un cantante di boleri, uno studioso del genoma umano. E invece no, quanto a interesse morboso noi poliziotti siamo in testa alle classifiche.

Più tardi dovetti riconoscere che la serata si stava svolgendo nella massima tranquillità, fra persone amabili impegnate in conversazioni discrete. Tutto sembrava studiato perché nessuno si sentisse a disagio, al punto che le parole scorrevano come soffi di brezza senza lasciare il segno. Nessuno faceva domande su quel che davvero desiderava sapere, come se le menti di tutti vagassero lontane, chissà dove. Quello non era il mio mondo. Ma il mio mondo, dov'era? Di certo non alle cene di commissariato. E tuttavia la squisita correttezza delle norme borghesi permetteva di dire le cose senza dirle, di pensare senza pensare, di stare in un posto senza starci. Un comodo limbo.

Al ritorno, non potei fare a meno di osservare:

– Mi sa che io non c'entro proprio niente col tuo ambiente di lavoro.

Con aria contrariata, Marcos mi rispose:

– Io c'entro qualcosa col tuo?

– No.

– E allora, secondo te, che cosa dovremmo fare?

– Smettere di accompagnarci l'un l'altro alle serate di questo genere.

– Guarda che le cose in una coppia non funzionano così. Tu hai il tuo lavoro e io il mio, ciascuno di noi due ha un suo passato, e questo è molto bello. Ma dovremo pur condividere qualcosa, non ti pare?

– Una cena sociale?

– A me piace che la gente si conosca. E poi sono orgoglioso di te.

– Ma condividiamo tante altre cose!

– Quante? E chi decide se sono sufficienti?

Era rattristato, ma fermo e tranquillo. Di colpo mi vidi come una bambina capricciosa.

– Marcos, non voglio che tu ti arrabbi con me.

– Non sono arrabbiato.

– Sì, lo sei. E ti assicuro che non sono disposta ad accettarlo. Se t'incazzi ancora una volta ti giuro che mi metterò a studiare il tibetano per andare a rinchiudermi in uno di quei monasteri dove non si fa un cazzo tutto il giorno.

– Sei proprio una sbirraccia volgare e sboccata.

– Ah sì? E che altro?

– Il tuo profumo puzza da fare schifo.

Ci scambiammo un sorriso colmo d'amore.

Due giorni di insistenza bastarono a madre Guillermina per ottenere quello che voleva. La sua testardaggine fu davvero straordinaria, o forse fu esercitata sui centri decisionali giusti, comunque fosse, in capo a due giorni il caso del convento passò dalla polizia autonoma alla polizia nazionale, e fu di conseguenza assegnato a Garzón e a me. Quando il commissario Coronas, come se fosse la cosa più naturale del mondo, ce lo comunicò, non seppi se attribuire quel miracolo al potere temporale della Chiesa o a quello personale di madre Guillermina. Probabilmente entrambi avevano fatto la loro parte. Ma la cosa più strana è che non sapevo se dovessi rallegrarmi per quella svolta inaspettata degli eventi. Da una parte quel mistero, per la sua stranezza, non aveva abbandonato la mia mente, dall'altra minacciava di rivelarsi diabolicamente complicato. Senza contare che le peculiarità di un simile delitto ci avrebbero messi sotto i riflettori di stampa e televisione, e che monaci e suore, fra resistenze e pressioni, ci avrebbero dato un'infinità di seccature.

Garzón ascoltò le parole di Coronas come se per lui quell'esito fosse scontato e non tentò neppure di appoggiarmi quando osai obiettare:

– Ma commissario, le indagini devono già essere cominciate.

– Non si preoccupi. Ho qui i nomi dei responsabili dei Mossos. Loro vi passeranno tutti gli incartamenti.

– Non saranno certo felici della cosa.

– Non possono fare diversamente. Ordini dall'alto. Mai sottovalutare il potere del clero. Questo significa che voglio un lavoro ben fatto, e se possibile rapido. Saremo sotto gli occhi di tutti, ora che il caso è stato affidato a noi. A prescindere dall'interesse morboso che la faccenda potrà suscitare.

– Senta, commissario, e Asercio?

– Chi diavolo è Asercio?

– La mummia scomparsa.

– Santo cielo, Petra, non avevo la minima idea che si chiamasse così. Be', Asercio... Ma cos'è che vuol sapere, esattamente?

– In realtà si tratta di semplice furto. Dobbiamo occuparcene noi?

– Nessuno pensa che il trafugamento sia estraneo all'omicidio, quindi…

– Quindi la mummia rientra nel pacchetto.

– Non so se mi è lecito apprezzare il suo umorismo, date le circostanze, Petra. Le suggerirei piuttosto di mettersi al lavoro. E le ricordo che i rapporti giornalieri sull'andamento delle indagini dovranno essere puntualmente inseriti al computer. Il questore è interessato personalmente al caso. Mi spiego?

Si era spiegato piuttosto bene, ma nemmeno quando ci avviammo lungo il corridoio Garzón diede segno di aver recepito alcunché. Decisi di procedere a un intervento d'urgenza sulla sua mente intorpidita:

– Si sente male o ha deciso di solidarizzare con la mummia?

Lui si fermò e mi guardò con aria idiota.

– Perché dice così?

– Perché non dà segni di vita intelligente.

– È vero. Sa cos'è, Petra? Io qui non ci capisco un tubo. Di solito mi basta vedere la scena del delitto perché le idee mi vengano da sole. Faccio addirittura fatica a fermarmi. Ma qui… qui è il deserto del Gobi.

– Ah, capisco. Credevo fosse la sbronza di ieri sera.

– In effetti ieri ho bevuto un pochettino, se devo essere sincero.

– Veda di riprendersi in fretta o dovrò chiedere un altro collaboratore.

– Una volta ero convinto che un nuovo matrimonio l'avrebbe resa più morbida e tollerante. Si vede che mi sono sbagliato. Lei ha un cuore di pietra, ispettore.

– Vuole cominciare fin da subito a rompermi le scatole? A proposito, da dove ha tirato fuori quell'abbronzatura da vacanze ai Caraibi?

– Perché? Cos'ha a che vedere la mia abbronzatura con quel che stavamo dicendo?

– Be', se proprio vogliamo vedere come siamo cambiati dopo il matrimonio, devo dire che prima non mi arrivava mai in ufficio con un aspetto così florido.

– Bel modo di cambiare argomento! Be', non ho nulla da nasconderle: ieri pomeriggio ho preso la mia prima lezione di golf al circolo di Beatriz. E sa cosa le dico? Mi piace, e a quanto mi dicono ci sono pure portato.

– Non ci posso credere! Lo sport borghese per eccellenza. Proprio lei che si dava tante arie da proletario e criticava ogni minimo lusso.

– Ecco, ben mi sta. Ormai avrei dovuto capirlo che quando si tratta di rompere le scatole non la batte nessuno. Ma cosa vuole? Che continuiamo a prenderci per i capelli o che le apra sinceramente il mio cuore?

– Non se la prenda, amato collega, sa bene che può aprirmi il suo cuore come e quando vuole.

– Allora le confesserò che sono preoccupato.

– E perché?

– Perché mi sto abituando alla bella vita. Quando ho conosciuto Beatriz ogni lusso mi pareva superfluo, e ora che sono sposato trovo naturalissimo sedermi in un ristorante da guida Michelin, bere vini d'annata, andare all'opera, comprare nei negozi più esclusivi… Adesso, come se non bastasse, mi sono messo perfino a giocare a golf!

– Non vedo dove stia il problema.

– E se Beatriz ed io dovessimo separarci? È vero, ci adoriamo, ma è una possibilità che non bisogna mai escludere, in nessun matrimonio, come lei sa bene. Ci ho pensato su e mi rendo conto che farei molta fatica a tornare alle abitudini di prima.

– Le faccio una domanda: ha sposato Beatriz per interesse?

– No.

– Benissimo. Seconda domanda: lavora forse meno di prima?

– Per niente. E continuerò a lavorare come un matto fino al giorno della pensione.

– Sfrutta forse qualcuno? È diventato presuntuoso? Disprezza chi non ha i mezzi per fare una vita come la sua?

– Assolutamente no.

– E allora non so di cosa si preoccupi. Pensi a godersi quello che ha, piuttosto. La vita le ha fatto un regalo dopo molti anni di sacrifici. Chi mai rifiuterebbe un regalo? Glielo dico io: i meschini, quelli che hanno paura di doverlo restituire, quelli che non si sono ripresi dai traumi dell'educazione cattolica, quelli che vivono sempre prigionieri dei sensi di colpa. In una parola: i poveracci.

– Miseria! Proprio lei che si tortura all'infinito quando si tratta delle sue cose, adesso me la mette giù così semplice.

– Questo è il segreto dei buoni consiglieri, mio caro! Per questo fra gli psicologi ci sono tanti squilibrati e quasi nessuno dei preti crede in Dio.

– Lei mi dice cose inquietanti, capo.

– E non ha sentito ancora tutto. Ora viene l'ultima domanda: sa dirmi perché ce ne stiamo qui a chiacchierare mentre un assassino se ne va in giro allegramente per Barcellona e il povero Asercio giace chissà dove?

Poiché non seppe darmi una risposta soddisfacente, decidemmo di metterci in marcia verso il quartier generale dei Mossos d'Esquadra. E così ebbe inizio una delle indagini più inquietanti e complicate della nostra carriera.

2

L'ispettore Palafolls era uno dei colleghi della squadra omicidi passati da qualche anno ai Mossos d'Esquadra. Fu contentissimo di rivederci.

– Che Dio mi sia testimone! Quand'ho saputo che la polizia nazionale ci aveva soffiato il caso mi son detto: sta' a vedere che qui c'è lo zampino di Petra e Garzón. Ed ecco la conferma. Maledizione, Petra, per una volta che potevamo produrci in un'indagine coi fiocchi...! Ma non è la prima volta. Ti ricordi di quando lavoravo per Coronas e tu...

– Fermo lì, Palafolls. Io non c'entro. Non ho mosso un dito perché ci affidassero queste indagini.

– Se l'hai mosso, peggio per te, perché un casino come questo ha tutta l'aria di uno scherzo da preti.

– Ci sono novità?

– Adesso ti do tutte le scartoffie. Ma per le chiacchiere è meglio che ce ne andiamo al bar di fronte. Vi offro un caffè.

Per fortuna il fatto che ci conoscessimo da tempo annullava ogni animosità. Palafolls era un brav'uomo e potevo star sicura che ci avrebbe fornito tutte le informazioni utili. Seduti intorno a un tavolo fummo messi al corrente dei fatti indispensabili.

– Andiamo con ordine – cominciò Palafolls, vuotando la bustina di zucchero nel caffè. – Tanto per cominciare vi dico che dovrete far riferimento al giudice Manacor. Giovane, inesperto, molto zelante. Dicono sia bravissimo. Bravissimo a mettere i bastoni fra le ruote, dico io.

– E perché? – domandò Garzón quasi per inerzia.

– Lo sapete anche voi. Come tutti i secchioni è fiscale, formale, teorico e sempre pronto a spaccare il capello in quattro. Gli abbiamo chiesto di imporre il silenzio stampa sulle indagini e lui ha detto di no. Così abbiamo già le telecamere incollate al sedere. Frati, suore, mummia scomparsa... Ce n'è per tutti i gusti. E dire che fughe di notizie non ce ne sono ancora state. Nessuno sa del biglietto.

– Quale biglietto?

– Tenetevi bene alla sedia. Sollevando il morto hanno trovato un biglietto a caratteri gotici. «Cercatemi dove più non posso stare» c'è scritto.

– Non scherzare!

– Non scherzo affatto. Abbiamo anche l'enigma, adesso. Il perito grafologo lo sta esaminando. E presto ci saranno i risultati dell'autopsia.

– Si sa com'è andata?

– A quanto pare il monaco aveva l'abitudine di lavorare fino a tardi. La porta interna della cappella rimaneva sempre aperta. Ma gli assassini sono entrati dalla strada. Forse è stato lui ad aprire, forse qualcun altro. Gli hanno assestato un bel colpo alla nuca.

– Secondo te sono entrati per ammazzarlo?
– Il furto a scopo di lucro è da scartare. Non c'era granché da portar via: qualche ammennicolo sacro, come potete immaginare, ma nessuno ha toccato niente. Solo lo stoccafisso è sparito.
– Suvvia, ispettore, un po' di rispetto, era pur sempre un beato! – esclamò Garzón divertito.
– Per beato che fosse, era morto stecchito da più di cinquecento anni. E poi c'è quel biglietto... Per me chi ha fatto una cosa simile è matto da legare, Petra, un fanatico religioso o qualcosa del genere.
– Può darsi che il monaco avesse dei nemici, e che tutti questi indizi misteriosi servano solo a depistarci.
– Be', allora si sono presi un bel disturbo, perché guardi che portarsi via un beato con i piedi davanti...
– Questo è quello che noi immaginiamo. Può darsi che l'abbiano fatto a pezzi e ficcato in un sacco della spazzatura.
– No. L'hanno portato fuori in due, e con cautela. Uno lo reggeva per le spalle, l'altro per i piedi.
– Come fate a saperlo?
– Il pezzo forte l'ho lasciato per ultimo: c'è una testimone.
Garzón ed io scattammo in avanti come pupazzi a molla.
– Diavolo d'un Palafolls, dovevi dircelo prima!
– Calma e sangue freddo, non c'è da fare salti di gioia. La testimone è una barbona. Una poveraccia che chiede l'elemosina nei pressi del convento. Dice che quella notte ha visto arrivare un furgone. Ma non ha idea

di quante persone fossero né come fossero fatte. Sa solo che qualcuno è entrato, aprendo normalmente la porta, e che poi sono usciti in due portando via un malato, così le è parso. L'hanno caricato sul mezzo e sono ripartiti.

– Nient'altro?

– Niente. Non sa descrivere gli uomini che trasportavano il corpo, non sa dire niente del furgone, solo che era di colore chiaro.

– E non ha visto nessuno entrare o uscire prima di tutto questo movimento? Non sa se ci fossero altre persone?

– No, non ha visto altro e nemmeno capisce granché. Sapete com'è fatta quella gente. Credo che quella donna se la intenda più con la bottiglia che con i suoi simili.

– È rintracciabile?

– Abbiamo chiesto l'autorizzazione del giudice per farla ricoverare in una struttura protetta, ma quello stronzo si è categoricamente rifiutato. Il solo posto dove possiate trovarla è la mensa dei poveri in carrer Ferran. Altrimenti se ne sta in giro tutto il giorno e dorme dove capita. Mi sa che dovrete armarvi di santa pazienza e darle la caccia. Si chiama Eulalia Hermosilla e le abbiamo fatto una foto. Che ne dite? Vi piace il quadretto?

– Io non ci capisco un cavolo – dichiarò Garzón.

– Questo è quel che passa il convento. In fondo mi state facendo un gran favore. Perché oltre che con la testimone psicolabile dovrete vedervela con le paranoie delle suore, gli isterismi dei monaci di Poblet, lo sciacallaggio dei giornalisti e le telefonate a ogni ora del giorno e della notte perché il questore è sulle spine. Sapete cosa vi dico? Io queste indagini ve le regalo volentieri.

– Sei più cialtrone di un madrileno, Palafolls!

– Infatti. Sono nato a Olot, e ne vado fiero, ma da madre madrilena. Il sangue non è acqua.

– E a indizi, capelli, impronte, come stiamo?

– Malissimo. Qualcosa abbiamo raccolto, ma in una chiesa dove entrano decine di turisti tutte le settimane, figuratevi a cosa può servire. Adesso però andiamo in ufficio così vi consegno tutto. Io il mio dovere l'ho fatto e mi fermo qui. Non lavoro per sport.

Di tutto quel che ci aveva raccontato, la cosa più strana era il biglietto. «Cercatemi dove più non posso stare». Un enigma inquietante, come ogni messaggio lasciato da un assassino sul luogo del delitto.

Ormai le indagini erano sotto la nostra responsabilità. Le incognite erano tante che non era facile decidere in che direzione muoversi. Nell'attesa dei risultati dell'autopsia, tornammo al convento del Cuore Immacolato. Madre Guillermina, tutta tronfia per il successo delle manovre compiute, ci ricevette nel suo ufficio.

– Grazie al cielo sarete voi a occuparvi di questa tragedia.

– Temo che ci stia sopravvalutando, madre.

– Ripongo la massima fiducia nella vostra professionalità. E poi non voglio estranei nel mio convento. Come vedete, non potrei essere più sincera.

– Bene, perché dovremo farle qualche domanda.

– Su cosa?

– Sul lavoro che stava eseguendo padre Cristóbal.

– Lo immaginavo. Ma di questo dovrete parlare con suor Domitila. È la nostra archivista, una specie di curatrice dei beni del convento. Era lei a lavorare a stretto contatto con il fratello scomparso.

– Parleremo con lei, naturalmente. E che cosa può dirci del resto della comunità?

– Qui siamo in quindici consorelle.

– Dovremo vederle tutte.

Storse la bocca e mi guardò senza nascondere la sua contrarietà.

– Devo dire che avevo sperato di preservarle da certe brutture.

– La capisco, ma le loro testimonianze potrebbero aiutarci, quindi devono essere sentite.

– Testimonianze... ne dubito. Erano sempre impegnate nelle loro occupazioni quando frate Cristóbal veniva a lavorare qui. Molte non l'hanno neppure mai visto.

– Allora le incontreremo tutte insieme. La prego di riunirle.

– Sarà fatto.

Uscì con aria seccata. Guardai Garzón, che per tutta la durata del colloquio era rimasto muto come un morto.

– Ispettore, secondo me la sorella generalessa si immaginava di poterla manovrare a suo piacimento.

– Se è questo che ha pensato, si è sbagliata. E non la chiami sorella. Può chiamarla madre badessa o madre superiora.

– Che complicazione con tutte queste parentele!
– Aspetti a dirlo. Dobbiamo ancora andare dai monaci di Poblet.
– Lei crede che la cosa si fermi alle due comunità? Che l'assassino sia un frate o una suora?
– Non lo so, Garzón.
– E il biglietto con la scritta gotica? E quei due che si sono portati via la mummia col furgone? A me questa storia sembra un telefilm.
– Sì, però il morto l'ha visto anche lei, Fermín. Più reale di così...
– Senza contare il sant'uomo che si sono portati a spasso.
– Attento a quello che dice, Fermín. Mi sa che qui dentro anche i muri hanno orecchie.
L'avevo zittito, ma anche a me tutta la faccenda sembrava una colossale assurdità. Ma non potevamo lasciarci scappare una risata in un posto simile.
Dopo qualche minuto la madre superiora ricomparve.
– Le sorelle stanno lavorando. Ci vorrà un po' prima che sia possibile riunirle tutte. Ma perché nel frattempo non parlate con suor Domitila e suor Pilar, la sua assistente?
– Benissimo, le aspettiamo.
Rimanemmo di nuovo soli. Dopo qualche minuto sentimmo bussare leggermente. Entrarono due suore. Erano le prime che vedevamo, a parte la spaventosa suora portinaia. La più anziana era una donna alta, sulla quarantina, dal volto intelligente e sereno. L'altra era piccola e giovanissima, sembrava una bambina vestita

da suora, e ci guardava sbalordita spalancando due begli occhi curiosi.

– La madre superiora ci ha pregate di fare del nostro meglio per aiutarvi. Siamo a vostra completa disposizione – disse la più anziana.

Mentre facevo le presentazioni mi accorsi che la presenza di Garzón le metteva a disagio. Senza dubbio erano meno abituate di madre Guillermina ai contatti con l'esterno.

– La prima cosa che vogliamo sapere è se avete visto il corpo prima dell'arrivo della polizia.

Entrambe scossero la testa compunte.

– Madre Guillermina ha voluto risparmiarci un'esperienza così cruda.

– Lei aveva spesso a che fare con frate Cristóbal nelle ore in cui lavorava qui, vero, suor Domitila?

– Sì, suor Pilar ed io eravamo ben liete di procurargli tutto il materiale che poteva occorrergli.

– E cioè?

– In genere si trattava di documenti.

– Avevo inteso che il lavoro di frate Cristóbal consistesse in una sorta di «manutenzione» della salma incorrotta del beato. Gli occorrevano dei documenti per questo compito?

– In realtà frate Cristóbal si occupava di storia e di archeologia, era un vero erudito. Molti monaci cistercensi lo sono. Frequentava diversi conventi per le sue ricerche. Era venuto presso di noi su richiesta della madre provinciale. Vede, a suo parere il beato Asercio era un po' trascurato. Non disponevamo neppure della sua storia completa. E poi le spoglie non erano mai state rimesse a nuovo, per così dire. Frate Cristóbal possedeva le competenze necessarie, sia come storico che come esperto nella conservazione delle reliquie, era in grado di fare un ottimo lavoro. E noi gli procuravamo i documenti di cui poteva aver bisogno.

– Capisco. E da quanto tempo lavorava qui?

– Non più di un mese.

– E in cosa consisteva la sua attività?

– Raccoglieva documenti, li riordinava e li schedava. Faceva tutto sul suo computer portatile. Con gli interventi di restauro e conservazione non aveva ancora cominciato.

– Quando l'ha visto per l'ultima volta?

– Giovedì pomeriggio. Mi ha detto che per quel giorno non avrebbe più avuto bisogno di noi. Intendeva fermarsi a lavorare nella cappella fino a tardi.

– Ha notato, in quell'occasione, se la porta della cappella che dà sulla strada fosse chiusa?

– No, non ci ho fatto caso.

– Frate Cristóbal le ha forse detto che intendeva aprirla?

– No, non ha parlato affatto della porta.

– Ma poteva capitare che la aprisse?

– No, che io sappia.

– E ha notato qualcosa di diverso in lui, quel giorno?

– Che cosa intende dire?

– Se l'ha visto particolarmente nervoso, triste, stanco. Se le ha detto qualcosa di insolito.

– No di certo! Frate Cristóbal era un uomo molto

tranquillo e cordiale. Paziente e minuzioso. Non aveva sbalzi d'umore.

– E il suo computer dov'è?

– Non l'avete trovato?

– Non nella cappella.

– Avete guardato nella sua cella a Poblet?

– Ancora no.

– Dev'essere lì. Qualche volta era venuto senza.

– Non portava con sé altro materiale?

– Sì, una borsa di libri e un blocco per appunti.

– E questi dove sono?

– Non lo so, ispettore –. Si voltò verso la suora più giovane e domandò: – Lei ne sa qualcosa, suor Pilar?

– No, io no.

– Bisognerebbe vedere in biblioteca. Di solito lui lavorava lì. Anche se devo dire che gli altri poliziotti hanno già cercato un po' dappertutto.

Garzón ed io ci guardammo sconcertati. La suora annuì e girò sui tacchi decisa:

– Vado a dare un'occhiata – disse, aprendo la porta. La bloccai.

– Un momento, sorella, un momento! Anche noi vorremmo ispezionare la biblioteca.

– Per questo dovrò chiedere il permesso alla madre superiora. Si trova nella zona di clausura.

– Senta, stiamo indagando su un omicidio, quindi tutti i locali del convento devono essere ispezionabili.

– Sì, lo so. Ma voi avete la vostra gerarchia e noi la nostra. Sono sicura che lei non può conferire direttamente con il questore scavalcando il commissario.

– Vedo che lei è una vera esperta in questioni poliziesche!

– Prima di prendere il velo leggevo romanzi gialli. Non preoccupatevi, ritorno subito con il permesso della superiora.

La suora giovane fece per seguirla come un cagnolino, ma lei le disse in un sussurro:

– Rimanga qui, sorella.

La poverina abbassò gli occhi intimorita. Cominciai a pensare a cosa potessi domandarle, ma Garzón mi precedette con una domanda che esulava dalle indagini:

– E lei quand'è che si è fatta suora?

– Io? – balbettò la ragazza sul punto di svenire. – Io da piccola venivo qui al catechismo, poi con gli anni sono entrata in convento. Adesso ne ho ventitré e da quattro ho preso il velo – disse in fretta e senza interrompersi come se ripetesse una lezione.

– Giovanissima! – rispose Garzón, in tono di scandalizzata sorpresa.

– Sì – aggiunse lei molto turbata. – Adesso vado all'università.

– Bene, se non altro si sta facendo un'istruzione.

Rifiutandomi di capire che cosa volesse dire quel «se non altro», e spaventata all'idea che Garzón potesse esplicitarlo in quel momento, riportai il discorso allo scopo della nostra presenza lì.

– Che tipo d'uomo era frate Cristóbal?

– Un uomo buonissimo, un gran lavoratore. Mi dava consigli sui miei studi e mi prendeva anche un po' in giro, diceva che dovevo applicarmi di più.

– A quale facoltà è iscritta?
– Storia.
Guardava a terra quando parlava. Una ragazza così timida non doveva avere vita facile all'università. Parve sollevata quando suor Domitila tornò.
– È tutto sistemato, venite con me. Anche il viceispettore, se lo desidera.
Capii che era stata fatta una concessione straordinaria per Garzón.
Percorrendo corridoi sempre vuoti di presenze umane la seguimmo fino alla biblioteca, che mi parve assai comune, anzi, modesta. Le pareti erano rivestite di scaffali che contenevano volumi moderni. Una libreria a vetri racchiudeva quelli antichi. Al centro c'era un lungo tavolo circondato da sedie.
– Qui lavorava frate Cristóbal quando non si tratteneva nella cappella.
– E la sua borsa?
– Non c'è.
– Ha chiesto se qualcuno l'abbia messa via?
– La madre superiora dice che tutto è rimasto come lui l'ha lasciato. La troverete certamente a Poblet.
– Forse sarà nella sua stanza. Dovremo fare un sopralluogo anche lì.
– Quale stanza?
– Quella dove passava la notte.
– Ispettore, fratello Cristóbal rientrava sempre a Poblet. Noi non potremmo mai dare ospitalità a un uomo, neppure a un religioso. È la nostra regola.

– Ma è un viaggio di quasi cento chilometri, doveva essere una faticaccia.

– È vero che lavorava fino a molto tardi, però veniva solo tre volte la settimana, e il giorno dopo l'abate gli dava licenza di riposare. Avrebbe potuto fermarsi presso qualche monastero maschile qui a Barcellona, ma lui era abituato così. Saliva in macchina e rientrava. Vedrete che troverete le sue cose a Poblet.

– Speriamo.

– È importante? – Pareva che suor Domitila si rendesse conto solo allora che stavamo svolgendo delle indagini. – Se lo desiderate posso darvi il numero di telefono dei monaci così ve ne accertate subito.

– Non è necessario. Domani parleremo con l'abate.

– Pensate che senza la sua borsa le indagini saranno più difficili? – Il suo interesse mi stupì. Le sorrisi.

– Ci tiene a sapere come lavoriamo?

Rimase un po' turbata, rise.

– Scusatemi, sono molto addolorata per la morte di frate Cristóbal e la sola cosa che dovrei fare è pregare per la sua anima. Eppure le indagini poliziesche sono così...

– Intriganti?

– L'ha detto. Non mi veniva la parola.

– Le assicuro che lo sono molto meno per chi deve occuparsene.

– Lo credo. Dev'essere terribile vedere la morte violenta da vicino!

– Posso andare, sorella? – domandò all'improvviso la suora giovane.

– Se questi signori non desiderano altro...

Scossi la testa e la ragazza fuggì. Guardai suor Domitila.

– Non è molto comunicativa.

– È terrorizzata, poverina. Quel che è accaduto è stato troppo per lei. Tutte ne siamo scosse, ma lei in modo particolare. È una giovane molto sensibile. È cresciuta senza famiglia, in una comunità di accoglienza. Veniva qui nel fine settimana, e come vede è rimasta con noi. È bravissima negli studi e madre Guillermina è sicura che arriverà lontano.

– A proposito, sorella, crede che madre Guillermina sia riuscita a riunire tutta la comunità?

– Vado a vedere. Attendetemi qui.

Rimasti soli, ci affrettammo a scambiarci le nostre impressioni. Garzón parlò per primo e fu categorico.

– A me sembra di essere chiuso in galera. Ma come si fa a svolgere delle indagini qui dentro?

– È quello che penso anch'io. Qui siamo sotto sequestro. Impossibile fare un passo senza permesso.

– Ma siamo sul luogo del delitto!

– Il delitto ha avuto luogo nella cappella.

– E per estensione nel convento. Non c'è modo di costringerle a lasciarci campo libero?

– Chiederò a Coronas.

– E l'ha vista la suora intellettuale? Quella farebbe qualunque cosa pur di giocare ai detective!

– Che ci vuol fare, Garzón? I poliziotti dilettanti sono dappertutto.

Trovammo le quindici suore riunite nel refettorio, allineate in piedi dietro il tavolo come se dovessimo giustiziarle. Per lo più erano sulla cinquantina, ma ce n'erano alcune decisamente anziane. Dava una strana sensazione vederle tutte lì, tutte vestite uguali eppure tutte diverse per statura e complessione. Il silenzio era assoluto. La madre superiora prese la parola. Questo bastò a far capire che la sua autorità era superiore alla nostra.

– Sorelle, l'ispettore Petra Delicado e il viceispettore Garzón sono incaricati delle indagini sulla morte del povero fratello Cristóbal e sulla scomparsa del nostro beato. Hanno alcune domande da farvi. Rispondete pensandoci bene.

Una suora grassoccia e piuttosto in là con gli anni si mise a piangere sommessamente, coprendosi il viso. La madre superiora intervenne con innegabile vigore.

– Sorelle, vi prego, per il buon andamento di queste indagini, di controllare l'emotività.

Il suo stile mi piaceva, era precisa e impassibile come un generale. Peccato che non fosse lei a nutrire velleità investigative. Parlai, cercando di apparire serena e convincente.

– Sorelle, innanzitutto voglio dirvi che qualunque cosa ricordiate delle ultime ore trascorse da frate Cristóbal fra le mura di questo convento può essere di grande utilità. Chi di voi l'ha visto per l'ultima volta?

Qualcosa non funzionava, perché molte si guardarono fra loro come se non capissero di cosa stessi parlando.

– Come le ho già detto – intervenne la superiora, – pochissime hanno avuto occasione di incontrare frate

Cristóbal –. Si rivolse alle consorelle e disse: – Alzino la mano coloro che l'hanno conosciuto o l'hanno incontrato almeno una volta.

Alzarono la mano Domitila e Pilar, la sorella portinaia e un paio di altre, una delle quali era addetta alle pulizie della cappella e pertanto l'aveva trovato morto. Mi avvicinai a lei.

– Ma da vivo, lei lo conosceva?

Fece di sì con la testa come se avesse qualcosa in gola che le impedisse di parlare.

– Gli avevo portato un caffellatte proprio la sera prima, verso le sette.

– E il mattino dopo era già morto.

L'interrogata si fece il segno della croce.

– Ha notato se la porta esterna fosse chiusa a chiave?

– No, signora.

– Avete parlato, in quell'occasione?

– Sì, lui mi ha chiesto di far sapere alla sorella portinaia che si sarebbe fermato almeno fino a mezzanotte.

– Nient'altro?

– No.

Mi rivolsi all'intera comunità.

– Qualcuna di voi sa se quel giorno la porta esterna della cappella fosse stata aperta?

Una dopo l'altra le teste coperte dal velo oscillarono facendo segno di no.

– A che ora vi siete ritirate nelle vostre celle quella sera?

– Alle dieci e mezza – rispose la madre superiora senza esitazioni.

– E nessuna ne è uscita, per qualunque motivo? Nessuna è scesa nella cappella per pregare?

Silenzio e occhi inchiodati a terra furono le sole risposte.

– Nessuna ha sentito rumori strani? Nessuna è stata svegliata o incuriosita da qualcosa di insolito?

Nuovo silenzio. C'era da cavare ben poco con quelle domande, tanto più che non conoscevamo neppure l'ora esatta della morte. Tentai una soluzione di compromesso:

– Forse è bene che abbiate un po' di tempo per riflettere. A volte i ricordi riaffiorano. Torneremo fra un paio di giorni, e se nel frattempo vi verrà in mente qualcosa...

Si avvertì una lievissima vibrazione di assenso, o forse solo un moto di sollievo per la fine di quella tortura. Le suore sfilarono lentamente per tornare alle loro faccende e la madre superiora ci guardò.

– Non è stato molto fruttuoso, vero?

– Non si può mai sapere – dissi.

– Ci porti nella cappella, madre. Vorremmo rivedere la porta che dà sulla strada – la pregò Garzón.

Ancora una volta constatammo che la porta non si poteva aprire da fuori. Eppure nessuna delle suore aveva sentito i due uomini colpire frate Cristóbal e portare via il beato. Possibile? Possibilissimo, tutto dipendeva dalla cautela con cui era stata effettuata l'operazione. All'ora indicata dalla mendicante dovevano essere tutte profondamente addormentate.

Ci volle un altro giorno di attesa prima che il medico legale ci convocasse per comunicarci i risultati dell'autopsia. Mi chiamarono dalla morgue prima che uscissi di casa e avvisai subito Garzón. Decidemmo di fare colazione insieme.

Entrai nel bagno a salutare Marcos che si stava ancora radendo.

– Caro, me ne scappo di corsa.

– Non prendi nemmeno il caffè?

– Marcos, abbiamo un caso complicato. La questura ci sta col fiato sul collo. In questi giorni ti prego di non contare su di me per colazioni, pranzi, cene o qualunque altro rito della vita normale.

– Allora cercate di catturarlo in fretta, questo assassino.

– Quando un assassino si permette di lasciare bigliettini alla polizia c'è da pensare che le cose vadano per le lunghe.

Dallo specchio, Marcos mi guardò. Mi parve che la maschera di schiuma da barba nascondesse un'espressione di disappunto. Forse per la prima volta, da quando stavamo insieme, mio marito affrontava gli svantaggi della convivenza con un poliziotto.

Avevo dato appuntamento a Garzón in un caffè vicino alla morgue. Da quando aveva sposato Beatriz il suo modo di vestire aveva subito notevoli cambiamenti. Adesso portava camicie e pantaloni più casual, aveva quasi del tutto abbandonato la cravatta e dimenticato i completi dalla linea ortopedica che l'avevano caratterizzato negli anni della sua lunga vedovanza. Ebbi l'infelice idea di fargliela notare, dato che quella mattina lo trovai particolarmente in forma. Com'era da prevedersi, la prese male:

– Cosa c'è? Beatriz la paga per farmi questo genere di apprezzamenti?

– Ma com'è malfidente e scorbutico stamattina! Che il suo aspetto sia nettamente migliorato è un fatto obiettivo.

– Be', io mi trovavo meglio prima. L'abbigliamento deve andar d'accordo con l'età. Solo che mia moglie mi vede come un ragazzino. Fosse per lei dovrei mettere il berretto da baseball con la visiera calata sugli occhi. Ma andare a lavorare in giacca e cravatta è un'altra cosa.

– Quanti colleghi in giacca e cravatta vede in commissariato?

– Perché sono tutti più giovani di me! Quasi tutti, dentro e fuori del commissariato, sono più giovani di me.

– Non dica sciocchezze, Fermín.

– Non sono affatto delle sciocchezze! Se continuo a dar retta a mia moglie presto somiglierò ai poliziotti americani in giubbotto di cuoio e scarpe da tennis. Una cosa ridicola!

In preda alla collera, vera o finta che fosse, ordinò un panino al salame, caffellatte e croissant.

– Pensa di mangiarsi tutto questo?

– Certo, perché come se non bastasse nessuno mi garantisce che oggi si pranzerà. E poi le confesso che ne ho fin sopra i capelli dei germogli di soia che mi fa mangiare mia moglie. E tutto per poter portare dei vestiti che mi stanno da cani!

Lo osservai mentre addentava il suo panino con aria feroce. Mi scappava da ridere ma mi trattenni.

– Si direbbe che il suo matrimonio sia terribilmente infelice.

– Lo sa che non è così, Petra. Anzi, non sono mai stato più felice in tutta la mia porca vitaccia. Il fatto è che non so essere riconoscente quando gli altri si occupano di me.

– Guardi che a me succede praticamente lo stesso. Le attenzioni che ricevo mi piacciono, ma ho sempre paura che finiscano per schiavizzarmi.

– Se è così, allora io mi sento come gli schiavi negri prima della guerra di Secessione, con i ceppi ai piedi e una catena al collo. Beatriz si occupa della mia salute, della mia alimentazione, del mio aspetto e anche del mio umore... Posso solo sperare che prima o poi si metta a fare del volontariato e riversi fuori di casa i suoi istinti protettivi.

A quel punto non ce la feci più e scoppiai in una risata.

– Rida, rida pure di me. Non ha fatto altro da quando ci conosciamo.

– Ma per carità, caro collega. Rido perché lei è un esagerato e perché sono contenta che Beatriz si prenda cura di lei. Se non fosse per sua moglie, lei sarebbe un...

– Un cosa?

– Uno straccio.

– Meno male, temevo di peggio. Ma, mi scusi, perché non mangia? Non lo vuole un panino?

– Preferisco affrontare a stomaco vuoto quello che ci aspetta.

– Questo caso ci darà del filo da torcere, Petra. Stanotte mi sarò svegliato venti volte, non la smettevo più di ripensarci. Da dove ci converrà cominciare?

– Dal principio, e senza idee preconcette.

– Lo so che a lei tutte queste ipotesi del fanatico religioso...

– Lasciamo perdere quello che penso io. Vuole un altro caffè?

– Preferirei un dito di whisky. Mi farebbe compagnia?

– Forse è quello che ci vuole prima di affrontare un cadavere.

Ancora una volta avremmo interrogato un morto per avere delle risposte sui vivi. In un obitorio il concetto di morte perde di solennità. Davanti ai cassetti ordinatamente allineati l'uno accanto all'altro ci si sente come nelle celle frigorifere dove vengono immagazzinati i quarti di bue che finiranno sui banchi delle macellerie. Il freddo rende asettica ogni cosa, annulla gli odori e i movimenti. Ma quell'effetto svanisce quando viene scoperto il volto dello sfortunato occupante del cassetto, e a quel momento io non mi ero mai abituata.

Il medico legale era una donna all'incirca della mia età, la dottoressa Nuria Port. Ai suoi occhi affiorava lo sguardo distante dell'esperienza. Stava per recitarmi a memoria il referto ma la pregai di attendere che avessimo visto il corpo. Volevo osservarlo in silenzio prima di essere informata. Verificò il numero e mi condusse nella sala. Estrasse dolcemente il cassetto e aprì la cerniera di plastica. Comparve il volto bianco, rilassato, dai lineamenti morbidi, con il solo tratto discordante di un lungo naso aquilino, che aveva caratterizzato da vivo frate Cristóbal. Notai ai due lati del naso le infossature dovute all'uso costante degli occhiali. Come sempre sentii che solo in quel momento cominciavo a prendere possesso del caso. Frate o non frate, quello era un uomo di appena quarant'anni, morto, inspiegabilmente morto, perché non c'è morte, violenta o naturale, che non appaia inspiegabile vista da vicino, né uomo che non paia meritevole di vivere più a lungo di quanto gli sia toccato. Socchiusi le palpebre per imprimermi nella mente la sua immagine. Più tardi l'avrei rievocata ogni volta che avessi perso interesse nel lavoro, ogni volta che il peso della routine avesse minacciato di trasformare tutto in un rompicapo senza senso. No, tutto cominciava da lì, da quell'uomo senza vita che ancora portava i segni dei suoi occhiali da studioso sull'elegante naso illividito.

Ormai Garzón aveva fatto l'abitudine alle mie lunghe meditazioni davanti ai cadaveri delle vittime, ma dopo un po' la dottoressa Port si schiarì la gola. Lei fra i morti ci viveva, e tuttavia ogni minuto della sua giornata lavorativa doveva scorrere con vitale produttività. Voltai la testa come se mi svegliassi da un sogno. Lei raddrizzò i fogli che aveva fra le mani e cominciò a leggere.

– Soggetto di razza caucasica, quarantadue anni d'età. All'atto del rinvenimento presentava...

La interruppi:

– Dottoressa, visto che sa ogni cosa a memoria, perché non ci evita l'orribile linguaggio burocratico?

Mi guardò più perplessa che seccata. Aveva ragione, facevo la figura dell'artista che non vuole essere disturbato da particolari prosaici. Poco dignitosamente, cercai di rimediare:

– Mi scusi, sono un po' impressionata. Era un monaco, sa?

– Si immagini se non lo so! Qui fuori abbiamo sempre uno o due confratelli a vegliarlo. Si danno il turno. Facciamo fatica ad allontanarli, all'ora di chiusura. Solo i gitani sono così attaccati ai loro morti.

– Ci riassuma il referto, dottoressa.

– Non c'è molto da dire. Era un uomo in perfetta salute ed è morto in seguito al terribile colpo ricevuto. Un colpo assestato con forza non comune, per mezzo di un oggetto contundente. A giudicare dalla posizione e dalla forma della frattura cranica è stato sferrato dall'alto. Questo significa che l'assassino dev'essere robusto e piuttosto alto, più alto della vittima, che arrivava quasi al metro e ottanta.

– Escluderebbe che si possa trattare di una donna?

– Non escluderei una donna dal fisico eccezionale, una lanciatrice del peso o qualcosa del genere.

– Capisco. Quindi è più probabile che sia stato un uomo.

– Direi di sì. Inoltre il colpo è stato inferto da sinistra verso destra.

– Un mancino?

– Non lo si può affermare con certezza. Ci sono persone che colpiscono meglio di rovescio. In ogni caso non ci sono segni di colluttazione. Ma poiché è stato colpito alle spalle, questo può voler dire unicamente che è stato colto di sorpresa. Può darsi che conoscesse l'aggressore.

– Non lo si può stabilire con certezza?

– In alcuni casi la vittima tenta di voltarsi, cosa che può essere riscontrata da una torsione del collo. Ma quest'uomo è caduto faccia a terra. Infatti si riscontrano ecchimosi sulla fronte e sul naso.

– A che ora è morto?

– Alle tre del mattino di venerdì scorso.

– C'è altro che dovremmo sapere?

– È tutto specificato nel referto. Se avete dei dubbi potete telefonarmi.

– Dov'è il confratello che lo sta vegliando?

Lei sbuffò.

– In sala d'attesa. Non vedo l'ora che questa salma se ne vada. È vero che non danno fastidio a nessuno, poverini, ma sono sempre lì, bussano, vogliono entrare, bisogna accompagnarli dentro. E poi è seccante saperli sempre qui. Per cosa, poi? L'anima immortale non dovrebbe lasciare il corpo? E allora perché insistono nel voler fare compagnia a un pezzo di carne?

– È un bel segno di solidarietà, in fin dei conti. Dubito che quando morirò qualcuno vorrà starmi vicino.

– Non lo dica a me, ispettore! Neppure il mio cane mi sarebbe tanto fedele. Ma a me pare più utile essere solidali con i vivi che con i morti.

Ci accompagnò fino alla porta della sala d'attesa. Ci porse una mano ossuta per congedarci e guardò dentro.

– Eccolo lì. È il più vecchio di tutti. Sembra un po' tocco ma non dà alcun fastidio. Passa ore e ore a leggere un breviario. Sono tutti piuttosto anziani quelli che vengono fin qui. Non mandano certo il fior fiore della comunità a vegliare un morto. Secondo me ne approfittano per toglierseli di torno per un po'.

Detto questo, si allontanò a passo deciso con il camice aperto a svolazzarle dietro.

Garzón mi sussurrò all'orecchio:

– Piuttosto dura, la dottoressa.

– Chi sta tutto il giorno in mezzo ai morti deve per forza avere una visione un po' cruda della vita. Lo consideri un meccanismo di difesa.

Vedendoci entrare, un fraticello ultranovantenne si alzò in piedi senza difficoltà. Doveva essere alto un metro e venti. Venne verso di noi e ci salutò più volte, con un gran sorriso. Garzón ed io ci presentammo, ma lui mantenne quel sorriso fisso, più da monaco buddista che da cistercense.

– Lei conosceva frate Cristóbal?

– Fratello Cristóbal, sì. Siede fra gli angeli del Signore, il Signore l'ha voluto con sé.

– Oggi andremo a far visita al monastero. Però ci piacerebbe che lei ci parlasse del defunto. Che tipo di uomo era, che abitudini aveva...

– Fratello Cristóbal è salito in cielo, è con gli angeli del Signore.

– Inutile – bofonchiò il viceispettore. – Questo è sordo come una campana.

Ci congedammo con ripetuti inchini di amabile assenso. Una volta fuori, dissi al mio collega:

– Io credo che ci senta perfettamente. Solo che non può parlare senza il permesso dei superiori.

– Tanto, per quel che poteva dirci…

– Avrei voluto scambiare qualche impressione con lui prima di infilarmi nella tana del lupo. Non creda che mi diverta a saltabeccare fra un convento e un monastero. È tutto così complicato. A proposito, chiami Coronas e lo informi che ce ne andiamo a Poblet.

– Non sarebbe meglio sentire prima la mendicante? È pur sempre l'unica testimone. Così avremmo in mano tutti gli elementi delle indagini.

– Calma Garzón. Qui si aprono molti fronti ed è meglio esplorarli uno per uno. Ma se la cosa la tranquillizza può chiamare Yolanda e dirle di andare a cercare quella donna e darle appuntamento per questa sera. O per domattina, se rientriamo tardi.

Lui obbedì, poi ci mettemmo in macchina come se partissimo per una gita.

3

Nel corso della mia vita ero già stata un paio di volte all'abbazia di Poblet, trovandola ogni volta di un'eleganza infinita. Appena varcato il portale che dà accesso al primo cortile ci si trova immersi nella pace che impregna ogni pietra. Non ci si sente estranei, si ha l'impressione di appartenere da sempre a quel luogo e di essersi lasciati alle spalle ogni frenesia turistica o culturale. In un'atmosfera simile chiunque avverte l'armonia del trascendente.

Scesi dall'auto nel primo vasto cortile ci incamminammo verso una porta aperta sperando di trovare qualcuno. Due gatti che passeggiavano fra i cipressi ci osservarono con una certa degnazione. Garzón era ammirato:

– È un posto impressionante.

– Non c'era mai venuto? È grandioso. E la facciata della chiesa è di una bellezza incredibile. Non dev'essere difficile condurre una vita di santità fra queste mura. Certo che qui non si può giocare a golf.

Mi guardò con gli occhi ridotti a due fessure ma non raccolse la provocazione

– Che frati ha detto che sono questi qua?

– Monaci cistercensi.

Suonammo un campanello, e dopo una lunga attesa comparve un giovane monaco in saio bianco. Feci le presentazioni di rito e il monaco annuì.

– Seguitemi, per favore – disse.

Fu tutto piuttosto semplice, dal momento che la nostra visita era attesa. Qualche minuto dopo comparve un monaco sulla sessantina, alto e asciutto, che sembrava aver portato la tonaca fin dalla nascita. Pensai fosse l'abate. Lui, senza che io facessi domande, volle evitare equivoci.

– Sono frate Magí. In questi giorni l'abate si trova in Francia, a un convegno dell'ordine. Mi ha autorizzato a ricevervi e a venirvi incontro in tutto quanto possiate desiderare.

– Vede, fratello, per prima cosa ci occorrerà parlare con la persona più informata sul conto di frate Cristóbal, o più vicina a lui nella vita del convento.

– Lo immaginavo, e per questo vi ricevo. Mi occupo della biblioteca e collaboravo con il povero frate Cristóbal in molte attività. Purtroppo, come ho già detto ai vostri colleghi della polizia autonoma, sono ben pochi gli elementi che possiamo fornirvi, però...

– Fratello, prima di continuare, c'è una cosa molto importante che vorrei sapere. Il computer di frate Cristóbal è qui? E la borsa in cui teneva i documenti relativi alle ricerche sul beato?

– Troverete qualcosa nella sua cella. Ma posso dirvi con certezza che il portatile qui non c'è. L'aveva preso con sé l'ultima volta che è sceso a Barcellona.

Garzón ed io ci scambiammo uno sguardo d'intesa e insieme di delusione. Addio prove, addio indizi. Eppure la scomparsa di quel materiale stava a indicare una sola cosa: il frate era stato ucciso per motivi legati al suo lavoro, e se così era frate Magí diventava il nostro interlocutore d'oro, insieme a suor Domitila. Mi vedevo già a capo di una congregazione di detective toccati dalla grazia divina.

– Credo, fratello, che dovremmo visitare la cella del defunto. Immagino che per questo occorra un permesso.

– In assenza dell'abate sono autorizzato a provvedere a tutto quanto mi chiederete. Solo che... essendo lei una donna, ispettore, sarà meglio avvertire i frati della sua presenza affinché possano ritirarsi. Naturalmente, lei capisce, le celle si trovano in zona di clausura. Ma non è un problema. Sarà questione di un attimo.

Ci lasciò soli. Garzón non attese che si fosse dissipata la sua aura di santità per dire:

– Ma cosa diavolo avrà scovato quel maledetto frate perché lo ripulissero così per bene?

– Cerchi di moderare il linguaggio. Qui siamo in territorio consacrato e non vorrei creare un incidente diplomatico.

– Sa cosa le dico? Per me questo è un territorio di guerra, permessi a destra e a sinistra, frati che devono correre a nascondersi... Non ho mai visto uno scenario migliore per un assassinio.

– Sì, la cornice è adatta. Ma il movente? In un luogo da cui le tentazioni del mondo sono escluse, che motivo c'è per uccidere?

– E cosa sarebbero per lei queste tentazioni?

– Lo sa benissimo: il mondo, il demonio, la carne. Vale a dire: sesso, denaro, potere... tutte le cose interessanti della vita.

– Non dev'essere un gran divertimento rinunciare a tutto questo. E in cambio di cosa, poi?

– Della pace, dell'unione con Dio... Non credo di essere la persona più adatta per spiegarglielo. Non lo capisco bene nemmeno io, se devo essere sincera.

Frate Magí rientrò con un sorriso velato.

Mentre ci inoltravamo nel magnifico monastero gli chiesi come fosse organizzata la vita dei monaci.

– Noi siamo cistercensi e seguiamo la regola benedettina, che si riassume in due parole: «ora et labora». La nostra giornata è scandita dalla preghiera. Si comincia alle quattro del mattino.

– Caspita! – esclamò Garzón molto colpito. – Un po' presto, non le pare?

– Per noi è un primo e gradevole incontro con il Signore. Ci abituiamo in fretta.

– Ci vuole un forte senso morale. Perché avere tutta la giornata davanti e pochissimo da fare...

– Noi abbiamo moltissime cose da fare, viceispettore. Pensi che questa comunità è del tutto autosufficiente. Le nostre attività sono molteplici.

Garzón annuì senza troppa convinzione. Forse paragonava gli impegni regolari dei monaci con le sue imprevedibili fatiche di poliziotto. Eravamo giunti in un lungo corridoio ai lati del quale si allineavano semplici porte di legno. Il monaco ne aprì una sulla destra e si fece da parte con gesto grave, come se di colpo si ricordasse del confratello ucciso. Entrammo in una stanza dalle pareti nude arredata con un letto, un armadio e una piccola scrivania. Da una finestra posta in alto si scorgeva un pezzo di cielo. La normalità di quello spazio esiguo faceva pensare più a una stanza da studente che alla cella di un monaco. Sulla scrivania era posato un fascio di fogli. Lo raccolsi.

– Questo fa parte del lavoro sul beato?

Frate Magí scorse la prima pagina.

– Sì, credo di sì.

– Fratello Cristóbal le parlava delle sue ricerche?

– Non mi teneva al corrente di tutto, ma poteva capitare che scambiassimo delle impressioni.

– Le aveva mai accennato ultimamente a qualcosa di insolito, qualcosa che...

– Che potesse giustificare il suo assassinio? Spero lei non parli sul serio, ispettore. Nulla che riguardi una salma di epoca medievale può giustificare una morte così spaventosa.

– Forse un segreto, una rivelazione che potesse mettere in difficoltà qualcuno...

– I segreti di questo tipo non esistono, ispettore. Non creda alle leggende che circolano sui conventi.

– Perfettamente d'accordo, ma le ricordo che la salma è stata trafugata, quindi a qualcuno doveva interessare.

– Sarà stata una semplice bravata, un atto sacrilego. Ci sono bande di giovani disadattati che fanno di queste cose. Non è raro che vengano profanate delle tombe.

– Ma il beato Asercio de Montcada è stato portato via con estrema cura, come se si trattasse di un malato invece che di un corpo mummificato.

Gli occhi grigi di frate Magí persero il loro distacco ultraterreno per accendersi di mondanissima curiosità.

– Come l'avete saputo?

– C'è una testimone che l'ha visto caricare su un furgone. Questo è tutto quello che sappiamo.

– Non riesco a crederci. Perché rubare delle sacre spoglie?

– Quando lo sapremo saremo molto vicini alla soluzione. A lei non viene in mente nulla?

– Assolutamente no. È un furto assurdo, del tutto inspiegabile.

– Esiste un mercato clandestino delle reliquie, come esiste quello degli arredi sacri?

– Le assicuro di no. Ci sono reti internazionali che si dedicano al commercio di oggetti d'arte trafugati dalle chiese, come ben sapete. Ma un corpo? Un corpo così antico potrebbe essere di qualche interesse solo per un museo. Ma quale museo esporrebbe mai della refurtiva così riconoscibile?

– Forse fuori dall'Europa, una fondazione con pochi scrupoli...

– E come lo farebbero uscire dalla Spagna? In camion?

– Questo non sarebbe un problema. Il problema è che nessun direttore di museo, per pazzo che sia, arriva a commissionare un omicidio per aggiungere un pezzo alla sua collezione. Non sarebbe logico.

Garzón stava sfogliando le pagine lasciate da frate Cristóbal. A un tratto alzò la testa e mi toccò il gomito.

– Ecco, ispettore, questo dev'essere il beato.

Mi porse delle fotografie nelle quali si distingueva frate Asercio disteso nella sua teca. Era poco più di un'ombra rivestita di un saio consunto. Fra le mani, ormai ridotte all'osso, aveva un rosario di legno. Garzón lo osservava assorto e un tantino schifato.

– Qui c'è un primo piano. Guardi che faccia!

Tossii con energia per farlo smettere. Lui cercò di rimediare con poca fortuna:

– Voglio dire che è piuttosto malmesso.

Frate Magí, imperturbabile come se non avesse udito nulla di sconveniente, osservò:

– In effetti il corpo era alquanto deteriorato. Questa è una delle ragioni per cui erano stati richiesti i servigi del nostro confratello. Attualmente stava lavorando a una ricostruzione storicamente documentata della vicenda del beato, sia in vita che dopo la morte. Le notizie finora disponibili erano piuttosto lacunose.

– Lo sappiamo. A questo proposito, fratello, credo sia opportuno organizzare una riunione di lavoro con lei e con suor Domitila, l'archivista del Cuore Immacolato. Forse riusciremo a far luce sulle conclusioni cui era giunto frate Cristóbal.

– Basta che mi avvisiate con qualche giorno di anticipo. Ma ora venite, se avete un minuto di tempo vorrei farvi visitare la nostra chiesa.

Quando, superata la Porta Dorata, entrammo nella chiesa e ci fermammo di fronte al *retablo* di Damián Forment, Garzón si lasciò finalmente sfuggire un commento appropriato:

– Mio Dio, che bellezza!

Poi uscimmo nel maestoso chiostro. Mentre passeggiavamo intorno alla fontana domandai alla nostra guida:

– Che tipo di persona era frate Cristóbal?

– Un uomo di estrema amabilità, oltre che un grande studioso. Era sempre pronto a fare un favore, a occuparsi degli altri. Si interessava della salute dei fratelli più anziani ed era di animo allegro. Le posso assicurare che godeva di grandi simpatie e che la sua morte ha lasciato un vuoto incolmabile.

– Immagino che i familiari siano stati informati...

– Naturalmente.

– Dovrà fornirmi i recapiti.

– Era originario del delta dell'Ebro. I Mossos d'Esquadra hanno già l'indirizzo, ma se lo desidera posso lasciarlo anche a lei.

Durante il viaggio di ritorno Garzón espresse tutto il suo entusiasmo:

– Che meraviglia di monastero, che grandiosità, che eleganza di linee!

– La smetta di fare il turista e mi dica che impressione ha tratto dalla conversazione con il monaco.

– Un'impressione abbastanza deludente, ispettore.

Hanno ammazzato quel poveraccio e portato via una mummia brutta come la morte e nessuno ha la più pallida idea del perché.

– Chiami Yolanda. Le dica che fra un paio d'ore potremmo vedere la testimone in commissariato. Ammesso che sia riuscita a trovarla.

Lo guardavo con la coda dell'occhio. Da quando era sposato i suoi malumori si erano placati. Prima, di fronte alla minima complicazione bestemmiava come un carrettiere. Ora sembrava mettere meno foga nel lavoro e questo lo portava a prenderlo con più naturalezza. Evidentemente tutti abbiamo una capacità di attenzione limitata, e se la domanda cresce in un settore della vita, si riduce la nostra disponibilità emotiva in un altro. Forse per questo si dice che le relazioni stabili migliorino l'equilibrio complessivo dell'esistenza. Ma il solo fatto di prendere in considerazione una teoria del genere mi infastidiva, perché è in base a questo ragionamento che si nega l'audacia strategica ai generali innamorati, il genio creativo agli artisti accasati e la sagacia investigativa ai poliziotti che godono di una vita sentimentale soddisfacente. Non è così o, almeno, non dovrebbe esserlo. Credo che fu questo pensiero a farmi decidere con piena coscienza e determinazione che avrei trovato l'assassino anche a costo di trascurare ogni altro aspetto della mia vita.

Ero così immersa in quelle riflessioni da non badare neppure al triplice «e che cazzo» di Garzón durante la telefonata con Yolanda. Poi lo sentii concludere con un «brava» che chiuse la comunicazione.

– La mendicante non si trova.
– E che cazzo.
– È quel che ho detto io. Le ho detto di cercarla alla casa di accoglienza notturna dove va a dormire. Passerà a vedere più tardi.
– La richiami. Le dica di farsi aiutare da Sonia, di rovesciare come un guanto tutto il quartiere, se è il caso, ma di trovarla prima di stasera.
Mi obbedì. Poi mi guardò.
– Ritiene che sia così importante quella donna?
– Non abbiamo altri testimoni.
– Ma è una testimone poco affidabile.
– Che ce ne importa. È l'unica! E poi le indagini erano appena cominciate quando i Mossos l'hanno sentita. Avranno cercato solo di farsi un'idea. È il caso di interrogarla con calma.
Lo vidi stingersi nelle spalle, tenace nel suo scetticismo, e così non ne parlammo più.
L'ingresso in commissariato fu trionfale. Non appena ci vide, l'agente Domínguez ci corse incontro.
– Ispettore, il commissario la vuole subito nel suo ufficio.
– Va bene, Domínguez, ma adesso che mi ha trasmesso l'ordine non stia a guardarmi così. Sono fatti miei se decido di eseguirlo o no.
Il povero Domínguez, mansueto per natura, ci rimaneva sempre male per quelle mie risposte. Si dibatteva fra il senso del dovere e il desiderio di compiacere a tutti i costi. Optò per il secondo:
– Come desidera, ispettore.

Dissi in un sibilo a Garzón:

– Lei intanto controlli cosa stanno combinando Sonia e Yolanda. È fortunato, può fare a meno di perdere tempo nell'ufficio del capo. Appena si sa qualcosa della testimone mi chiami subito.

Come se la fretta fosse un concetto a me ignoto mi incamminai verso il mio ufficio. Lì mi sedetti e mi lessi l'intero fascicolo lasciato da frate Cristóbal nella sua cella. Doveva essere una prima stesura della relazione sul beato. Le annotazioni ripercorrevano le peripezie del corpo incorrotto di frate Asercio. A un certo punto si leggeva:

Documenti risalenti al 1423 conservati presso la cattedrale di Girona narrano del frate Asercio de Montcada, di come questi visse santamente il monacato e di come la fama delle sue opere si diffuse in tutta la regione e più tardi in tutto il regno d'Aragona. Successivamente, un manoscritto datato 1619 che si trova nell'archivio diocesano di Barcellona, riporta una notizia di importanza non trascurabile. Vi si fa riferimento al processo intentato contro tre sacerdoti che nel maggio di quell'anno avrebbero sottratto un corpo incorrotto da una chiesa (non specificata) agendo «con il favore delle tenebre». Stando a quanto si sa delle indagini condotte all'epoca, potrebbe essersi trattato del corpo di frate Asercio. Il manoscritto non specifica quali motivi o scopi avessero indotto gli ecclesiastici a compiere il furto, ma dagli atti giudiziari si inferisce che le sacre spoglie avrebbero potuto fungere da richiamo per i fedeli in una piccola cappella priva di particolari attrattive spirituali.

Dovetti rileggere più volte le ultime righe per comprenderne appieno il significato. A quanto pareva il povero Asercio era già stato trafugato una volta. E solo per diventare quella che eufemisticamente poteva essere definita «attrattiva spirituale», una specie di attrattiva turistica, per dirla con il linguaggio di oggi. Il mondo va avanti ma le finalità che muovono gli uomini rimangono sempre le stesse. Non avevo idea di come si fosse svolta la vita del beato, ma certamente le sue avventure *post mortem* erano degne di Indiana Jones. Ero curiosa di vedere che faccia avrebbe fatto il viceispettore quando l'avesse saputo.

Altre pagine riguardavano diverse cerimonie celebrate in onore del beato all'interno di conventi e monasteri di varie congregazioni. Le fonti erano sempre documenti conservati presso la biblioteca delle sorelle del Cuore Immacolato.

L'ultimo foglio conteneva una sorta di programma di lavoro suddiviso in due fasi: determinazione e datazione delle tappe salienti nella vita del beato e nella storia delle sue spoglie, diagnosi e restauro del corpo.

Esaminai i punti enumerati sotto quest'ultima voce: 1. Diagnosi di incorruttibilità. 2. Esame e trattamento del materiale tessile. 3. Eventuale datazione. 4. Trattamento dei resti con COMPLUCAD.

La consulenza di suor Domitila e frate Magí mi parve ancora più necessaria. Sarebbe stato assurdo rivolgerci a consulenti esterni quando avevamo a disposizione degli esperti in materia.

Sentii bussare alla porta. Comparve il filosofico sembiante di Domínguez.

– Ispettore...

– Gli dica che vengo subito.

– No, non è per quello. È che ci sarebbe una busta per lei.

Presi il plico. Uscendo, Domínguez si permise una raccomandazione:

– Se lo ricorda che il commissario la sta aspettando, vero?

Lo guardai spazientita e lui se la filò. La busta conteneva una copia del biglietto rinvenuto sulla scena del delitto unitamente alla perizia effettuata. Fui lieta della chiarezza con cui era redatta.

Documento su supporto cartaceo da 150 g/mq (spessore 0,3 mm) di colore bianco, formato DIN A 4 di uso corrente. Non si riscontrano impronte di nessun tipo su tutta la superficie, il che sta a indicare che è stato manipolato con l'uso di guanti. I segni grafici tracciati con tratto rapido e sicuro consentono di affermare con stretto margine di dubbio che l'autore degli stessi disponga di precise conoscenze della grafia gotica tardomedievale.

Non sarà stato molto ma era già qualcosa. Se non altro potevamo essere certi che il messaggio era opera di un esperto. Ma esperto in cosa? In calligrafia, in storia medievale, in falsificazioni? Nulla di ciò che avevamo scoperto finora pareva indicarci una direzione precisa. Guardai l'orologio. Neppure con tutta la flemma del mondo avrei potuto rinviare oltre la visita a Coronas. In quell'istante il telefono suonò. Era il viceispettore.

– Pessime notizie, Petra. La testimone non salta fuori. Dicono che da tre notti non sia neppure andata a dormire alla casa di accoglienza. Cosa facciamo?

– Torni qui con le ragazze e aspettatemi nel mio ufficio.

Mi diressi verso la tana dell'orco e bussai alla porta con polso deciso. Sapevo che avrei dovuto sferrare un contrattacco ed ero occupata a schierare tutte le mie truppe mentali perché fossero pronte alla battaglia. Quella sera l'orco aveva scelto l'ironia:

– Qual buon vento, Petra! Sono ammirato della sua discrezione. Sul mio computer compaiono meno rapporti che su quello di un poliziotto lappone. Sarebbe un'impertinenza domandarle di cosa vi state occupando ultimamente, lei e Garzón?

– Commissario, lei sa bene che abbiamo ereditato il caso dai Mossos e che è stato necessario ripartire quasi da zero, attendere gli esiti delle perizie...

– Basta, basta, non mi secchi con giustificazioni inutili! Il questore vuole notizie concrete. E poi ritiene indispensabile che lei parli con Enrique Villamagna, il nuovo addetto stampa. I giornalisti lo assediano. Bisognerà accontentarli, prima che ci siano fughe di notizie o che qualcuno dica che il frate è stato ucciso dalla mummia. Non lo faccia aspettare, è di là.

– Ai suoi ordini, commissario. Ma prima...

– Mio Dio, Petra, quando le sento dire che è ai miei ordini mi sale la pressione. Si può sapere cosa vuole?

– Una dotazione speciale di venti uomini.

– Come? Ma lei lo sa cosa sono venti uomini? Già che ci siamo, perché non chiede rinforzi alle giubbe rosse? E si può sapere a cosa le servirebbe un simile reggimento?

– Ci è sparita la testimone. Non riusciamo più a trovarla.

– Ma non era una senzatetto? Può essere ovunque.

– Questo è il punto, commissario, può essere ovunque ma non sappiamo dove. Ho bisogno di interrogarla immediatamente.

– L'hanno già fatto i Mossos d'Esquadra e a quanto pare era completamente suonata. Non credo possa servire a molto.

– Io non rinuncerei a un interrogatorio più dettagliato, commissario. E condotto con tranquillità, senza l'ansia tipica dell'inizio di un'indagine.

Coronas alzò gli occhi al cielo come un attore dilettante che voglia esprimere rassegnazione.

– E va bene, ispettore, va bene. Venti uomini per tre giorni. Non un giorno di più. Poi però se non succede niente dovrà accontentarsi di Garzón e delle ragazze.

– Grazie infinite, commissario, lo ritengo giusto.

– Mi faccia il benedetto favore di lasciar decidere a me che cos'è giusto o no. E adesso vada a buttare giù quei rapporti, ma prima dica due parole a Villamagna che sta impazzendo. È chiaro?

– Chiarissimo, commissario.

Coronas non era un cattivo diavolo, in fin dei conti. Bastava che gli dessi i rapporti che voleva e mi avrebbe lasciata in pace. La catena del comando non è diversa dalla catena alimentare: si tratta sempre di nutrirsi a spese di chi sta sotto per dare modo di nutrirsi a chi sta sopra. Avrei steso il mio bravo rapporto per accontentare il commissario e perché a sua volta lui potesse accontentare il questore. Ma io, da dove l'avrei tirato fuori il mio pane? Dai miei sottoposti, che già mi aspettavano in ufficio. Eppure anche in un sistema così semplice allignano strani parassiti che richiedono un mangime speciale in nome dell'interesse pubblico, dei media, dell'informazione e, in definitiva, del popolo bue. Ebbi modo di constatarlo non appena Enrique Villamagna intercettò i miei furtivi passi lungo il corridoio. Rosso di capelli come Giuda e interessato quanto lui, il nuovo addetto stampa della questura di Barcellona era riuscito a laurearsi in giornalismo mentre studiava all'accademia di polizia. Per questo, e per la sua continua smania di far bene passava per un giovane brillantissimo e a soli trent'anni era stato promosso ispettore. Ma la caratteristica che più lo distingueva, con mio gran divertimento, era la sua incredibile doppia personalità: Villamagna era un vero Dr Jekyll e Mr Hyde. Alle conferenze stampa si presentava come un bravo ragazzo, compito e intelligente, sempre pronto a rispondere con perfetta proprietà e cortesia alle domande dei giornalisti. In quelle occasioni vestiva abiti impeccabili che lo apparentavano a un'intera generazione di giovani manager di successo. Quando invece si aggirava per i commissariati al riparo dagli sguardi del pubblico, il suo aspetto era quello di un hooligan dopo la partita. Jeans con il cavallo al ginocchio, T-shirt con scritte indecenti, scarpe da ginnastica. E il suo lessico non contraddiceva il look. Mai avevo assistito a un caso così perfetto e spontaneo di sdoppiamento.

Vedendomi si avvicinò con un sorriso a trentadue denti.

– Ecco qui il mitico ispettore Petra Delicado! Quando mi hanno detto che avevo un gancio con te mi son detto: che culo, la femmina più scafata di tutta la sbirraglia barcellonese...

– Infatti. Sono abbastanza scafata da diffidare dei complimenti.

– Cazzate. Senti un po': ti andrebbe di presentarlo tu il caso della setta satanica, così glielo facciamo vedere noi a quegli stronzi di giornalisti che cos'è un bel pezzo di donna?

– Setta satanica? Non so di cosa tu mi stia parlando.

– Su, Petra, non pigliare per i fondelli anche me. Da quando si è saputo del frate morto ammazzato e della mummia rubata la vogliono tutti la storiaccia della setta satanica.

– Ma chi è il deficiente che ha messo in giro una voce simile? Ti assicuro che i fatti sono ben diversi.

Senza battere ciglio, lui sfoderò biro e taccuino.

– Spara, ispettore. Sono tutt'orecchi.

– Fermo lì, Villamagna! Al massimo puoi dire per quale motivo un monaco di Poblet si trovava al convento, così avrai modo di parlare d'arte e di storia sacra. Su questo ti passo tutte le informazioni. Poi puoi dire che sono misteriosamente scomparse le sacre spoglie del beato Asercio de Montcada, così ti puoi dilungare sui corpi incorrotti, sulla conservazione delle salme e altre amenità... Alla fine concludi dicendo che i due fatti sono da ritenersi collegati, che si esclude il furto a scopo di lucro e che abbiamo un testimone. E ti fermi lì, d'accordo?

– Ma cazzo, Petra, non scherzare! Quelli mi aprono il culo. Ti rendi conto di cosa scatena un delitto simile nella testa della gente? Mummie scomparse, monaci assassinati, maledizioni, vendette... Come vuoi che gli imbrattacarte si accontentino di una pallosissima lezione di storia?

– Perché non aggiungi qualche notizia sulla vita monastica, su san Benedetto, sull'*ora et labora*?

– Sì, certo, e poi proietto un DVD dei *Dieci comandamenti*. Guarda che non funziona mica così.

– Il tuo dovere non è tenere a bada la stampa?

– Niente affatto. Il mio dovere è cavarti fuori tutto quello che posso, rivenderlo alla stampa come se fosse molto di più e fare in modo che la polizia ne esca il meglio possibile.

– Dagli il comunicato stampa e che si aggiustino.

– Ma quel comunicato è più insipido di un tè di beneficenza. Se gli smollo solo quello si inventeranno chissà cosa. E le fughe di notizie ci saranno, perché quei disgraziati andranno a spaccare i coglioni anche al più sfigato dei piedipiatti di Barcellona. Vedrai che casino sono capaci di mettere in piedi!

– Be', allora di' la verità, che non abbiamo la minima idea di chi sia stato, che brancoliamo nel buio e che se va avanti così finiremo tutti come la mummia prima di aver risolto qualcosa.

Lo sentii imprecare mentre mi allontanavo. Una setta satanica! Ancora una volta la stampa dimostrava ben poca immaginazione. Se non fossimo corsi ai ripari invenzioni di questo tipo sarebbero finite su tutti i giornali. Villamagna voleva qualche boccone succoso da gettare alle belve e noi dovevamo darglielo.

Cercando di non lasciarmi distrarre da quell'ennesimo problema, raggiunsi il mio ufficio. Trovai la porta socchiusa. Sbirciando dentro vidi Yolanda e Sonia immerse in una discussione. Da qualche tempo gli agenti erano tenuti a riempire moduli su qualunque cosa stessero facendo. Pareva che dovessero servire a fini statistici e al tempo stesso valutativi, sia delle attività svolte che dei reati commessi. Quell'incombenza burocratica era stata accolta molto male da tutti, tanto più che non era facile inquadrare il servizio prestato all'interno delle succinte voci del formulario. Sonia, che non brillava per intelligenza astratta, non sapeva come cavarsela.

Sembrava sul punto di mettersi a piangere:

– Ma Yolanda, come faccio? Se trovo un minore che se ne va in giro da solo a far danni compilo il quadro C; ma se non è la prima volta che lo pesco, cosa devo compilare? Sempre il C oppure quello delle recidive?

Entrai all'improvviso e la scenetta si interruppe.

– Vedo che avete qualche problema – osservai. Yolanda volle darmi le sue spiegazioni:

– Niente di grave, ispettore. Solo che ogni tanto non sappiamo che pesci pigliare con questa storia dei moduli. Ti viene voglia di non fermare più nessuno perché poi non sai quali caselle riempire. E per cosa? Perché i politici abbiano delle cifre da citare nei loro discorsi?

– Prendersela con i politici è un atteggiamento da poliziotto fascistoide che non ti si addice per niente, Yolanda. E poi dovresti saperlo che le statistiche sono importanti.

– È vero, ispettore – rispose pronta come una recluta dei *marines*.

– Dov'è il viceispettore?

– Qui! – canticchiò Garzón dalla porta. – Ero in missione al gabinetto, parlando con rispetto.

Sonia ridacchiò.

– Voglio sapere come vi siete mossi per cercare la testimone.

– Abbiamo fatto domande in tutti i luoghi dove la si vede di solito. Siamo stati alla casa di accoglienza notturna dove va a dormire. Sono tre giorni che non si vede, cosa che stupisce parecchio la responsabile. Ci hanno detto che spesso staziona dalle parti del Born, ma ultimamente nessuno l'ha vista nemmeno lì. E davanti al convento non è più tornata.

– Avete fatto il possibile. Sappiate che non vi ho convocate per farvi la predica, ma perché voglio che lavoriate con noi a queste indagini.

Sonia, con la sua assoluta mancanza di doti diplomatiche, balzò in piedi ed esclamò:

– Fantastico, il caso della mummia!

La ricompensai con uno sguardo che avrebbe dovuto gelarle il sangue. Ma lei trovò ancora qualcosa da dire:

– Ormai ne parlano tutti, sa? Dicono che sembra un film, con quei monaci, quelle suore, e io...

– E tu faresti bene a stare zitta! Questo per noi è un omicidio, punto e basta. Il commissario ci ha concesso una dotazione speciale di venti uomini per cercare di ritrovare la testimone. Voi due avrete il compito di coordinare le ricerche e presentarmi dei rapporti.

– Venti persone? Ma è fantastico! – esclamò Garzón imitando Sonia.

– Per me sarebbe fantastico se la piantaste di interrompermi. Ora vi chiedo di mettere giù una mappa di tutti i luoghi frequentati dalla testimone, e frequentati da mendicanti e senzatetto in genere. Segnate anche tutte le chiese e i conventi. E sia ben chiaro che nessuna di voi due, come nessuno degli uomini della squadra dovrà lasciarsi sfuggire una parola sull'andamento delle indagini. Se mai vengo a sapere che qualcuno ha parlato con un giornalista, io quello lo prendo e lo strozzo con le mie mani. Anzi, se qualcuno ha la lingua troppo lunga, affido a voi il compito di venirmelo a riferire. E niente battute idiote sulla maledizione della mummia o la vendetta della suora assassina, intesi?

– Sì, ispettore – risposero in coro le mie reclute.

Mentre uscivano sentii Sonia bisbigliare a Yolanda:

– E quali moduli dovremo compilare, secondo te?

– Ma sei mezza scema o cosa? – rispose Yolanda in un sibilo.

Carica di indignazione mi voltai verso Garzón e colsi le sue manovre per soffocare una sghignazzata.

– Rida pure finché vuole, ma le comunico che Coronas vuole un rapporto entro stasera. Sarà meglio rimboccarsi le maniche.

– Chiamo Beatriz per avvertirla che farò tardi.

Si voltò verso la finestra per non parlare davanti a me e io feci finta di concentrarmi sulle carte. Lo sentii dire «tesoro» un paio di volte. Quando venne a sedersi feci l'indifferente.

– Ma lei non chiama Marcos?

– Lui sa che in questi giorni non può contare su di me.

– Be', ma un colpo di telefono non costa niente.

– Non voglio abituarlo male – dissi, solo per provocarlo.

– Fa la dura, eh, ispettore?

– Ormai mi conosce. Bogart ed io siamo fatti così.

Ci suddividemmo il lavoro e ci applicammo con pochissima voglia alla stesura del rapporto. Per cena ordinammo un panino alla Jarra de Oro e svariate tazzine di caffè. A mezzanotte Garzón alzò la testa.

– Io ho messo giù praticamente tutto. Che ne dice se ce ne andiamo?

– Anch'io ho finito.

Stirai le braccia con discrezione mentre lui si strofinava gli occhi. Mi preparavo a spegnere il computer quando il mio vice se ne uscì con una proposta:

– E se ci prendessimo una birretta? La Jarra dev'essere ancora aperta.

Da una lievissima increspatura delle sue labbra capii che quella era una sfida. La sola cosa che desideravo era andarmene a casa da mio marito, ma ormai mi ero spinta troppo in là per dire di no.

– Anche due, se necessario! Vado un attimo a rinfrescarmi la faccia e sono pronta.

Gli angoli delle sue labbra si abbassarono notevolmente. Anche lui stava morendo dalla voglia di tornare fra le braccia della sua dolce metà. Ma nessuno dei due era disposto a riconoscere la propria schiavitù di coniuge felice, e così cinque minuti dopo ci ritrovammo seduti al bar di fronte, pieno a quell'ora di gente solitaria.

– Crede che con venti uomini la troveremo, la barbona?

– Pensavo fossimo qui per rilassarci dopo una lunga e faticosa giornata, le pare il caso di parlare di lavoro?

– Ha ragione. Come va con i figli di Marcos?

– Nemmeno della famiglia mi va di parlare.

Garzón bevve un buon sorso della sua birra e poi mi chiese:

– Crede che il Barça batterà il Real Madrid?

Lo fissai, impassibile.

– Ci scommetto tutto quello che vuole, Fermín.

Arrivai a casa che era l'una passata. Marcos era ancora sveglio. Mi venne incontro e mi abbracciò. Sembrava preoccupato.

– Tutto bene?

– Relativamente.

– È terribile che tu debba dedicare tante ore a faccende così lugubri.

– Ma, Marcos, è il mio lavoro!

– Lo so, ma questa storia del frate assassinato è davvero sgradevole. Mi piacerebbe proteggerti da una realtà tanto cruda.

Lo guardai con occhi pieni d'affetto.

– Se tu potessi proteggere me e io te, nessuno dei due vivrebbe più nella realtà.

– Forse hai ragione, ma quando ho sentito quel che diceva l'addetto stampa della questura in televisione...

– Quando?

– Al telegiornale delle dieci. Vieni in cucina, forse lo ritrasmettono fra un po'. E poi ti ho lasciato una frittata di zucchine. Lo so che non vuoi che ti cucini nulla, però ero sicuro che non avresti avuto il tempo di cenare e ho chiesto a Jacinta di prepararla.

Mi sforzai di sorridere. È incredibile, pensai. Milioni di donne si lamentano dei mariti che non pensano mai a loro, mentre io ero obbligata a mandar giù controvoglia un'amorevole frittata che di sicuro mi sarebbe rimasta sullo stomaco.

Accesi il televisore, azzerai il volume e mi sedetti a tavola.

– Raccontami del tuo lavoro, Marcos – gli dissi mentre mangiavo.

– Le solite cose. La ristrutturazione di quell'albergo ci fa impazzire.

– Interessante!

– Trovi?

– Ma certo!

– Non vedo perché.

– Perché? Dev'essere una cosa così complicata, con tutte quelle stanze, quei corridoi, le cucine...

Scoppiò a ridere dei miei sforzi per fargli credere che il progetto di un albergo mi appassionasse.

– Se ti interessa così tanto posso farti vedere i disegni, spiegarteli.

– Sarebbe magnifico!

Afferrai con una zampata il telecomando e alzai il volume. Avevo avvistato Villamagna. Vestito come un principe ereditario, pronunciava ogni parola con accento patrizio. Gli sentii dire:

«Al momento la polizia è impegnata su diverse piste, nessuna delle quali sembra da escludere. A partire da domani verrà attivata una squadra speciale per dare maggiore impulso alle indagini. Questo è tutto quel che posso dire, ora. Come ben si sa, in questo tipo di operazioni prudenza e discrezione sono fondamentali».

– Il filmato è stato tagliato. Quando l'ho visto io ha detto parecchie cose in più.

– Del tipo?

– Niente di speciale. Ha parlato per tre minuti buoni senza arrivare praticamente a niente.

– È quel che deve fare.

– Forse. Ma non so se è il modo giusto per mettere a tacere le strane idee della gente.

– Quali idee?

– Le più assurde. L'altro giorno gli impiegati dello studio facevano a gara a chi tirava fuori la storia più macabra. Dicevano che il monaco era morto con una croce conficcata nel petto.

– Che animali! E dire che ancora non si sa niente. Appena trapeleranno delle voci la gente ci ricamerà su dei romanzi.

– E voi non potete far niente?

– Che cosa vuoi che facciamo? Un crimine che fa notizia è come una casa con le finestre rotte. Puoi chiuderti dentro, ma farà sempre freddo. Spero solo che i tuoi figli non sentano troppe sciocchezze.

– Non preoccuparti anche di questo. Hai già abbastanza problemi così.

– Il mio solo problema è che una bravissima persona è stata ammazzata senza motivo.

– È terribile quello che possono fare gli esseri umani!

Finii di sparecchiare mentre Marcos saliva in camera a testa bassa. Non ero certo riuscita a proteggerlo dalla realtà, anzi, gli avevo rovesciato addosso tutto l'orrore delle mie tristi incombenze poliziesche. Certo, neanche lui se l'era cavata troppo bene: la frittata cominciava a darmi il bruciore di stomaco. Il fatto è che l'amore può trasformare il carattere di un uomo, perfino la sua vita, ma si rivela del tutto inefficace contro le miserie quotidiane.

4

Il mattino dopo, al mio arrivo in commissariato, trovai Garzón e le due ragazze indaffarati a piantare bandierine colorate su una grande mappa di Barcellona appesa al muro.

– Cos'è, state giocando a Risiko? – domandai.

– Le bandierine rosse sono i punti dove stazionano barboni e mendicanti. E quelle verdi sono i centri di accoglienza e le mense per i poveri.

– Ma ce ne sono un mucchio!

Garzón sospirò e spalancò le braccia:

– Le città sono infestate dai senzatetto, letteralmente infestate!

– Lo so, in questo paese ci sono più barboni che bar, ma spero che abbiate applicato un criterio di selezione, altrimenti non se ne esce più.

Prese la parola Yolanda:

– Abbiamo escluso gli istituti religiosi. Alla casa di accoglienza ci hanno detto che la nostra amica Eulalia è un'anticlericale sfegatata, ce l'ha con tutti i preti e tutte le monache.

– Non male.

– E poi abbiamo escluso un edificio fatiscente noto come punto d'incontro di indigenti dai gusti particolari.

– Che cosa vorresti dire?

– Che ci vanno i froci – disse Sonia senza riguardi.

– Ma insomma! – la riprese Yolanda vedendo sabotata la sua eufemistica spiegazione.

– Volevo solo che l'ispettore capisse.

– In effetti ho capito. Yolanda, va' a chiedere al commissario la lista degli agenti a nostra disposizione e convocali per questo pomeriggio alle quattro. Nel frattempo definirete esattamente le zone da controllare.

– Approva la mappa che abbiamo preparato?

– *Nihil obstat*. Che, come sapete, significa «Non sprecate altro tempo».

Le due ragazze uscirono infiammate dal sacro fuoco del dovere. Garzón rideva sotto i folti baffi.

– Parla in latino, adesso? E poi si lamenta se i colleghi la sfottono.

– Su, ispettore, muoviamoci. I familiari della vittima ci aspettano a duecento chilometri da qui.

I genitori di frate Cristóbal stavano a Sant Carles de la Ràpita, porto peschereccio poco oltre il delta dell'Ebro. Ci accolsero nella loro casa comoda e ampia, dove la semplicità non era certo segno di disagio economico. Lavoravano ancora entrambi, nella panetteria di famiglia, la più grande e rinomata del centro. Avevano altri quattro figli, tutti accasati. Erano distrutti dalla morte del loro primogenito.

– Non ci riprenderemo mai da questo colpo – sentenziò il padre, sereno e tragico. Abbassai gli occhi. In casi simili non c'è mai niente da dire, si può solo stare in silenzio. Finalmente Garzón trovò la formula giusta secondo tradizione:

– Vi siamo vicini nel vostro dolore.

Entrambi ci ringraziarono, poi tacquero con una gravità che gelava il sangue. Non piangevano, non si lamentavano, accettavano con dignità un destino terribile.

Dovetti prendere l'iniziativa. Ogni parola sembrava assurda non appena la pronunciavo:

– So che questo è un momento difficile per voi e che le domande che farò vi suoneranno sacrileghe, ma per giungere a una risposta su quest'orribile crimine è necessario scartare molte ipotesi. Cominciamo da qui: vostro figlio aveva dei nemici?

Si guardarono come se non avessero capito il senso di quel che dicevo. Rispose la madre:

– Nostro figlio era buono, ed erano più di vent'anni che aveva preso i voti. Qui ha lasciato solo amici.

– E la vostra famiglia non ha inimicizie di nessun genere? Intendo inimicizie vecchie, di quelle che possono durare decenni, per questioni di terre, di eredità...

Questa volta fu il padre a parlare:

– No, ispettore. Noi siamo gente di paese, ma da queste parti non siamo arretrati. Qui si lavora e si vive in pace. Nessuno si vendica, nessuno prende a colpi d'ascia i vicini. Le faide sono cose del passato, di quelle che si vedono in televisione.

Mi aveva capita. Continuai:

– Quando avete visto vostro figlio per l'ultima volta?

– Tre mesi fa l'abate gli aveva dato licenza di venire a farci visita. Si era fermato a pranzo.

– E in quell'occasione vi parlò forse di qualcosa di strano, di qualche preoccupazione?

Mi rispose la madre:

– No, era sereno, allegro, come sempre. Al convento aveva la sua vita e il suo lavoro. Sa, all'inizio non è stato facile accettare la sua scelta. Lui era l'*hereu*, come si dice da noi, l'erede. Ed era molto intelligente, andava bene a scuola. Ma poi abbiamo capito che a Poblet stava bene. Mai un rimpianto, mai un'insoddisfazione. Alla fine eravamo contenti per lui. E poi io, come madre, stavo tranquilla. All'abbazia, con i confratelli, mi sembrava protetto, al riparo da tante cose brutte. E invece...

Lì la sua forza si spezzò. Si abbandonò a un pianto sconsolato, silenzioso. Il marito le passò un braccio sulle spalle.

– Sono giorni che mia moglie piange – disse. – Ma a chi può venire in mente di uccidere un figliolo che era un santo, a chi?

Ci guardava disperato. Garzón intervenne per la seconda volta:

– Purtroppo non possiamo darvi conforto, possiamo solo assicurarvi che il colpevole, chiunque sia, pagherà per quello che ha fatto. Lo troveremo e lo consegneremo alla giustizia.

Queste parole parvero rassicurarlo, mentre sua moglie continuava a piangere.

– Volete parlare con i fratelli? – domandò lui.

– Non credo sia necessario. Provate voi a chiedere se hanno notato in lui qualcosa di strano, ultimamente; se hanno ricevuto qualche confidenza. Se vi pare di scoprire qualche elemento nuovo, anche piccolissimo, chiamateci.

Porsi loro un biglietto da visita e intrapresi una mesta ritirata. La voce del padre mi fermò:

– Non lasciate che i giornalisti dicano sciocchezze, per rispetto alla memoria di nostro figlio.

– Non dipende da noi, ma faremo tutto il possibile – rispose Garzón. E poi aggiunse, con una naturalezza che mi lasciò stupefatta:

– C'è qualche posto qui intorno dove si mangia bene?

L'uomo, invece di seccarsi per quella domanda fuori luogo, gli rispose con identica disinvoltura:

– Potete andare al Peix. Lo trovate sul lungomare. Ma qui bisogna dire che si mangia bene dappertutto.

La madre si asciugò le lacrime per aggiungere la sua:

– Il pesce e i crostacei sono sempre freschissimi.

Salendo in macchina dissi a Garzón:

– Lei è incredibile, viceispettore. Con un paio di frasi fatte è riuscito a farli sentire meglio.

– Ma certo. Le persone semplici apprezzano le frasi fatte. Capiscono che le stai trattando con educazione, oltre a prendere parte al loro dolore, alla loro gioia o a quel che stanno vivendo...

– Non ci avevo mai pensato. E poi ha fatto bene a chiedere del ristorante. Sul momento ho temuto che potesse dar fastidio, ma poi ho capito che a loro faceva piacere.

– Ispettore, anch'io vengo da un paese. E il mangiare, in un posto come questo, è l'argomento fondamentale, quello che unisce e rappacifica tutti quanti. Se chiedi consiglio a qualcuno su dove andare a pranzo, significa che lo rispetti, che lo ritieni un conoscitore della sua terra, che sai apprezzarne i prodotti.

– Incredibile, non la facevo così esperto di questioni antropologiche.

– Il fatto è che lei non conosce la gente modesta; è un po' borghesuccia, diciamo.

– Veda di smetterla o dovrà accontentarsi del solito panino.

La smise subito, di modo che ci fermammo sul lungomare e andammo alla ricerca di una trattoria con la sana intenzione di goderci uno dei celebri piatti di riso della zona. Sant Carles de la Ràpita è una località graziosa e tranquilla, dall'aria vagamente coloniale. La sfilza di locali che si allineano uno dopo l'altro fa pensare a una vera e propria città ristorante. La sua fama è tale che molti automobilisti escono dalla vicina autostrada solo per una sosta gastronomica.

Di fronte a una grandiosa paella di pesce mi sentii abbastanza ispirata per affermare:

– Mi sembra sia giunto il momento di escludere ogni movente personale per questo delitto. Frate Cristóbal non aveva nemici al convento né fuori, e i suoi interessi non si spingevano al di là del lavoro e della fede religiosa.

– Se fosse stato ucciso a Poblet avremmo dovuto considerare l'ipotesi dell'omosessualità. Sarebbe stato imbarazzante. Se lo immagina?

– Io non voglio immaginare altro che quello che vedo. Secondo me dobbiamo concentrarci sul lavoro che la vittima stava svolgendo. Su quello e nient'altro.

– Ma se ci concentriamo sulle sue ricerche, l'idea del fanatico religioso, che le piaccia o no, non è poi così peregrina.

– Non vedo il nesso.

– Magari a qualcuno dava fastidio che un corpo incorrotto venisse toccato, o trovava sacrilega una ricerca sul passato del santo... Chi lo sa! Con i fanatici, come con tutti gli squilibrati, non si può mai sapere. È possibile qualunque cosa.

– Lo trovo un ragionamento un po' forzato.

– Potrebbe essere stato un fanatico di un'altra religione, un fondamentalista islamico, per esempio. Una comunità estremista che desidera manifestare il suo dissenso... Non so, un gruppo della zona che non sia stato autorizzato ad aprire una moschea, qualcosa del genere.

– Ma allora qualcuno avrebbe rivendicato il fatto. E poi, come lo spiega un musulmano che scrive a caratteri gotici?

– È proprio questo che mi fa pensare a uno squilibrato. Dubito che il commissario vorrà escludere un'ipotesi del genere.

– Vedremo. Adesso si impone la riunione con i nostri due esperti. Mi sa che ci toccherà vederli spesso.

– Chissà quante belle cose impareremo sulle mummie.

– Nella vita tutto serve.

Garzón continuò a mangiare, tutto preso dall'ineffabile piacere che provava. Quando ebbe puntigliosamente raccolto anche l'ultimo chicco di riso, esclamò:

– Io neanche morto mi farei frate, ispettore! La sola idea di rinunciare alle gioie di questo mondo mi metterebbe addosso una disperazione tale che in sei mesi ne morirei.

– Sì, me lo immaginavo che in lei non dominasse la parte spirituale...

– Magari non ce l'ho nemmeno quella parte lì.

– Anche in questo caso si perde delle gioie, non crede?

– Ma lei ce l'ha, Petra?

– Forse se ne sta addormentata in qualche angolo nascosto della mia personalità. Non ne sono così sicura. E per dimostrarglielo ordinerò una fetta di quella torta barocca che troneggia sul carrello dei dolci.

Uscimmo dal ristorante riconciliati con la realtà dei sensi. Ci fermammo a contemplare il mare, che nemmeno sotto la luce fredda dell'inverno riusciva a trasformarsi nella distesa minacciosa e cupa dei mari nordici. Era sempre il placido e familiare Mediterraneo, origine della nostra visione del mondo, del nostro gusto di vivere, del senso che davamo alle cose e dell'umorismo con cui le affrontavamo, ma anche dei chiostri dove il nostro mestiere ci aveva inaspettatamente condotti.

Rimanemmo in silenzio a guardare l'orizzonte. Il viceispettore sospirò:

– In un momento come questo la sento anch'io la tensione spirituale. Sì, credo che ci sia una parte mistica in tutti noi.

– Che si manifesta dopo una bella abbuffata. Non so proprio se verrebbe ammesso fra le schiere degli angeli, Fermín.

– Lei riesce sempre a rovinare tutto, ispettore. Non me ne perdona una!

– Non ci pensi. La spiritualità è un lusso che né lei né io possiamo permetterci. Per concentrarsi sulle cose dell'anima bisogna essere o molto ricchi o molto egoisti, ovvero non aver bisogno di lavorare e infischiarsene della sorte altrui. Non è da noi. Quindi hop, torniamocene a Barcellona!

Venti agenti, uomini e donne, venuti da tutti i commissariati della città sarebbero stati ai miei ordini in quella che già cominciava a essere nota come «Operazione Chiostri». Li guardai bene, quasi tutti giovani, seduti come scolaretti in attesa del compito. Secondo la procedura abituale, non sarebbero stati informati sull'insieme delle indagini, né su come il loro lavoro si sarebbe inserito nel rompicapo generale. Perché agissero con efficacia era necessario definire gli scopi e i limiti della loro missione. Il briefing iniziale era della massima importanza.

Era stata appesa in bella vista la mappa dei luoghi da tenere sotto controllo. Yolanda, Sonia e il viceispettore avevano preparato delle fotocopie da distribuire. Vi figuravano la mappa, una foto di Eulalia e la descrizione, fornita dai Mossos d'Esquadra, del fardello che era solita portarsi dietro: un sacco a pelo arrotolato e varie borse.

Presi la parola, e dopo i saluti di rito cominciai:

– La teoria è semplice e ormai la conoscete a memoria: fare domande, mostrare la foto, ripetere le domande, seguire le piste e trovare questa donna. Non ho niente da insegnarvi. Ora il viceispettore vi assegnerà le aree della città da noi selezionate. Chiunque conosca bene un determinato settore è pregato di farlo sapere. Ogni novità dovrà essere immediatamente comunicata a Yolanda e Sonia, che coordineranno l'operazione. Qualcosa da chiedere?

– Quanto tempo abbiamo a disposizione?

– Bella domanda. Mi ero dimenticata di specificarlo. Avete tre giorni, trascorsi i quali non sarà più possibile impegnarvi tutti in quest'incarico. Ah! Naturalmente vi chiedo la massima discrezione. Buona fortuna.

Un mormorio di assenso percorse la sala. Mi alzai e me ne tornai nel mio ufficio dove, diligentemente, mi accinsi a stendere il rapporto di quella giornata. Poiché il commissario era stato così generoso da concedermi tutti quegli agenti, era il caso di ricompensarlo eseguendo gli ordini.

Verso le otto di sera avevo finito e mi disponevo ad andarmene quando Garzón passò a prendersi il cappotto.

– Com'è andata? – gli chiesi.

– Tutto liscio. È gente sveglia. Ognuno ha avuto il

suo settore e cominceranno domattina. Vedrà che la trovano.

– Speriamo.

Rientrando a casa trovai i bambini in cucina che stavano cenando. Strano, perché era mercoledì.

– Siamo venuti oggi perché sabato non possiamo. Andiamo in gita con la scuola. E Marina è venuta per stare con noi – spiegò Hugo.

– Io rimango anche sabato perché non ho nessuna gita – disse Marina.

– Benissimo. E vostro padre dov'è?

– Ha detto che faceva tardi perché ha una riunione. La cena l'ha preparata Jacinta. È appena andata via, però non ci ha detto cosa c'è per dolce.

Aprii il frigorifero.

– Vediamo... Yogurt, c'è dello yogurt se vi va.

Teo, il più ribelle dei tre, mi lanciò uno sguardo impietoso. Poi disse:

– Non so proprio cosa siamo venuti a fare qui. Mio padre non si fa vivo e tu torni sempre alle ore beate. Per me era molto meglio rimanere a casa.

– Se foste rimasti a casa non ci saremmo visti. Adesso mi siedo con voi e ci facciamo una bella chiacchierata.

– Ma se non vuoi mai raccontarci niente! Tutti i nostri compagni sanno che la moglie di nostro padre fa il poliziotto e non la finiscono più di farci domande. Che figura facciamo noi?

Intervenne Hugo:

– La mamma non vuole che parliamo con Petra di questi argomenti!

Rimasi a bocca aperta. Poi cercai di reagire nel modo migliore:

– Mi dispiace, ragazzi, ma dovete spiegare ai vostri amici che il lavoro è una cosa importante di cui non è permesso parlare.

Ma ormai Teo era sceso sul piede di guerra:

– Certo, il lavoro è importante. È importante per papà, è importante per te. Non avete mai tempo per fare nient'altro. Per questo dico che sarebbe stato meglio non venire.

Feci appello a tutta la pazienza che mi era rimasta. Avevo letto in un inserto domenicale che con i bambini bisogna sempre tentare la via del dialogo.

– Insomma Teo, mi avete detto che siete qui perché sabato andate in gita, non è vero? E siccome una gita scolastica fa parte del lavoro di un ragazzino della tua età, questo vuol dire che il tuo lavoro ti impedirà di venire. Come vedi, anche tu devi rinunciare al fine settimana con tuo padre per motivi di lavoro. Quindi non deve esserti difficile capire che anche a noi possa succedere.

Teo si rivoltò come un gatto:

– Ma io sono costretto ad andare a quella gita!

– Secondo te, tuo padre ed io lavoriamo per divertimento?

– Voi però...

Con tutte le buone intenzioni ridotte in frantumi, alzai la voce:

– Non mi va di continuare questa stupida discussione! Credi che non abbia di meglio da fare che dar retta alle pretese di un bambino viziato?

I suoi occhi mi fissarono con una rabbia che mi spaventò. Si alzò in piedi e chiese:

– Posso andare nella mia stanza?

– Prima, sparecchierai la tavola.

Lo fece, con gesti precisi e volto impassibile. A un certo punto Hugo si alzò, tutto serio, e disse:

– E io, posso andarmene? Il mio piatto è già nel lavandino.

Era ovvio che prendeva le parti del fratello. Me lo meritavo. Ero stata io a perdere le staffe. Lasciai che sparissero dalla cucina gonfi di orgoglio offeso. Marina stava finendo con calma le sue crocchette di pollo. Non fece commenti e rimase a fissare il piatto. Esclamai, fra me e me:

– Meraviglioso, ammutinamento generale!

Mi diressi verso il frigorifero.

– Lo yogurt lo mangerò io. Tu ne vuoi, Marina?

– Sì – rispose. Prese il vasetto, lo aprì e cominciò a rigirarlo con il cucchiaino. Mangiammo in silenzio l'una di fronte all'altra. Alla fine disse:

– Non farci caso. Teo ce l'ha sempre con tutti e Hugo fa quello che vuole Teo. Hanno una madre che è un'isterica.

Non ci potevo credere. Quella bambina di otto anni, educata e tutto sommato timida, aveva detto davvero quella frase? L'aveva detta davvero, perché continuò sullo stesso tono:

– Quando mio padre era sposato con mia madre, Hugo e Teo non la finivano mai di ripetere tutto quel che diceva la loro mamma. Un giorno lei si è arrabbiata e mi ha spiegato che quella donna è una vera pazza.

– Può darsi, ma ho l'impressione di non stare troppo simpatica ai tuoi fratelli. Forse non sono contenti che tuo padre si sia sposato di nuovo.

– Quasi tutti i genitori dei miei compagni si sono sposati almeno tre volte.

Sapevo che era una bugia, ma le fui grata delle sue ottime intenzioni. Non era finita:

– A me sei simpatica.

Le sorrisi.

– Grazie Marina, anche tu mi sei simpatica.

– Nessuna bambina della mia classe ha una madre o una matrigna poliziotta. Soltanto io.

Bene, grazie al tocco di originalità che conferivo alla sua breve vita non c'erano problemi fra Marina e me. Certo che i gemelli... Sospirai. Non ero preparata a simili difficoltà. Il matrimonio con Marcos mi aveva gettata in un territorio sconosciuto. Non sapevo se sarei riuscita a cavarmela. Mettere d'accordo le esigenze del lavoro con quelle del matrimonio era già un bell'impegno. Affrontare il dialogo con due adolescenti che non avevo messo al mondo rischiava di essere troppo per me. Decisi di non dire nulla a Marcos dell'accaduto. Era ancora presto per considerare quel battibecco come il segno di un conflitto insanabile.

Il mattino dopo, mentre facevamo colazione, mio marito mi chiese in tono indifferente:

– Com'è andata ieri sera con i ragazzi?

– Bene, abbiamo fatto una chiacchierata.

– Petra, stamattina, mentre la portavo a scuola, Marina mi ha raccontato quel che è successo.

– Non è successo niente di grave.

– Forse no, ma dovrò parlare seriamente con i gemelli.

– Non vale la pena. Prima o poi accetteranno la situazione. Se non mi trovano simpatica, non credo tu possa fare molto.

– Dubito che non ti trovino simpatica. Ce l'hanno con te perché si sentono esclusi. Vorrebbero saperne di più su quello che fai.

– Santo cielo! A nessun bambino importa un fico secco di quello che fanno i grandi; e invece, per colpa della maledetta televisione, del cinema, dei fumetti, i tuoi figli si mettono in testa che un poliziotto faccia la vita più appassionante di questo mondo! Un giorno li porto in commissariato, così vedono come passo il tempo: ore e ore davanti al computer a scrivere rapporti, a compilare moduli, ad archiviare cartaccia. Lo troveranno così barboso che non vorranno più saperne!

– Forse non sarebbe una cattiva idea.

– Vorrei vedere come reagirebbero le loro madri se sapessero di una simile gita d'istruzione.

– Se dovessi preoccuparmi per quel che pensano le mie ex mogli sarei già diventato pazzo.

– Su questo hai ragione. Almeno i miei ex mariti non si ricordano neanche che esisto.

– Perché non avete avuto figli.

Si avvicinò e mi abbracciò.

– Mi spiace di averti complicato la vita, Petra. Davvero.

– Non preoccuparti. La complicazione è il mio destino.

Per qualche minuto rimasi sola davanti a un'ultima tazza di caffè. Tutto nella vita è complicato, e tutto ha un prezzo. Incontri l'uomo della tua vita e lui ti porta in casa una caterva di figlioli, nati da due madri diverse per di più! Ogni passo che fai apre scenari nuovi di cui nemmeno sospettavi l'esistenza. Che cosa potevo fare? Conquistarmi i figli di Marcos a forza di smancerie? Pregarlo di trovarsi una casa vicino alla mia così ci saremmo visti solo di tanto in tanto? Riuscire ad armonizzare tutti gli aspetti della vita è una classica aspirazione femminile. Noi donne ci crediamo onnipotenti: competitive sul lavoro, splendide amanti e madri amorevoli. Ma cosa succede quando, come stava capitando a me, la vita ti chiede di fare tutto insieme? Catturare un assassino, farmi benvolere dai colleghi, rendere felice mio marito e, come se non bastasse, svolgere il mio ruolo di matrigna senza somigliare a quella di Biancaneve? È troppo per te, Petra, mi dissi, finendo nervosamente il mio caffè. Ma a quali di questi obiettivi potevo rinunciare? Potevo essere antipatica in commissariato, quanto al resto... Avevo sopravvalutato le mie possibilità. Di sicuro esistono donne capaci di essere splendide mogli, ottime madri e professioniste di successo, e che trovano anche il tempo di fare sport e darsi al volontariato, ma quello non era il mio caso. Un poliziotto vive istante per istante in un continuo stato di incertezza, aprendosi il cammino col machete come nella giungla. Un poliziotto non può imporsi una routine, degli orari, un'organizzazione della settimana. Io mi sentivo un poliziotto dalla testa ai piedi e alla mia identità non intendevo rinunciare. Che Dio ti aiuti, Petra, mi augurai, non senza compiacimento. Poi guardai l'orologio e uscii di casa a tutta velocità.

Quella mattina Garzón era fresco come una rosa, pieno di energie e tutto un sorriso. Mi ricevette lieto come se fosse il giorno della sua prima comunione. Nessuna nube pareva oscurare l'azzurro del suo cielo. Evidentemente il matrimonio lo salvaguardava da ogni problema. Gli aveva dato stabilità emotiva, economica e sociale. Ma lui non aveva figli in tenera età, né suoi né acquisiti.

Mentre pianificavamo il lavoro lo sentii fischiettare una canzone. Quando la sua capacità di fischio falliva, passava al canto in falsetto. Difficile dire quale delle due emissioni sonore mi infastidisse di più.

– È proprio indispensabile questo sottofondo per la sua ispirazione?

– Non le piace? Strano. Tutti dicono che se non avessi fatto il poliziotto avrei avuto un futuro come cantante.

– Ma visto che adesso è un poliziotto, forse le converrebbe accantonare la sua seconda vocazione.

– Un po' di malumore, oggi, caro ispettore?

– Non ho dormito bene.

– Lo so che queste indagini la preoccupano, ma si tranquillizzi. Sono sicuro che cattureremo l'assassino.

Anzi, dirò di più, l'intuito mi dice che ritroveremo anche le spoglie del bravo frate Ascanio. Ho un sesto senso, io.

– Spero che le funzioni meglio del senso dell'udito.

Invece di prendersela, si mise a ridere.

– Le propongo una sortita al bar prima di metterci a sgobbare. Di solito un caffè la tira su.

– Ne avrò bisogno in dosi massicce.

Facemmo colazione alla Jarra de Oro. Io col muso lungo, lui sorridente come un politico in campagna elettorale. Chiacchierò di calcio con il cameriere, commentò le notizie, si diffuse sulle inclemenze del tempo con un vicino di tavolo...

– Caspita, Fermín! Ma perché non se ne sta zitto un momento? I suoi sforzi per tirarmi su mi stanno portando sull'orlo di una crisi di nervi.

– Può dirmi una buona volta cosa le succede? Perché è chiaro come il sole che qualcosa non va, ormai la conosco come se l'avessi messa al mondo. Anche se per fortuna non ho imposto all'umanità una simile disgrazia.

Cedendo a una debolezza momentanea feci una cosa che non mi ero mai permessa: esposi la mia vita privata parlando dei miei problemi con i figli di Marcos. Mi stavo trasformando in una di quelle donne mediocri, che avevo sempre detestato, convinte che confidare le proprie pene al prossimo possa servire per tirarsi su. Lasciandomi stupefatta, il mio sottoposto si fece una gran risata.

– Ah, ispettore, come si vede che la sua è una generazione privilegiata!

– Non vedo cosa diavolo c'entri la mia generazione con tutto questo.

– Altroché, se c'entra! Lei appartiene alla Spagna della corsa al successo, Petra. Quelli come lei si pongono un obiettivo, lottano per raggiungerlo e pretendono che tutto riesca alla perfezione. Ma io che sono più vecchio, appartengo alla Spagna dei piccoli passi. Ai miei tempi non c'erano i grandi obiettivi, si poteva solo sperare che le cose si sistemassero un pochettino: che ci aumentassero lo stipendio, che i nostri figli potessero studiare, che i soldi bastassero per andare in vacanza...

– Accidenti, Garzón. Chi me l'ha fatto fare di confidarmi con lei? Io le parlo della mia vita e lei veste la toga di Catone...

– Le sue sono solo storie, Petra. Lei è molto fortunata. Ha sposato un uomo maturo e per bene, che sa come trattare una donna indipendente come lei e non se la prende per delle sciocchezze...

– Il fatto è che ha più figli di uno sceicco arabo!

– E questo per lei è un problema? Le pare un problema che due ragazzini di dodici anni facciano i capricci? Una cosa del genere io gliela sistemo in due minuti.

– Ma cosa dice?

– Se si lamentano che lei non parla mai del suo lavoro, li porti a fare un giro in commissariato.

– Veramente ci ho pensato anch'io, ma presentarmi in ufficio con i figli di mio marito mi pare poco serio.

– Me ne occupo io, se vuole. Non c'è motivo perché Coronas debba saperlo.

Comparsa all'improvviso alle nostre spalle, Sonia tossicchiò, senza osare interromperci.

– Cosa c'è, Sonia, è successo qualcosa?

– No, niente. Solo che il commissario mi ha mandata a cercarvi. Mi ha chiesto di voi e gli ho detto che eravate qui. Ha risposto che se adesso la vostra sede operativa è il bar vorrebbe almeno essere avvertito.

Garzón strabuzzò gli occhi:

– E tu che bisogno avevi di dirgli che eravamo al bar? Non ti hanno insegnato che nessuno prende il caffè quando un superiore lo sta cercando?

– E cosa dovevo dire?

– Qualunque cosa. Che eravamo all'obitorio, che eravamo partiti per la Cina sulle tracce dell'assassino... tutto, tranne la verità. Puoi andare, arriviamo subito.

Risi, mentre Garzón sospirava:

– Non so che futuro avremo con una simile gioventù.

Decisamente quella era la sua giornata filosofica.

Coronas riusciva sempre a coglierci con la guardia abbassata. Ci presentammo nel suo ufficio perfettamente tranquilli perché tutti i rapporti erano aggiornati, ma lui aveva già un altro problema.

– Mi spiace dovervi dire che l'assedio dei media si sta facendo preoccupante. La madre superiora del Cuore Immacolato ha telefonato per chiedere aiuto e da Poblet hanno fatto la stessa cosa. I giornalisti montano la guardia non solo al convento, anche all'abbazia, e infastidiscono i religiosi. Dappertutto escono articoli con le storie più strampalate. Non si può andare avanti così.

– E noi cosa possiamo fare?
– Rilasciare dichiarazioni che mettano le cose al loro posto.
– Scusi, commissario, ma perché il questore non chiede al giudice di imporre il silenzio stampa?
– L'ha già fatto, ma il giudice se ne frega. Quello è un pallone gonfiato, con tutto il rispetto per il potere giudiziario.
– Ma per ora non siamo in grado di dire nulla di concreto.
– Secondo i rapporti le indagini si concentreranno sulle ricerche condotte dalla vittima.
– Infatti. Questo pomeriggio avremo una riunione con il bibliotecario dell'abbazia e con la suora archivista che collaborava con frate Cristóbal.
– Questo significa che il crimine potrebbe avere un movente religioso.
– Mi sembra una conclusione un po' azzardata.
– Se il movente è religioso allora l'idea del fanatico è plausibile.
– È presto per dirlo. Anzi, io la considero un'eventualità molto remota.
– Non sto dicendo che dobbiate per forza andare a caccia di un fanatico, ma che questa possibilità non è da escludere. In tal caso è necessaria una consulenza esterna. Mi metterò in contatto con uno psichiatra. Abbiamo bisogno di saperne di più, e un buon profilo psicologico non sarebbe di troppo. Ci lavorerete su e lo passerete a Villamagna. Così finalmente avrà qualcosa da raccontare ai cronisti.

– Ma una cosa simile non farà che esaltarli. Le povere suorine saranno tartassate.

– A noi non interessa, che chiudano la porta se non vogliono essere disturbate. Noi dobbiamo tenere occupati i giornalisti e controllare quello che dicono. Tutto qui. Ci siamo capiti?

– Ma commissario, se...

– Non voglio sentire né se né ma, Petra. È un ordine.

– Benissimo, commissario. Ma a questo punto delle indagini mi pare che tirar dentro uno psichiatra sia assurdo come...

– Come rilasciare dichiarazioni su un delitto di cui non abbiamo capito un accidenti. Potete andare, adesso.

Le pubbliche relazioni non erano il mio forte, ma l'idea del commissario mi pareva una follia. Lo dissi subito a Garzón, che minimizzò:

– Non si faccia venire il sangue cattivo, ispettore. Lei la sa abbastanza lunga per lasciar parlare uno psichiatra senza dargli minimamente retta.

– Ma non le sembra che di complicazioni ne abbiamo già abbastanza?

Fece spallucce. Quando Garzón aveva le sue giornate sì non era facile riportarlo alla realtà.

Sbarcammo davanti al convento del Cuore Immacolato. Dappertutto, seduti sui gradini, c'erano gruppi di cronisti e cameramen. Sulla porta sostava un furgone di frutta e verdura. Il ragazzo delle consegne usciva proprio allora dal convento. Voltandosi verso la suora portinaia, disse:

– Si ricordi di far firmare le bolle della settimana scorsa, che poi me le chiedono...

La suora, irritata, lo spingeva fuori come un cane randagio.

– Sì, sì, e non mi ripeta sempre le stesse cose. Appena ha tempo gliele firma le sue bolle, la madre superiora. Abbia pazienza e che Dio la benedica!

Di colpo si accorse della nostra presenza e il suo sguardo, dietro le lenti, si fece ancora più torvo. Prima che ci chiudesse la porta in faccia le ricordai perché eravamo lì. Questo non parve sortire alcun effetto sul suo umore. Avere a che fare col mondo non doveva entusiasmarla, sebbene quello fosse il suo compito.

– Ah, i poliziotti – borbottò. – Entrate, entrate. Madre Guillermina vuole vederla nel suo ufficio, ispettore. La accompagno. Il suo aiutante potrà aspettare qui.

– Non c'è bisogno che mi accompagni, so dov'è l'ufficio della madre superiora.

Non mi lasciò fare un passo da sola. Doveva essere una regola del convento, che nessuno girasse liberamente per i corridoi. Bussò alla porta della madre superiora e mi annunciò come un maggiordomo gobbo in un film dell'orrore:

– Reverenda madre, la polizia.

Poi si allontanò trascinando una gamba. Madre Guillermina, comparsa sulla porta, aprì le sue robuste braccia per accogliermi.

– Che piacere rivederla, ispettore!

– Reverenda madre? La invidio: anche a me piacerebbe essere trattata con un po' di reverenza.

Madre Guillermina rise forte e mi invitò ad accomodarmi.

– Non si fidi delle apparenze. Ormai quasi nessuno mi si rivolge più così. Ma la nostra suora portinaia appartiene alla vecchia scuola.

– Una scuola piuttosto dura, a giudicare da come ha messo alla porta un fornitore.

Rise di nuovo.

– Ah, santo cielo! È vero che ha un gran brutto carattere, ma non è il caso di fargliene una colpa. Tocca a lei vedersela con tutti, i garzoni dei fornitori, gli operai che vengono per la manutenzione, i turisti in visita alla cappella... Bisognerà pensare a mandarla in pensione, ma non so se una suora più giovane sarebbe efficiente quanto lei.

Le sorrisi e rimasi a guardarla. Lei fece lo stesso con me. Dal momento che non aveva ancora chiarito il motivo della sua convocazione, la invitai a parlare:

– Lei mi ha fatta chiamare.

– Non creda, ispettore, che abbia qualcosa di particolare da dirle. Desideravo salutarla e fare due chiacchiere. Sapere come vanno le indagini.

– Non abbiamo fatto grandi passi avanti, temo. È un caso molto oscuro. Individuare un movente per un omicidio come questo non è facile. Siamo giunti alla conclusione che la ragione per cui frate Cristóbal è stato ucciso potrebbe avere a che fare con le ricerche che stava conducendo.

– Sarebbe piuttosto strano. Una persona morta tanti secoli fa...

– Forse la vittima aveva scoperto qualcosa che era meglio tacere.

– E la scomparsa delle sacre spoglie?

– Non lo so, madre. Non mi faccia domande alle quali non posso dare una risposta.

D'impulso, chinò il poderoso busto verso di me come se volesse dirmi qualcosa, ma poi fece marcia indietro e rimase in silenzio.

– Signore benedetto! – disse dopo un istante. – Se non fosse un peccato terribile direi che muoio dalla curiosità. No, no, è meglio che non dica niente. Quanto più ne so, peggio è per l'anima mia. Ecco, ho fatto preparare un tè. Mi permetta di offrirgliene una tazza, poi la lascio andare a lavorare. Francamente non mi stupisce che i giornalisti si accaniscano. È un enigma così inquietante!

– Il commissario mi ha detto che lei ha chiesto aiuto per tenere a bada la stampa.

– Sì, ed è stato molto cortese, ma dubito che mi prendesse sul serio. Anche a me, nel mio modesto ruolo di superiora, capita di fare lo stesso: dico sempre quello che gli altri vogliono sentirsi dire ma non prometto mai niente. Neppure il suo commissario mi ha promesso niente.

– Questa è diplomazia.

– Sono le piccole astuzie di chi si trova costretto a comandare pur non volendolo.

– Ma al commissario piace comandare.

– A me no. Lo trovo molto stancante, sa, ispettore? – Aveva cominciato a servire il tè con gesti squisiti. – Provengo da una famiglia numerosa. Mio padre faceva il notaio a Pamplona, era un uomo molto simpatico, molto spiritoso. Anche mia madre era un tipo allegro. Dopo cena ci riunivamo tutti, si suonava il piano, si cantava. Noi fratelli facevamo il teatrino... insomma, non si stava zitti un momento, ci si divertiva. Quando dissi che volevo farmi suora fu una tragedia. Per loro era del tutto incomprensibile, tanto più che mio padre era liberale e mangiapreti. Col tempo si abituarono, e devo dire che sono sempre stata soddisfatta della mia vocazione, ma non ho mai smesso di amare l'allegria, l'umorismo, la leggerezza. In questo convento c'è una tale serietà!

– Ma perché l'ha fatto?

– Che cosa?

– Farsi suora.

– Sono cose che non si possono spiegare, ispettore. È la vocazione, la chiamata di Cristo. Io l'ho sentita, l'ho accolta e ne sono felice. Ma mi mancano tanto le chiacchiere... Secondo la nostra regola ogni parola superflua è un peccato, ma se devo essere sincera non credo sia un peccato così grave. L'uomo si distingue dagli animali perché ha l'anima, e segno dell'anima è la parola.

Ci guardammo con simpatia. Quella donna non voleva altro da me che una normalissima chiacchierata.

– Com'è il tè? – mi chiese.

– Eccellente. Uno dei migliori che abbia mai bevuto. Spero che ci saranno altre occasioni.

Mi fu grata che avessi compreso il suo bisogno di compagnia. Finì la sua tazza con gesto deciso e disse:

– La lascio libera. Vada a riunirsi con gli eruditi. Non saranno esperti come il povero frate Cristóbal ma sono persone di valore.

– Speriamo che serva a qualcosa.

– Lo voglia Iddio, come preferiamo dire noi.

Camminammo l'una accanto all'altra nel silenzio e nell'ombra. Le sue possenti falcate sollevavano gli orli dell'abito. Giunta davanti alla porta della biblioteca mi strinse la mano, quasi me la stritolò.

– Torni a trovarmi, ispettore. E mi tenga informata sul procedere delle indagini.

– Lo farò.

Al lungo tavolo della biblioteca, accanto a Garzón, sedevano frate Magí, suor Domitila e la giovane suor Pilar, che non appena mi vide si alzò, mi salutò e sparì, discreta e impalpabile come una brezza. Probabilmente aveva ricevuto l'incarico di rimanere accanto alla consorella finché fosse rimasta sola in compagnia dei due uomini. Tutto era assolutamente governato da una regola fra quelle pareti.

Garzón mi mise al corrente di ciò che era stato detto fino quel momento:

– Ispettore, ho spiegato ai nostri due esperti che cominceremo passando in rivista i diversi punti che frate Cristóbal, d'ora in avanti la vittima, per semplicità, aveva elencato come obiettivi del suo lavoro. Noi faremo le domande e il fratello e la sorella risponderanno, ma questo non impedirà che possano intervenire aggiungendo nuove informazioni o aprendo prospettive che, in quanto religiosi ed esperti dell'argomento, riterranno utili al nostro lavoro.

«Molto bene» pensai, «dieci in retorica». E dire che avevo dimenticato di raccomandarmi con lui circa il linguaggio da usare durante quella riunione. Poi Garzón tirò fuori dalla cartellina una fotocopia della relazione della vittima e lesse:

– Punto numero uno: «Diagnosi di incorruttibilità».

Silenzio assoluto. Uno sguardo imbarazzato corse rapidissimo fra suor Domitila e frate Magí. Vista l'assenza di commenti, domandai:

– Potete spiegarci di che cosa si tratta?

La suora rimase con la bocca cucita. Parlò il frate, con molta reticenza:

– Ufficialmente il corpo del beato è censito nei registri ecclesiastici come incorrotto. Vale a dire che, in virtù della sua santità in vita, il Signore gli concesse il dono di non decomporsi dopo la morte.

– Un miracolo? – chiese Garzón con repentino interesse.

– Ebbene, la storia è lunga e complicata. Diciamo che in epoca medievale era diffusa la tendenza a ritenere miracolosi molti processi naturali. Oggi, come sapete, la Chiesa è molto più cauta in materia. E poi bisogna tener conto delle nozioni scientifiche del tempo, che erano piuttosto rudimentali. Non solo in seno alla Chiesa si credeva nell'incorruttibilità di certe salme, ma l'intera società, allora molto arretrata e ingenua, attribuiva grande importanza alle conservazioni prodigiose.

Questa volta l'occhiata di suor Domitila al suo compagno di fede dimostrava tutta la sua ammirazione per l'abilità con cui aveva risposto alla questione che avevo sollevato salvando la reputazione della Chiesa.

Garzón riassunse in modo meno diplomatico:

– Insomma, quello dei morti che non si decomponevano era un trucchetto avallato dai preti per abbindolare la gente.

– Viceispettore...! – esclamò il povero Magí come chiedendo pietà.

Decisi di intervenire: – Ma se oggi, come lei dice, l'incorruttibilità è vista come un fatto simbolico, come mai la vittima ne ha inserito la diagnosi fra le operazioni da eseguire?

Fu suor Domitila a saltar su:

– Un momento, ispettore! Che molte conservazioni di corpi si debbano a cause naturali o a imbalsamazioni operate dall'uomo, non significa che non esistano santi incorrotti assolutamente autentici. San Pascual Baylón, per esempio. La rappresentazione iconografica di cui disponiamo corrisponde in modo inequivocabile alle spoglie incorrotte che furono profanate dai comunisti durante la Guerra Civile. E poi la dottrina del Concilio di Trento dice: «i corpi santi dei martiri e degli altri santi, che vivono con il Cristo e che furono membra viventi di Cristo e tempio dello Spirito Santo, e attraverso i quali Dio accorda benefici numerosi agli uomini, devono essere venerati dai fedeli».

Neppure frate Magí si aspettava una filippica come quella, capace di tirare in ballo in un colpo solo le orde rosse e il concilio tridentino. Rimase a bocca aperta quanto noi e aggiunse, come scusandosi:

– Infatti. Si sa per esempio che la salma di papa Giovanni XXIII fu sottoposta a trattamenti di imbalsamazione in vista delle esequie, e tuttavia è straordinario che le sue spoglie si conservino così bene dopo più di quarant'anni senza alcun ulteriore intervento.

Ma suor Domitila era ormai lanciata:

– E cosa mi dice del braccio incorrotto di santa Teresa di Gesù? È dimostrato che si tratta di un fatto miracoloso. Altri corpi santi rimangono intatti per un certo periodo, trascorso il quale si disseccano molto lentamente, senza però essere colpiti dai segni della corruzione. Come è accaduto a Bernadette Soubirous, a santa Caterina Labouré, che odorava di rose, a santa Chiara d'Assisi, a santa Vittoria... Adesso non ricordo, ma sono noti molti altri casi.

Garzón ed io assistevamo stupefatti a quello sfoggio di macabra erudizione. Frate Magí sorrise, filosofico, e disse:

– Non sarò io a negare i miracoli, sorella, ma credo che in ogni caso il confratello... pardon, la vittima, abbia inserito questo punto nel suo programma di lavoro perché si tratta di una procedura di rigore in ogni ricerca di questo genere.

– Capisco – risposi, un po' nauseata da quel catalogo di cadaveri freschi e in conserva. – Ma ditemi, nel caso che il beato Asercio non fosse stato toccato dalla grazia e non profumasse di rose né altro, avrebbe potuto ugualmente conservarsi?

– Come ha giustamente ricordato la sorella, le possibilità sono due: che sia stato imbalsamato per mano umana o che il processo di mummificazione sia avvenuto naturalmente. In particolari condizioni: bassa percentuale di umidità e alte temperature, i corpi tendono a disseccarsi da sé.

– E la vittima aveva determinato quale fosse il caso del beato Asercio?

– Come vi ho detto, frate... la vittima non aveva ancora proceduto all'esame dei resti – rispose Domitila.

– Ma intendeva farlo molto presto – aggiunse il frate.

– Non credo, era ancora in alto mare con le ricerche storiche, e la parte pratica del suo lavoro sarebbe venuta dopo.

Frate Magí, ancora una volta contraddetto dalla suora, preferì tacere. Eppure il dissenso fra loro riemerse quando domandai:

– Pensava di sottoporlo a particolari prove per la datazione?

– Così mi aveva detto – disse il monaco.

– Assolutamente no. Inizialmente l'opportunità è stata considerata, ma poi abbiamo concluso che sarebbe stata solo una perdita di tempo e di denaro.

Magí si astenne dal replicare ma non pareva convinto. Dovette accorgersene anche Domitila, che rincarò la dose:

– Lei, fratello Magí, avrà avuto modo di conversare con lui qualche volta, ma io collaboravo alle sue ricerche.

– Ma certo, sorella. Dio mi scampi dal pretendere di aver ragione!

Poiché era evidente una certa avversione fra i due, domandai:

– Perdonatemi, ma voi vi eravate già conosciuti in precedenza?

Entrambi scossero la testa, abbassando discretamente gli occhi. Solo lei aggiunse, rivolta a frate Magí:

– A volte, il povero... la povera vittima mi riferiva di qualche scambio di opinioni fra voi. La teneva in grande considerazione.

– La stessa cosa io sapevo di lei, sorella.

Bene, non eravamo di fronte a uno scisma definitivo. Allentatasi la tensione, Garzón domandò:

– C'è un'altra cosa negli appunti della vittima che non capiamo bene: che cos'è esattamente il Complucad?

Magí, intimidito, rimase in silenzio. Suor Domitila, forse pentita dell'eccessiva veemenza dimostrata poco prima, sorrise e disse:

– Glielo spieghi lei, fratello. Io di questi argomenti tecnici so ben poco.

– È un preparato di nuova fabbricazione, che ultimamente viene impiegato con eccellenti risultati. Ne ignoro la composizione, ma so che serve per imbalsamare le salme. Viene usato anche nelle facoltà di medicina per la preparazione dei corpi destinati alla dissezione. Può chiedere ai suoi colleghi... pare che se ne serva anche la polizia scientifica. È molto apprezzato nel settore museale e archeologico, per la conservazione delle mummie.

– E come intendeva intervenire, la vittima, sul corpo del beato?

– Si sarebbe limitato a scoprire il corpo, forse a praticarvi un'incisione per appurare se ne fossero state asportate le viscere, e poi avrebbe iniettato il Complucad nei punti appropriati. Non credo che avrebbe fatto altro.

– Sorella, è stato mai sollevato il coperchio della teca che racchiudeva il beato?

– Mai, che io sappia.

– È molto pesante?

– Secondo i suoi colleghi della polizia autonoma ci sono volute come minimo due persone, e robuste, per farlo.

– Sì, ho letto il verbale. E la vittima non ha mai chiesto di dare un'occhiata da vicino al corpo?

– No, mai. Non l'aveva ancora ritenuto necessario.

– E nemmeno aveva notato qualcosa di insolito osservando la salma del beato?

– Non capisco che cosa intenda, ma non mi pare che abbia mai menzionato nulla di simile.

– Esiste la possibilità, o è mai emerso alcun indizio nel corso delle ricerche da voi condotte, che il corpo o le vesti del beato potessero nascondere qualcosa di prezioso?

– In senso materiale?

– Sì, certo, oro, pietre... Oggetti preziosi occultati all'interno del corpo.

Gli occhi a mandorla di suor Domitila mi fissarono divertiti:

– No ispettore, questo glielo posso assicurare.

– Ci ha molto colpito, nel leggere gli appunti della vittima, l'accenno a un processo a carico di due ecclesiastici che avrebbero trafugato le spoglie...

– Ah, sì! Fu uno degli episodi che più attrassero l'attenzione di frate Cristóbal. Diceva che quella scoperta gli sarebbe potuta servire in futuro per certi suoi studi di indole più generale che aveva in mente – disse la suora.

– E questo fatto potrebbe essere definito come qualcosa di insolito, di fuori del normale?

– Sinceramente non credo. Non so se frate Magí sarà d'accordo con me, ma i furti di reliquie o corpi santi non erano così inconsueti a quei tempi. L'esposizione delle reliquie nelle chiese incoraggiava il fervore dei fedeli. E si sa che stiamo parlando di un periodo convulso e oscuro. Allora i membri del clero non sempre erano tali per vocazione, come oggi. Spesso erano stati consegnati ai conventi da bambini, oppure prendevano i voti per pura necessità di sostentamento. Non c'è da stupirsi se talvolta si macchiavano di furti o infrazioni morali d'ogni genere.

– Esistevano altri motivi che potessero spingere al trafugamento di reliquie?

Suor Domitila alzò gli occhi alla ricerca di una risposta. Sospirò e disse: – Non è una domanda a cui si possa rispondere molto facilmente, però... Nel clima superstizioso di quei tempi c'era una credenza che avrebbe potuto indurre ad atti sacrileghi. Si pensava che la polvere di un corpo incorrotto avesse proprietà curative. Sono documentati furti commessi allo scopo di rivendere a caro prezzo resti mummificati, ma ciò non ha nulla a che vedere con il nostro beato.

Frate Magí alzò un dito per chiedere la parola.

– Una precisazione: non solo la polvere dei corpi dei santi era ritenuta un rimedio miracoloso, ma anche quella di resti umani essiccati di qualunque origine. Ancora nell'Ottocento avvenivano furti e amputazioni di mummie egizie. Per secoli fiorì un vero mercato truffaldino di polvere di mummia.

– Sì, ma questo non è il nostro caso – rispose piccata suor Domitila.

– Era solo un chiarimento di ordine culturale – rispose il monaco con dignità.

Garzón si grattò la nuca come se quei discorsi superassero la sua facoltà di comprensione.

– Mi pare di capire che oggi come oggi, in questo paese, nessuno ruberebbe né ammazzerebbe per macinare pezzi di mummia e metterli in vendita tramite internet, è così?

I due religiosi rimasero di sasso, e per una volta furono d'accordo con lui:

– No, certo che no.

Prima di cadere in preda a una crisi di ilarità, chiesi:

– Fratelli, una domanda importante per tutti e due: se foste al nostro posto e doveste indagare su questo delitto, che cosa pensereste, come vi muovereste?

Ci fu un lungo silenzio. Osservai con attenzione i loro volti. Il frate, serio, scosse la testa con aria sconsolata. La suora strinse le palpebre per concentrarsi.

Ma fu lui a parlare per primo:

– Io non riuscirei a pensare proprio niente, ispettore. Solo un pazzo, una mente gravemente disturbata, può aver commesso un atto così orrendo e irrazionale.

– I pazzi devono essere almeno due, visto che ci sono volute due persone per aprire la teca. Secondo lei, si può pensare a una cospirazione di folli, o a qualche strana organizzazione?

– Le ripeto che non lo so, ispettore. Non so proprio cosa pensare.

Domitila prese vivacemente la parola:

– E il biglietto trovato sulla scena del delitto? Come mai non ci chiedete nulla in proposito?

– Non vorrei fare il gioco dell'assassino. Il più delle volte i messaggi di questo tipo hanno il solo scopo di depistare le indagini.

– Ma se, come giustamente osserva frate Magí, è stata una mente disturbata a commettere il delitto, forse le sue parole significano qualcosa. Vuole ricordarcele?

– «Cercatemi dove più non posso stare».

– Cosa vorrà dire?

– Non lo sappiamo. Ce ne occuperemo quando avremo un quadro completo dei fatti. Quella che vi chiedo ora è una ricostruzione il più possibile precisa di tutto quanto la vittima può aver rilevato nel corso delle sue ricerche, dal momento che non siamo riusciti a trovare il suo computer.

– Io posso solo riferire osservazioni fatte a voce, ammesso che mi ricordi qualcosa di più di quel che già è stato esposto – disse Magí.

– Raccoglierò tutti i documenti da lui consultati, se crede – concluse Domitila.

– Mi prepari anche un dossier sul contenuto di ciascuno. Ci aiuterà.

Decisi di dare per conclusa quell'assurda riunione di lavoro. Mi era venuto un gran mal di testa, e la sensazione di irrealtà che provavo per tutto quanto aveva a che fare col delitto era, se possibile, ancora maggiore. Ormai nel convento regnava un'oscurità e un silenzio da catacomba. Le consorelle dovevano essere già a dormire. Fatti pochi passi nel corridoio, vidi venire verso di noi un'impressionante sagoma nera. D'istinto mi fermai e attesi che si avvicinasse. Era la madre superiora. Ci salutò e invitò suor Domitila a ritirarsi. Ci avrebbe accompagnati lei fino alla porta. Garzón e il monaco si incamminarono davanti a noi. Madre Guillermina mi si accostò e disse sottovoce:

– Sarebbe troppo chiederle di venire a fumare una sigaretta nel mio ufficio prima di andare?

Accettai pur non avendone una gran voglia. Nell'atrio salutammo i due uomini e ci addentrammo nuovamente nella penombra. Una volta in ufficio, madre Guillermina si affrettò a tirare fuori il suo pacchetto di sigarette, me ne offrì una e accese l'altra con avidità.

– Dovrei forse dirle che desidero sapere com'è andata la riunione, ma non sarebbe la verità. Se faccio un profondo esame di coscienza devo ammettere che approfitto della sua presenza per fumarmi un'altra sigaretta. Mi sono ripromessa di non fumare mai oltre le dieci di sera, a meno che...

– A meno che non ci sia un poliziotto nel suo ufficio.

Rise, e io la imitai.

– La carne è debole, ispettore, anche la mia. A volte provo un gran senso di colpa, e poi mi dico: hai donato la tua vita al Signore, perché mai Lui dovrebbe essere così meschino da contarti le sigarette? Una in più, una in meno, cosa cambia? Forse la mia autoindulgenza mi condannerà quando mi presenterò davanti a Lui. Dunque, mi dica, com'è andata la riunione?

Mi strinsi nelle spalle. Poi assunsi un'espressione contrariata.

– Molto istruttiva. Abbiamo imparato che fino a un secolo fa la polvere di mummia era considerata un potente medicinale. Ma a parte questo, nulla che possa aiutarci nelle indagini.

– Polvere di mummia? Che orrore! Ve l'avrà raccontato suor Domitila, lei sa sempre tutto.

– È una donna molto conservatrice, o molto impulsiva?

– Conservatrice? Non saprei. Noi non diamo importanza alla politica, non ne parliamo mai. Impulsiva, un po' sì. Più che altro è molto categorica nelle questioni di fede. Immagino che quand'era studentessa le sia toccato sentirne di tutti i colori contro la religione. Ad ogni modo i quarant'anni sono un periodo di esaltazione per una suora.

– I quarant'anni? E perché?

– È curiosa?

– Sì, quasi quanto lei per gli argomenti polizieschi.

Rise sottovoce.

– Non è un segreto. Di solito a quarant'anni si è suore da molto tempo. Ormai ci si è liberate delle tentazioni del mondo e ci si sente in grado di affrontare le durezze della vita. Questo può dare una sensazione di onnipotenza e renderci impetuose nell'esposizione delle nostre idee. Molto semplice.

– E alla sua età, madre? Come si sente lei, oggi?

Sorrise e spense la sigaretta con gesto energico.

– Io ho cinquantasette anni. Alla mia età ci si rende conto che qualunque cosa si sia fatto nella vita, è già molto se si riesce ad andare avanti con una certa convinzione.

Un'ombra di tristezza le passò sugli occhi. Restammo in silenzio.

– Un'altra sigaretta?

– Lasci stare, ispettore. Non faccia da demonio tentatore. Meglio che la accompagni alla porta prima di ricadere nel peccato.

5

Ormai era sabato, ma le indagini non si sarebbero interrotte per il fine settimana. La squadra speciale coordinata dalle ragazze avrebbe continuato le perlustrazioni. Forse avrei dovuto recarmi in commissariato, se non altro per dare il buon esempio, ma da giorni non trovavo un attimo di serenità e così quella mattina avevo deciso di rimanere a casa, con telefono e cellulare a portata di mano. Poiché all'ultimo momento la famosa gita era stata cancellata, mio marito era uscito con i ragazzi per accompagnarli a una delle tante attività ludico-sportive cui erano abituati. Finalmente avrei potuto dedicarmi al mio corpo lungamente trascurato e alla mia mente deteriorata dal lavoro. Stesi sul viso una maschera verde dall'aspetto assai sgradevole, mi immersi in un bagno alle erbe pesantemente profumato e mi misi a leggere un libro rigorosamente non poliziesco. Stavo ridiventando una persona normale. Quelle indagini mi avevano assorbita al punto da farmi perdere la consapevolezza di me stessa. Eppure ritrovarla fu un'esperienza inquietante. Ero lì, abbandonata a mollezze termali da basso impero, mentre la soluzione dell'enigma rimaneva fuori dalla mia portata come una mela appesa al ramo. Non sapevamo come scalare il tronco e lei se ne stava lì, appetitosa e dorata ma irraggiungibile. Mi proposi di chiamare le ragazze non appena fossi emersa dal mio bagno. Ma il cellulare mi precedette, sobbalzando sullo sgabello che avevo sistemato vicino alla vasca. Era Garzón.

– Ispettore, stavo pensando... Perché non mi prepara i ragazzini per questo pomeriggio, così li porto a fare quella visita al commissariato?

– Non saprei, Fermín. Crede davvero che sia una buona idea?

– Oggi non ci sarà quasi nessuno, è il momento ideale. Così magari la piantano di seccarla perché tiene la bocca cucita sul mestiere che fa.

– Vorrebbe rovinarsi il sabato pomeriggio con tre ragazzini?

– Figuriamoci! Lei non ci crederà ma io coi bambini ci so fare. Mi piacciono più degli animali, a essere sincero, anche se so che lei non è d'accordo. E poi Beatriz ha già deciso di uscire a fare shopping con sua sorella e questa sarà la scusa giusta per non doverle accompagnare. Nei negozi io sono un pesce fuor d'acqua. Non so mai che faccia fare quando le donne entrano nei camerini e mi tocca rimanere solo con le commesse. Mi sembra che mi guardino e pensino: «Ma cosa ci fa qui questo cafone?».

– Non dica sciocchezze, Garzón. In ogni caso dovrò chiedere il parere di Marcos. Forse non gli piacerà che i suoi figli passino il sabato pomeriggio in commissariato.

Gli piacque moltissimo, invece. Molto istruttivo e originale, a sentir lui. E, manco a dirlo, i tre piccoli indiziati trovarono la proposta affascinante. Marina mi chiese subito, entusiasta:

– Ci lasceranno vedere i prigionieri?

– Nei commissariati non ci sono prigionieri, scema. Quelli stanno in prigione – ribatté Hugo con sicumera.

Ma lei non si diede per vinta:

– Sì che ce ne sono, non è vero Petra? In certi film io li ho visti: portano un mucchio di gente in commissariato perché hanno fatto qualcosa di brutto e allora parlano forte tutti insieme. Poi il poliziotto grida e dice: «Basta, o vi sbatto in cella!».

– Stiamo freschi se credete a tutto quel che vedete nei film – dissi, cercando di apparire autorevole.

Teo, duro, impassibile come sempre, faceva di tutto per non lasciar trapelare la sua gioia per quell'uscita straordinaria.

– Cosa credete? – disse con sufficienza. – A dei bambini come noi non faranno vedere un bel niente. Mica ci portano nei posti segreti!

Posti segreti! Chissà cosa si immaginava la mente di un bambino quando pensava alla polizia. Forse il piano di Garzón avrebbe funzionato, anche se, come disse Virginia Woolf, «è molto più difficile uccidere un fantasma che uccidere una realtà».

Alle cinque arrivò il viceispettore tutto tronfio e se li portò via come se nella vita non avesse fatto altro che pascolare pargoli. Dopo aver richiuso la porta alle spalle dello strano drappello mi rivolsi a Marcos un po' preoccupata:

– Spero proprio che non dovremo pentircene.

– E di cosa? Fermín mi sembra un uomo pieno di buon senso.

– Sì, quando vuole, ma ogni tanto ha delle uscite imprevedibili che non sono certo dettate dal buon senso.

– Ormai è inutile preoccuparsi.

– Marcos, vorrei farti una domanda: tu ti preoccupi mai per qualcosa?

– Non lo so, lasciami pensare... Di sicuro non mi preoccupo per le cose inevitabili. Ecco, sì, a volte mi preoccupo per il riscaldamento globale.

– Mi fai paura. Sembra che per te sia sempre tutto sotto controllo.

– Mi ameresti di più se fossi un tipo apprensivo, sempre assillato dalle possibili conseguenze di qualunque decisione, sempre timoroso che qualcosa possa andare storto?

– Forse tu non sei umano. Ho paura di svegliarmi una notte e trovarmi accanto un alieno coperto di squame.

– Vieni qui, piccola, che ti dimostro fino a che punto sono umano...

Si avvicinò muovendo le dita ad artiglio come un terribile mostro e io scappai di corsa. Mi inseguì, gridai, caddi sul divano, e lui mi dimostrò tutta la sua mascolina umanità.

Dopo aver fatto l'amore sospirai di benessere. Il carattere sereno e razionale di quell'uomo che ora sonnecchiava fra i cuscini era l'ideale per una personalità tendente al pessimismo come la mia. Lo guardai. Aveva un bel profilo. A cosa si doveva il fallimento dei suoi precedenti matrimoni? Non sarà stata proprio quella sua imperturbabilità? Forse a lungo andare le sue ex mogli non avevano retto il confronto e si erano sentite delle isteriche. E a me, sarebbe successa la stessa cosa? Mi rimproverai quelle domande. Anch'io avevo alle spalle due matrimoni falliti. Che cosa mi autorizzava a considerarlo un Barbablù? Il fallimento sentimentale non esiste, esistono solo le persone, le combinazioni fra le persone e le combinazioni di circostanze. Tutto il resto andava bene per i manuali di self-help e le pagine dei consigli sulle riviste femminili.

Passammo il pomeriggio in casa, a leggere e a sorseggiare un favoloso cocktail che lui mi preparò. La felicità è facile quando non si pretende di raggiungerla, pensai. Un paio di volte mi sentii in dovere di chiamare Yolanda, ma la risposta fu sempre la stessa: la ricerca continuava, la nostra amica non era ancora ricomparsa. Sembrava l'avesse inghiottita l'asfalto della città.

Alle otto e mezza la comitiva fu di ritorno. Il viceispettore non salì neppure, aveva fretta. I ragazzi sembravano esausti. Marcos chiese come fosse andato il pomeriggio e la sua curiosità fu ripagata con un succinto «bene».

– «Bene» mi pare un po' poco dopo un pomeriggio fra i poliziotti.

– Abbiamo visto dei video di furti – fu il resoconto concesso da Marina.

– E una stanza piena di armi sequestrate – disse Hugo dimostrando di aver assimilato il lessico. Teo taceva. Tentai con lui:

– E tu, Teo, non hai visto niente di interessante?

– Sì, Fermín ci ha portati anche alla scientifica e ci hanno fatto vedere come si prendono le impronte digitali.

– A quanto pare è stata una giornata intensa.

– Sì, e poi ci ha raccontato di come ha catturato molti malviventi. È molto coraggioso, anche se sembra normale – disse Marina piena di ammirazione.

– Oh, puoi starne certa – confermai.

– E adesso tutti in cucina, la cena è pronta.

– Non abbiamo fame, papà. Fermín ci ha portati a mangiare dei panini buonissimi, al salame – specificò Hugo. Detto questo, sparirono in fila silenziosa.

– Credi che sia andato tutto bene? Io li trovo strani – chiesi a Marcos.

– Ma cosa dici? I bambini fanno sempre così. Più si divertono, meno hanno voglia di parlarne.

– Li capisco, succede anche a me.

– E poi sono stanchi morti. Mi sa che Garzón li ha fatti girare come trottole.

– Oltre a raccontare della sua eroica lotta contro il crimine.

– Non essere cattiva.

– Per me va tutto bene, basta che non si scoprano la vocazione del poliziotto...

– Ci sono disgrazie peggiori.

– Sì, però quelle io non le ho vissute.

La mattina dopo mi alzai presto perché intendevo lavorare un paio d'ore. In cucina c'era già Hugo, davanti a una tazza di latte e biscotti, solo.

– Caspita! Credevo di essere mattiniera ma vedo che tu mi batti.

– Gli altri dormono ancora.

Mi preparai il caffè e mi sedetti con lui. Stavamo facendo tranquillamente colazione quando mi disse:

– Petra, ma tu perché sei diventata un poliziotto?

– Be', prima facevo l'avvocato, ma mi annoiavo molto. Allora ho deciso di iscrivermi all'accademia di polizia, poi ho cominciato a lavorare e mi è piaciuto.

– E adesso non ti annoi più?

– Per niente. Non è una festa continua, ma è interessante.

– Io non lo farei mai il poliziotto.

– Ieri non ti è piaciuto quello che hai visto?

– Più che altro non mi piacerebbe vedere gente che fa delle cose brutte. Capisci quello che voglio dire?

– Perfettamente.

– Però tu non sembri un poliziotto. Fermín invece sì. Dice cose tremende.

La prudenza mi indusse a non chiedere che genere di «cose tremende» avesse detto Garzón. Preferivo arrivarci con altri mezzi, temendo il peggio. Tentai di spostare il discorso su argomenti meno impegnativi:

– E sai già che cosa vorresti fare da grande? L'architetto anche tu come tuo padre?

– No, la guardia forestale. Teo dice che vuole fare il terrorista islamico.

– Che assurdità!

– Lo sai com'è fatto.

– Gli piace che la gente pensi male di lui.
– Sì, fa il duro –. Fece una pausa e aggiunse: – Petra, Fermín è supersimpatico, ma preferisco che sia tu a stare con noi.
– Certo, una matrigna coi baffi dev'essere difficile da accettare.
Lui rise un pochino e continuò la sua colazione con appetito. Io mi ritirai a lavorare, giurando che appena possibile avrei verificato che cosa diavolo fosse successo con Garzón.
Stavo rileggendo tutti i verbali delle indagini quando entrò Marcos con una tazza di tè. Mi baciò.
– Lavori di domenica? Sei più preoccupata del solito, vero?
– Devo confessarti di sì. Siamo completamente disorientati e gli occhi di tutti sono puntati su di noi.
– Credo che il tuo lavoro sia fra i più duri che esistano.
– Non esageriamo.
– Sì che lo è. Io, per esempio, posso mettere tutto me stesso in un progetto, posso cercare di ottenere il massimo, ma quello che ottengo dipende in larga misura da me. Invece un poliziotto che dà la caccia a un criminale è soggetto a una quantità di variabili che sfuggono al suo controllo.
– Hai ragione. Spesso è frustrante. Ti dai da fare all'inverosimile senza ottenere nulla. Un lavoro da pazzi, credimi.
– Ma una parte di frustrazione esiste per tutti. Io ho appena presentato il progetto per quell'albergo, in cui

ho investito centinaia di ore di lavoro, e neppure so se verrà approvato.

– Non sapevo l'avessi finito.

– Vuoi vederlo? Se puoi interrompere un attimo quello che stai facendo te lo mostro volentieri.

Salii con lui nel suo studio, e mentre mi spiegava con entusiasmo quei suoi complicatissimi disegni mi resi conto che non avevo mai badato ai suoi sforzi. La mia attenzione era sempre concentrata sulle indagini e la cosa mi parve terribilmente ingiusta. Eppure come si fa ad aver sempre presente la persona che si ama quando si è prigionieri di un caso difficile? Bisognerebbe dedicarsi al proprio matrimonio come a un lavoro, a un'impresa da gestire, a un giardino che necessita di continue cure. Ma allora finisce che i momenti di riposo, quando ci si ritrova con se stessi senza doveri e senza preoccupazioni, sono quelli in cui si è soli. Che complicazione, il matrimonio, una gran complicazione, e Marcos doveva saperlo; forse per questo mi preparava frittatine riparatrici quando rientravo a tarda ora e tazze di tè se mi vedeva indaffarata. E io cosa facevo? Correvo tutto il santo giorno dietro a una mummia senza pensare per un attimo alla felicità di mio marito. Sospirai, mentre mi sforzavo di seguire le sue spiegazioni. In quel momento sentimmo due colpetti discreti alla porta. Era Teo.

– Petra, ti vogliono in commissariato. Dicono che è urgente.

Mi innervosii, alzai il telefono sulla scrivania di Marcos.

– Guarda che hanno riattaccato. Volevano solo che ti avvisassi.

– Con chi hai parlato?

– Non lo so. Era una signorina, ma non mi ha detto come si chiamava.

Andai in cerca del cellulare. C'era un messaggio di Yolanda: «Venga appena possibile, ispettore». La chiamai, non rispondeva.

– Scusami, Marcos, devo andare. Non riesco a capire cosa sia successo. Appena torno vorrei che continuassi a spiegarmi i tuoi disegni.

– Non ci pensare, adesso.

Non ci pensai più. Arrivai in commissariato col fiato corto, fuori di me dalla tensione. Yolanda se ne accorse e fece il gesto di fermarmi con tutte e due le mani.

– Calma, ispettore, calma. Niente di grave, solo che Sonia ha chiamato...

Maledissi quella stupida di Sonia, ma guardandomi intorno capii che non era stata una cattiva idea venire in commissariato. Che tutti tranne me stessero lavorando da ore mi fece sentire in colpa.

– Cos'è successo?

– Una signora che abita in carrer Escornalbou sostiene di aver visto la nostra mendicante l'altra mattina. Qui c'è il verbale del collega López.

Lo scorsi con ansia. A quanto pare la donna si era sistemata con un carrello da supermercato carico dei suoi effetti personali e il solito sacco a pelo in un portone all'angolo di Escornalbou con Renaixença. La signora l'aveva vista dal balcone di casa. Colpita dal fatto che si muovesse di continuo, come in preda a una forte agitazione, l'aveva tenuta d'occhio. Mezz'ora dopo l'aveva vista alzarsi e andarsene, spingendo il suo carrello in direzione del parco del Guinardó. La testimone non aveva dubbi sul fatto che la donna fosse Eulalia Hermosilla.

Alzai gli occhi dal foglio e incontrai quelli di Sonia, grandi come fari marittimi.

– L'agente López è nel gruppo di cui mi occupo io, per questo l'ho fatta chiamare, ispettore. Non so se...

– Hai fatto bene, Sonia.

– Magari l'ho disturbata, ma pensavo...

– Ti ho già detto che hai fatto bene, cos'altro vuoi che faccia, che mi metta ad applaudire?

Sonia si morse il labbro con l'espressione inconfondibile di chi sa di aver fatto una sciocchezza.

– Va' a cercare López, voglio parlargli.

Appena fummo sole, Yolanda trovò il coraggio di dirmi:

– Ispettore, non la sta trattando un po' male la povera Sonia? Quella ragazza lavora come una matta.

– Lo so, ma è più forte di me. Mi dà sui nervi, ha questo potere.

– Però la ammira moltissimo.

– Forse è proprio per questo. Dille che mi odi, forse la apprezzerò di più. E adesso mettiamoci al lavoro, non sono venuta qui in missione umanitaria. Puoi comunicare a metà della squadra che il loro compito è finito. Concentra il resto degli uomini nella zona del

Guinardó. Andateci anche voi. Che non resti un metro quadrato dove non abbiate ficcato il naso. Chiaro?

– Chiarissimo, ispettore – rispose in un tono marziale che mi parve velatamente critico.

– E allora, marsc! – conclusi, caso mai avessi colto nel segno.

Il mattino dopo tutto il commissariato era in subbuglio. Ai giornali era giunta voce che stavamo cercando una senzatetto che poteva essere la misteriosa assassina del monaco. Le interpretazioni fornite dalla stampa non avrebbero potuto essere più eterogenee. Secondo qualcuno la donna apparteneva a una setta; altri insinuavano che in passato avesse avuto una relazione con frate Cristóbal e fosse impazzita quando lui l'aveva abbandonata per entrare in monastero. Ma mentre io ero sull'orlo dell'isteria, Garzón prendeva la cosa con serafica tranquillità.

– Si sa, ispettore, che in una squadra così numerosa, soprattutto se le indagini si svolgono sotto gli occhi di tutti, è facile che qualcuno si lasci andare a parlare. Comunque è inutile cercare di capire chi sia stato.

– E la telenovela che si sono inventati? Peggio di un romanzo d'appendice!

– Ai lettori piacciono i romanzi d'appendice, e i giornalisti hanno un numero fisso di righe da riempire.

– Ah, fantastico! Se le sembra tutto così normale, allora perché non va a raccontare a quei signori che la nostra teste è nipote naturale di Anastasia, la zarina scomparsa? Può star sicuro che la metteranno in prima pagina!

– Ispettore, lei si agita inutilmente. L'informazione è una realtà con cui dobbiamo imparare a convivere.

– Cos'è, ha fatto, un corso di filosofia zen ultimamente? Mi trovi Villamagna, voglio parlargli.

Lui fece per uscire, lo richiamai indietro:

– Garzón, dimenticavo. Mi piacerebbe sapere cos'è successo con i bambini sabato pomeriggio.

– Niente, è andato tutto a meraviglia. Non gliel'hanno raccontato? Sono davvero simpatici, quei tre. Se me li presta un'altra volta li invito a far merenda a casa mia. Beatriz ci tiene a conoscerli meglio.

– Qualcosa mi hanno detto. Ma voglio sapere da lei se Teo si è comportato bene. È un ragazzino indisponente e sarcastico, il più difficile dei gemelli.

– Niente di preoccupante. Ha fatto un po' il gradasso, una cosa normale alla sua età.

Un brillio nei suoi occhietti da faina e uno sguardo sfuggente mi confermarono che era successo qualcosa. Insistei:

– Non le ho chiesto una diagnosi psicologica, vorrei solo che mi raccontasse cos'è capitato.

– Sembra che mi stia chiedendo di un fatto grave, ma le giuro che non è successo proprio niente. È stato un momento. Teo non la finiva più di fare il cretino. Quando li ho portati a vedere la stanza delle pistole, o i reagenti per le impronte, be', gli altri due erano interessati, facevano tanto d'occhi, non la finivano più di far domande... insomma, lo sa come sono i bambini. Soprattutto la piccola, è magnifica quella bambina, così intelligente, così educata...

– Veniamo al sodo, Fermín.

– Bene, come le dicevo Marina e Hugo erano entusiasti, Teo, invece, faceva l'indifferente come se già sapesse tutto a memoria. Oppure criticava. A un certo punto lo sento dire: «Già, tanto i poliziotti bravi sono quelli americani. Qui in Spagna è tutto uno schifo». Allora ho pensato che fosse il caso di dargli una piccola lezione, perché imparasse qualcosa.

Lo interruppi, sempre più allarmata:

– Vuol dirmi una buona volta cos'è successo?

– Ma non è successo niente. Lo dirà anche lei che è una sciocchezza. A quel punto, un po' scocciato, dico ai ragazzi che vado a prendere qualcosa da bere e li lascio soli nel mio ufficio. E davanti alla macchina delle bibite incontro l'agente Domínguez.

– Il marito di Yolanda?

– Sì. Non era in divisa perché stava smontando. E così mi è venuto in mente... mi è venuto in mente che poteva farmi da comparsa per una scenetta da telefilm. Lo sa che bravo ragazzo è Domínguez. Ha detto subito di sì. L'ho fatto sedere in corridoio e sono andato a chiamare i ragazzi con la scusa di farmi aiutare a prendere le lattine. Quando siamo passati davanti a Domínguez, che se ne stava lì come se fosse agli arresti, ho detto sottovoce ai bambini che era un delinquente molto pericoloso. E lui, come avevamo stabilito, mi fa: «Cos'è, mi guardate come se fossi una scimmia?». Mi sono avvicinato, gli ho gridato un paio d'insulti, e quando lui si è alzato in piedi l'ho preso per la camicia, l'ho sbattuto a sedere e gli ho detto che se solo l'avessi sentito respirare gli avrei spaccato tutti i denti con il calcio della pistola. Una cretinata, come vede, ma ha dato i suoi risultati. Il duro della combriccola è sbiancato come un lenzuolo e ha cambiato subito registro. Di lì in poi è stato bravissimo, sempre zitto e attento. Deve aver avuto una fifa blu.

– Santo Dio, Garzón! Ma come le è venuta in mente una cosa simile? Uno qualsiasi di quei ragazzini avrebbe più cervello di lei!

– Non credo che a Marcos dispiacerà.

– Può darsi che non gli dispiaccia, anche se dubito che si metta a fare salti di gioia. Ma le ricordo che quei bambini hanno delle madri, e magari a quelle madri non va che i loro figli assistano a scene di violenza.

– Scene di violenza? Ma se le dico che non è successo niente! Quattro insulti, e di quelli leggeri. Oggi i bambini ne sentono di peggio dai compagni di scuola.

– Tanto sarò io a pagarne le conseguenze, Fermín. Vedrà. E non sarà certo una passeggiata. Lei è un incosciente e un menefreghista!

– E lei un'esagerata. Non sa proprio niente di psicologia infantile. Io quel bambino l'ho messo a posto per sempre. Adesso che ha capito che vita facciamo noi poliziotti, le porterà più rispetto. Invece di prendersela tanto dovrebbe ringraziarmi per il mio intervento pedagogico.

Detto questo si girò e se ne andò serenamente per i fatti suoi. Intervento pedagogico! Che faccia tosta! Non credevo alle mie orecchie. Di colpo le mie ansie poliziesche erano sfumate e sentivo solo una tremenda indignazione, oltre al bisogno di informare Marcos al più presto. Lo chiamai e gli proposi di pranzare insieme in una pizzeria vicino al commissariato. E sa il cielo quanto mi costò passare il resto della mattinata sui miei maledetti rapporti.

All'una e mezza me la svignai senza che nessuno mi vedesse. Marcos mi stava già aspettando seduto al tavolo, con il menu fra le mani. Mi salutò con un gran sorriso.

– A cosa devo l'onore di un pranzetto intimo e inaspettato con la mia adorata sposa?

– Scherzeremo dopo, Marcos. Adesso ascoltami.

Gli riferii punto per punto quel che avevo saputo. Poi, senza dargli il tempo di reagire, cominciai a inveire contro Garzón. Alla fine di quella requisitoria Marcos si tolse gli occhiali e si massaggiò gli occhi. Di colpo capii che stava ridendo.

– Che forza, quel Garzón!

– È questa l'unica cosa che sai dire? Mi sembri un quindicenne. Non ti rendi conto che i tuoi figli lo racconteranno a casa? Le tue ex mogli mi caveranno gli occhi!

Si rimise gli occhiali, mi guardò e sospirò.

– Petra, credo di averti già detto che se dovessi aver paura di tutto quel che dicono o fanno le mie ex mogli non muoverei più un passo. Loro, se vogliono, lo troveranno sempre un motivo per attaccarmi. Ma il tempo passa, e a poco a poco le acque si placano. Anche se i ragazzi racconteranno qualcosa è probabile che non succeda proprio nulla.

– Dev'essere una caratteristica maschile, l'incoscienza.

– Siete voi donne che andate in tilt al minimo profilarsi di un problema! – replicò lui con una durezza che mi sbalordì. Marcos non mi aveva mai parlato a quel modo. La mia reazione parve divertirlo.

– Di sicuro ai ragazzi ha fatto bene l'«intervento pedagogico» del tuo collega, e magari a te farebbe bene una lezione di calma.

– Se continui a parlarmi su questo tono mi alzo e me ne vado.

Il cameriere, imbarazzato, aspettava l'ordinazione. Ordinai un piatto di spaghetti. Andarmene mi pareva eccessivo, ma in quel momento la sola cosa che desideravo era sterminare il genere maschile preso in blocco, vista l'irresponsabile sufficienza che tutti i suoi rappresentanti dimostravano.

– Vuoi continuare a discutere? – mi chiese Marcos davanti alla sua pizza.

– No – risposi secca.

Per il resto del pranzo riuscimmo a parlare con una certa normalità del più e del meno, ma la tensione non cedette. Bevuto l'ultimo sorso di caffè ci alzammo, pagammo il conto e ci salutammo con un freddo bacio sulla guancia.

Rientrai in commissariato con un nodo in gola. Ero così abituata alla tenerezza di Marcos che la sua collera mi aveva ferita a morte. Era l'inizio della fine?

Garzón, principale causa di quel disastro, mi ricomparve davanti.

– Salve, ispettore. L'ho cercata dappertutto per invitarla a pranzo ma mi hanno detto che era uscita di corsa.

– Avevo un impegno.

– Ce l'ha ancora con me per la storia dei ragazzini? Neanche li avessi portati a vedere un'autopsia!

– Ne sarebbe stato capace.

– Senta, Petra, i ragazzi di oggi hanno bisogno di entrare in contatto con la realtà. Essere apprensivi e iperprotettivi serve solo a...

– Non voglio sentire una parola di più! Ci manca solo che debba sorbirmi una lezione di psicologia, adesso. Pensiamo al lavoro, piuttosto. Novità?

– Sì, Villamagna la sta aspettando.

– Gli dica di venire qui da me.

Che cosa si può fare quando il malumore ci pervade al punto da esaltare tutti i nostri difetti e azzerare le nostre virtù? C'è chi conta lentamente fino a dieci, chi fa respirazione yoga, chi esegue flessioni a terra... Io strinsi i denti e mi dissi: «Adesso basta, Petra. In fin dei conti quei bambini non sono figli tuoi. E poi la vita privata non deve mai interferire con il lavoro, soprattutto se sei un poliziotto». Dopo quella riflessione da manuale mi sentii più serena. Ma la mia serenità fu sul punto di svanire non appena vidi il nostro addetto stampa con la gomma da masticare in bocca e un teschio sulla maglietta.

– Ehi, Petra, come va?

– Sono incazzata nera.

– Ci credo! Hai visto quante stronzate hanno scritto gli imbrattacarte sul caso della mummia?

– Sì, molto istruttivo sul genere di personaggi con cui hai a che fare.

– Non ci sono cazzi, bella, questa è la dura vita dell'addetto stampa.

– Sì, ma l'addetto stampa dovrebbe trovare il modo di tenere i giornalisti in riga.

– E no, Petra! Adesso hai veramente rotto! Ti ho chiesto del materiale e tu niente, zero assoluto. Cosa vuoi che faccia, che me la inventi io la merda che si inventano quelli?

– Hai detto che li avresti tenuti buoni con qualche notizia vaga. Questo dovresti saperlo fare, no?

– Senti Petra, ma tu cosa ti sei sognata, che io abbia a che fare con un pubblico di suore di carità come quelle del tuo convento delle balle? Quelli sono cronisti di nera! Se li convoco e non gli do un po' di carogna da mordere, sono capaci di aprirmi il culo. E se non li convoco si inventano le loro storiacce e piantano solo casino.

– Villamagna, smettila con le volgarità, che tanto ti ho capito!

– Perfetto. Ma allora cosa vuoi che dica? Se a quel coglione del giudice non passa neanche per l'anticamera del cervello di imporre il silenzio stampa, io non posso farci niente. Posso solo ripetere quel che mi racconti tu. Quindi adesso parli e io scrivo, oppure ti mollo qui e tutto va a farsi benedire.

Nel pieno del battibecco entrò Garzón, silenzioso come un maggiordomo britannico. Si tenne a debita distanza e annunciò con voce flautata:

– Ispettore Delicado, il commissario Coronas desidera vederci con la massima urgenza.

Sapevo che mi stava prendendo in giro. Lo guardai seccata:

– Vada pure, caro collega. E comunichi al commissario che sarà mia premura raggiungerlo immediatamente.

– E io che cazzo faccio nel frattempo? – proruppe Villamagna, – mi tiro le seghe?

– È una possibilità – gli dissi tranquillamente mentre uscivo.

Coronas ci accolse con la sua solita aria da uomo sopraffatto dal lavoro e dal peso delle responsabilità.

– Accomodatevi pure – concesse come una primadonna nel suo camerino. Poi distolse gli occhi dallo schermo del computer e sospirò.

– Bene, signori, vedo che i vostri progressi, ammesso che li si possa considerare tali, sono lenti e incerti. Non è mia intenzione mettervi fretta perché capisco che queste indagini sono molto più complesse del previsto. Tuttavia stampa e televisione ci stanno assillando e la pressione cresce ogni giorno che passa. Immagino abbiate letto le idiozie che sono uscite sui giornali.

– Sì – rispose del tutto inutilmente Garzón.

– Potete anche permettervi il lusso di ignorarle. Ma si dà il caso che io debba risponderne davanti ai miei superiori, i quali, e lo dico senza la minima intenzione critica, quando succedono queste cose diventano delle belve.

– Commissario, ho appena parlato con l'ispettore Villamagna...

– Risparmi il fiato, Petra, non ho ancora finito. Vorrei informarvi che, come già annunciato, ho richiesto la consulenza di uno psichiatra di primissimo ordine: il dottor Beltrán.

– E di chi si deve occupare? Della nostra salute mentale, di quella dei giornalisti, o dei suoi superiori?

– Non faccia la spiritosa, Petra. Il dottor Beltrán è un esperto in psicopatie e disturbi deliranti.

– Mi scusi, commissario, ma ci sono volute due persone per aprire la teca dove si trovava la salma rubata. E due sono stati gli uomini che sono stati visti trasportare il corpo fino al furgone. Come si accorda questo con la figura dello psicopatico che agisce spinto da un'ossessione delirante?

– Secondo il dottor Beltrán ci sono psicopatici di grande intelligenza, capaci di indurre persone più deboli ad assecondarli nei loro folli intenti.

Scossi la testa, ma Coronas fece finta di nulla.

– Inoltre – continuò, – e qui mi riallaccio alla prima parte del mio discorso, il dottor Beltrán potrà esserci d'aiuto nei nostri rapporti con la stampa. È un ottimo comunicatore. Pensi che ha da poco pubblicato un libro di divulgazione scientifica che è in testa alle classifiche di vendita.

– Ma quali prove avremmo per aprire una linea investigativa di questo genere? Chi l'ha detto che il delitto è opera di uno psicopatico omicida e ladro di reliquie?

– Vi converrà ascoltare quello che avrà da dirvi il dottor Beltrán dopo aver esaminato il caso alla luce delle sue conoscenze. Vi ricordo, comunque, che vi state muovendo senza uno straccio di ipotesi valida, e che l'unico elemento che avete in mano è un biglietto di pugno dell'omicida che vi invita a una specie di caccia al tesoro. A me questo sembra un chiaro segno di disturbo mentale.

Preferii tacere. Coronas, felice di vedermi così docile, sorrise.

– Domande? – disse, per buttarci fuori il prima possibile. Notai che Garzón si grattava un orecchio, segno che stava facendo lavorare le meningi. Prima che potesse intervenire con qualche insensatezza, mi alzai in piedi e domandai:

– E quando lo incontriamo questo dottor Beltrán?

– Domani. Ve lo farò sapere al più presto – rispose il commissario, di nuovo immerso nelle profondità del suo computer.

Nel corridoio, Garzón concluse la grattata all'orecchio che questa volta non aveva dato grandi risultati e sbottò:

– Adesso sì che non ci capisco più un tubo, ispettore.

– Ma se è chiaro come il sole! Non lo vede? Il commissario ci affibbia lo strizzacervelli e in questo modo risolve due problemi in un colpo solo: fornisce carne fresca ai giornalisti, che saranno ben contenti di ricamare sulla storiella dello psicopatico, e può dire ai suoi superiori che finalmente stiamo lavorando su un'ipotesi e lo facciamo con i più moderni strumenti scientifici. Intanto lo strizzacervelli fa un po' di promozione al suo libro e si copre di gloria.

– Ma l'ipotesi dello psicopatico è assurda!
– Lei se la sentirebbe di escluderla?
– Non lo so, Petra, ma tutto questo mi sa di montatura.
– Nessuno ha detto che non lo sia, Fermín. Stia tranquillo, ci comporteremo di conseguenza.
– E cioè?
– E cioè continueremo a muoverci come pare a noi. Lo psichiatra ce lo toglieremo dai piedi dicendogli di trattare con Sonia. Sarà interessante vedere chi dei due sopravvive.
– Ma, ispettore, non possiamo permetterci di fare sciocchezze.
– Be', se ci buttano fuori lei potrà sempre dedicarsi all'educazione di bambini difficili e io... Io stavolta farò la moglie a tempo pieno e diventerò una specialista in soufflé.
Villamagna ci rimase di sasso quando gli dissi:
– Problema risolto, giovanotto. D'ora in poi avrai a disposizione uno psichiatra che ci aiuterà nelle indagini.
– Non scherzare! Uno strizzacervelli? E a cosa vi serve?
– Non sei pagato per domandarti l'utilità delle cose. Ti piacerà da matti, vedrai. Lo sai quante pagine si riempiono con le baggianate che raccontano gli psichiatri?
– Fate pure come vi pare. Per me va bene tutto, anche un cantante di flamenchi. Certo che uno psichiatra non è niente male...
– Benissimo, allora. Sarai contento – conclusi.
Quella sera arrivai a casa tardissimo. Marcos dormiva. Sapevo perfettamente che eravamo in rotta, ma non

ricordavo perché. Mi sdraiai accanto a lui cercando di non svegliarlo e lui si girò per abbracciarmi. Senza scambiare una sola parola facemmo l'amore fra gemiti di sonno e di piacere. Poi ci addormentammo. Chi ha detto che parlando ci si capisce meglio? Sciocchezze.

Il dottor Beltrán era un luminare. Avremmo dovuto essergli grati per aver accettato di lavorare con noi. La sua carriera si era svolta in gran parte negli Stati Uniti, dai quali era rientrato recentemente. Le sue attività erano molteplici e incessanti: teneva corsi presso la Scuola di Formazione Giudiziaria, lavorava come psichiatra all'Hospital Clínico, teneva conferenze e partecipava a congressi internazionali. A tempo perso scriveva libri di successo. Un vero numero uno. Villamagna, nella sua conferenza stampa, ne parlò in tono di non velato encomio.

Finalmente il luminare ci venne presentato da Coronas in una riunione che mi parve delirante. Il nostro commissario era così felice di riceverlo che sembrava disposto ad ammazzare altri due o tre monaci pur di renderlo assolutamente indispensabile. Poi rimanemmo soli con il superconsulente. Sarei scappata volentieri, ma mi limitai a tacere e a sorridere. Beltrán, invece di chiederci come potesse esserci d'aiuto, prese il comando.

– Siete i soli a occuparvi delle indagini?

– Disponiamo di una squadra di dieci uomini impegnati nelle ricerche della testimone scomparsa e abbiamo due agenti fisse: Yolanda e Sonia.

– Se in questo momento si trovano anche loro in commissariato sarebbe bene che assistessero a questa riunione.

– Mi pare che siano di là – disse Garzón, e uscì a chiamarle.

Nell'attesa, lo psichiatra si mise a sfogliare i documenti che aveva con sé senza rivolgermi la parola. Dopo qualche minuto domandò:

– Funziona, quel computer?

Lo accesi senza rispondere e lo invitai a usarlo con un cenno. Lui infilò un CD-ROM. In quel momento Garzón rientrò seguito dalle ragazze. Quando ci vide tutti seduti, Beltrán fece partire una presentazione in Power Point e cominciò a introdurre l'argomento in tono cattedratico. Era sorprendente quanto il suo spagnolo riuscisse ad assumere, all'improvviso, un'intonazione anglosassone. Di colpo si interruppe:

– Non prendete appunti?

Fu necessario distribuire biro e fogli di carta. Yolanda si alzò per andare a prenderli. Garzón la bloccò e provvide lui. Di sicuro stava facendo provviste di motivi per lamentarsi non appena fossimo rimasti soli.

Seguì un'esposizione di dati statistici sugli omicidi commessi da psicopatici raccolti negli Stati Uniti negli ultimi vent'anni. Sullo schermo si susseguivano grafici colorati. La conclusione era che il quindici per cento dei colpevoli dava dei propri delitti spiegazioni connesse con la fede religiosa o l'intervento divino. In altre parole la loro era una follia misticheggiante. Inoltre il cinque per cento di questi criminali aveva agito con l'ausilio di complici.

Yolanda e Sonia riempivano i loro fogli come ossesse. Garzón di tanto in tanto buttava giù qualcosa, io mi limitavo ad annotare qualche cifra.

La seconda parte della lezione fu un elenco dettagliato dei tratti psicologici che caratterizzano i criminali affetti da disturbi deliranti mistico-religiosi. Gli esempi erano numerosi, tutti americani. Riguardavano immancabilmente individui dall'intelligenza spiccata, dotati di forte carisma personale, con famiglie disfunzionali o pesanti traumi alle spalle. Uomini calcolatori e spietati, incapaci di provare rimorso per il dolore altrui, amanti del gioco e del pericolo, crudeli fino al midollo. Qualunque spettatore di film americani avrebbe saputo tracciare un quadretto simile senza il bisogno di una così ponderosa documentazione.

Poi il luminare passò ad abbozzare il profilo della persona che avremmo dovuto cercare. Con ogni probabilità di sesso maschile, doveva essere di livello culturale sufficientemente elevato per disporre di nozioni storiche specifiche. Doveva aver subito nell'infanzia un trauma sessuale tale da esasperare, per contrapposizione, i suoi ideali di purezza e religiosità. Era un manipolatore abilissimo capace di inculcare la sua visione distorta del mondo in uno o più seguaci che si erano prestati a fargli da complici. Aveva sottratto la salma del beato per attirare l'attenzione, per avere la sensazione di tenere in scacco la polizia e per dimostrare ai membri del suo gruppo quanto fosse grande il suo potere. Si poteva supporre che l'assassinio del monaco non era premeditato. Frate Cristóbal si trovava nella cappella al momento del furto ed era stato ucciso semplicemente perché costituiva un ostacolo. Ma non era da escludere che, essendo stato visto entrare e uscire dal convento durante le ricognizioni precedenti il delitto, si fosse trasformato in un ulteriore possibile trofeo, in vittima designata di una pulsione morbosa.

Di colpo, senza alcun preavviso, il dottor Beltrán chiuse l'applicazione e rimase in silenzio. Tutti e quattro ci guardammo come studenti colti in fallo. Alla fine Sonia alzò la mano. Temetti il peggio, ma molto rispettosamente domandò:

– Che cos'è una «pulsione morbosa»?

Un sorrisetto di Beltrán fece capire, non senza sufficienza, che la domanda gli pareva pertinente. Rispose con dovizia di esempi.

– Altre domande?

Quel suo tono inquisitoriale cominciava a darmi sui nervi. Lo vedevo spostare con impazienza il peso da una gamba all'altra. Che la nostra curiosità non scatenasse un'alluvione di domande doveva infastidirlo alquanto. Sonia, incoraggiata dal precedente successo e ansiosa di fare bella figura, alzò di nuovo la mano e chiese:

– Mi scusi, dottore, ma da cosa si può dedurre che l'uomo che stiamo cercando sia americano?

Ci fu un attimo di sconcerto generale. Beltrán non credeva alle proprie orecchie.

– Come dice?

Yolanda era rossa fino alle orecchie, Garzón torceva la bocca in una smorfia sardonica e io mi vidi costretta a salvare la situazione, più per pietà nei confronti del malcapitato psichiatra che per clemenza verso Sonia.

– La mia collaboratrice vorrebbe sapere se i dati da lei forniti possono considerarsi altrettanto validi nel nostro paese.

Lui starnazzò come una gallina infastidita:

– Che questi studi siano stati condotti negli Stati Uniti non significa che i dati ricavati non abbiano validità in tutto il mondo.

Con furibonde gomitate Yolanda impedì a Sonia di replicare. Io pensai che per una volta quella ragazza si meritava una promozione. Alzai la mano:

– E mi dica, sulla base di tutte queste informazioni, che cosa ci consiglia di fare?

– Dovreste visitare tutti i reparti e i centri psichiatrici diurni alla ricerca di pazienti cui sia stata diagnosticata la patologia da me descritta e che rifiutino o abbiano improvvisamente abbandonato la terapia. Inoltre sarebbe utile indagare nei vostri archivi. Non è improbabile che l'assassino sia già stato arrestato per piccoli reati. Vi prego, dal momento che collaboro con voi, di tenermi informato e di fornirmi le cartelle cliniche dei soggetti che vi parranno corrispondere al profilo.

Proprio come mi aspettavo, non appena ci ritrovammo soli il viceispettore fece fuoco e fiamme:

– Che Dio, la scienza e il presidente degli Stati Uniti mi perdonino, ma quello è un cretino calzato e vestito! Altro che università americane! Quello ci ha rifilato il manualetto *Costruitevi da voi il vostro psicopatico*. E per di più vuole spedirci a reclutare mentecatti da sottoporre al suo infallibile giudizio. Qui c'è da diventar matti sul serio!

– Si calmi. Lo sa dove sta andando adesso il nostro luminare? A una conferenza stampa con Villamagna.

– Se ci mettiamo a seguire i suoi bei consigli ci rideranno dietro tutti.

– Non importa. Villamagna dirà che si tratta di una linea investigativa fra le altre. Quando verrà il momento la abbandoneremo e tanti saluti.

– Quindi, cosa pensa di fare?

– Mandare Sonia in giro per manicomi mentre noi andiamo avanti per la nostra strada.

– Appena quella butta giù un rapporto siamo fregati.

– Sarò fregata solo io. Me ne assumo la responsabilità.

– Non vedo perché organizzare un ammutinamento.

– Ma vada al diavolo, Fermín!

– A giudicare da come vanno le cose, ci finiremo tutti e due.

6

Rientrando a casa trovai Marina con la donna di servizio.

– Papà e i ragazzi sono andati a una partita di pallacanestro. Io sono rimasta qui.

– Dovevate essere qui, oggi? – le chiesi, cercando di ricordare il loro calendario di visite.

– No. È stato solo per la partita. Papà aveva dei biglietti gratis.

– Hai cenato?

– Non ancora.

– Dirò a Jacinta che può andare a casa, così noi ci prepariamo una bella cenetta a due.

– Jacinta ha già fatto gli spinaci –. Fece il gesto di mettersi due dita in gola e vomitare.

– Una soluzione la troveremo.

Dopo aver liberato Jacinta dalle sue incombenze, mi versai un whisky, me lo portai in cucina e misi il grembiule. Sorseggiando il confortante liquore unii agli spinaci abbondanti tocchetti di prosciutto crudo, pinoli e uno spicchio d'aglio. Poi tirai fuori due basi per pizza dal freezer e mi inventai due spettacolari pizze agli spinaci. Mentre cuocevano nel forno mi dedicai al mio drink. Intanto Marina saltellava e piroettava su e giù agitando graziosamente le braccia in un'imitazione di balletto. Di colpo si fermò e disse:

– C'è un messaggio sulla segreteria telefonica. Ho sentito quando lo registravano.

Mi fissava a occhi spalancati.

– Una cosa di lavoro?

– Non credo. Era la mamma di Hugo e Teo.

Mi irrigidii. Senza una parola mi diressi verso la segreteria e premetti il pulsante. Un paio di messaggi per Marcos e, alla fine, una voce femminile molto tesa:

«Sono la madre di Hugo e Teo Artigas. Ci tengo a far sapere che non sono disposta a tollerare che i miei figli vengano istruiti sugli usi e costumi della malavita. Se mai certi episodi dovessero ripetersi, avverto fin d'ora chi è responsabile dei bambini, vale a dire loro padre, che lo denuncerò al tribunale dei minori. Ho finito. Spero di essere stata abbastanza chiara».

Un brivido mi percorse la schiena. Mi voltai e trovai Marina ritta sulla porta a guardarmi. Tentai di sorridere.

– Adesso si cena – dissi. – Le pizze saranno pronte.

Tornammo in cucina. Aprivo il forno assorta nei miei pensieri quando Marina mi chiese:

– Sei preoccupata per quel messaggio?

– No, mi sono ricordata di certe cose che devo fare domani.

Inutile mentirle, perché lei, dopo una pausa, continuò:

– Te l'avevo detto che la mamma di Hugo e Teo è un'isterica.
– Sì, mi pare di ricordare qualcosa.
– Una mia compagna dice che tutte le mamme sono isteriche.
– Mi sembra un po' esagerato.
– Può darsi, ma c'è una cosa che tu non sai.
– Che cosa?
– Anche mia mamma ha detto che ti telefona.
– Le hai raccontato della visita in commissariato?
– No, gliel'ha detto la mamma di Hugo e Teo. Secondo me voleva solo rompere le scatole.
Maledissi mille volte Garzón. Maledissi la sua incoscienza e le sue convinzioni pedagogiche. Poi mi alzai e andai a versarmi un altro whisky.

Coronas mi concesse la squadra di ricerca per altri tre giorni. Ma ormai anch'io cominciavo a dubitare della sua utilità. La sola persona che potesse dirci qualcosa dei colpevoli era sparita nel nulla in carrer Escornalbou. Gli agenti andavano di casa in casa, interrogavano tutti gli abitanti della zona, ma nessuno ne sapeva niente. Decisi che Sonia poteva cominciare a fare il giro degli ospedali psichiatrici. Eravamo così impantanati che perfino la stravagante ipotesi dello psicopatico cominciava ad apparire come una possibilità.
Il viceispettore ed io riempimmo una lavagna con tutti i dati salienti e le iniziative in atto. Con delusione fummo costretti a riconoscere che solo due vie rima-

nevano aperte, e nessuna delle due partiva da qualcosa di più di una congettura.

– Se dobbiamo attenerci agli indizi, la sola cosa da fare è tentare di dare un senso al biglietto dell'assassino – suggerì il mio collega.

– Lei sa che sono molto restia a entrare in questo gioco. È pur sempre il gioco che ci propone l'assassino. Pura finzione.

– Non sono d'accordo. Se lo ricorda il serial killer del mazzo di carte? Quello che ha terrorizzato Madrid nel 2003? Ogni volta lasciava una carta diversa sul corpo della vittima. E poi lo dicono anche le statistiche che sono sempre più frequenti gli omicidi gratuiti, senza un movente. Gli assassini, che non sono certo delle aquile, consumano un mucchio di *fiction* da due soldi e possono benissimo prendere a modello certe assurdità.

– Ammettiamolo. Ma il biglietto si riferisce alla mummia.

– È un'interpretazione. Potrebbe anche riferirsi all'assassino stesso. Senza contare che la mummia ci porterebbe fino a lui.

– Mi rifiuto di credere a queste cose.

– Perché lei è eccessivamente razionale, ispettore. Ci sono un mucchio di matti in giro per il mondo, se lo ricordi.

– Può darsi. Però, secondo l'abicì della criminologia bisogna cercare per prima cosa il motivo che ha spinto l'assassino a uccidere.

– Sì, certo, l'amore, il sesso, la vendetta, il denaro, il potere... Queste sono teorie obsolete. Oggi si ammazza anche per l'immagine, per conquistare spazio mediatico...

Sospirai. Frugai fra le mie carte in cerca della fotocopia del biglietto:

«Cercatemi dove più non posso stare».

Garzón lesse la frase ad alta voce, come un cattivo attore che volesse trarne sfumature misteriose. Nuovo sospiro da parte mia, esasperato.

– E dove mai non può stare quella benedetta mummia?

– Prima possibilità: nel convento. Non può stare lì, perché in teoria l'hanno rubata.

Balzai in piedi, mi impossessai di una matita per puntargliela contro.

– Adesso basta, Fermín! La pianti di giocare agli indovinelli! Se proprio vogliamo avventurarci sul terreno delle interpretazioni, ci serve l'aiuto degli esperti.

– Chiamo le suore o frate Magí?

– Chieda alla madre superiora di lasciar uscire suor Domitila. Non ne posso più di andare in visita a quel convento.

Si spostò nel suo ufficio per fare la chiamata. Tornò dopo un istante:

– Dice che va bene, ma che verrà accompagnata.

Due ore dopo suor Domitila, che si era scelta come *chaperonne* la giovane suor Pilar, entrava in commissariato con aria inorridita. Avevo trascurato l'effetto che il nostro luogo di lavoro poteva avere su quella donna vissuta sempre fra quattro pareti. Ma la cosa più strana fu che la novizia, abituata a uscire ogni giorno per andare all'università, aveva un'aria ancor più terrorizzata. I suoi occhi profondi si fissavano su ogni dettaglio come se il demonio potesse essere in agguato dietro uno schedario. Se non altro suor Domitila faceva qualche sforzo per apparire naturale.

Per placare le loro ansie cercai di trasformarmi in perfetta padrona di casa e offrii di far portare del caffè, che loro rifiutarono con sguardo scandalizzato.

– Sorelle, qui vi trovate al sicuro, non avete nulla da temere – dissi. – Vi ho convocate nel mio ufficio solo per nostra comodità, ma se l'ambiente vi mette in imbarazzo... possiamo trasferirci al bar di fronte.

– Oh, no. Sarebbe ancora peggio – disse in uno slancio di sincerità suor Domitila. – Ci perdoni, ispettore, ma noi non siamo avvezze a lasciare il convento.

– Lei sì, suor Pilar. Non frequenta l'università? – replicai.

Rispose la sua protettrice.

– Un commissariato fa impressione a chiunque.

– Capisco. Vi prometto di non farvi tornare più. Ma ora, già che ci siete... vi pregheremmo di aiutarci a decifrare per quanto possibile il biglietto trovato sulla scena del crimine.

– E noi, che cosa possiamo saperne?

– Lei conosce molte cose, suor Domitila. Mi piacerebbe che, sulla base delle sue nozioni, cercasse di dare un'interpretazione di questa frase.

Lei prese fiato, strinse le nocche.

– Non crediate che non ci abbia riflettuto. Ma per la verità, trattandosi di una frase così breve...

– Lo so, però ci parli di queste sue riflessioni, le condivida con noi, la prego.

– Ecco, innanzitutto penso... Per meglio dire, l'unica soluzione che mi viene in mente è che ora il beato possa trovarsi in un altro convento di Barcellona o della provincia.

– Perché?

– Mi ricollego all'antica pratica, ora proibita, delle sepolture nelle chiese e nei conventi. Se vuole che gliene parli con una certa precisione, dovrei riferirmi ai dati di cui dispongo nella nostra biblioteca, lei capisce.

– Va bene, sorella, capisco. La riaccompagno io stessa in macchina, così mi espone questa sua idea.

Dispensai Garzón da un nuovo viaggio al convento. Meglio che restasse in commissariato a stendere un rapporto non troppo surreale, cosa già di per sé abbastanza difficile. Partii dunque con le due suore al seguito, e devo dire che le reazioni di Domitila alla vista del mondo mi divertirono parecchio. Era curiosa di tutto, si emozionava alla vista di scene normalissime come un cane al guinzaglio trascinato dal suo padrone.

– Ma, sorella, lei non esce mai dal convento?

– Certo che esco! A volte andiamo in gita, e anche dal medico, quando ce n'è bisogno.

In fondo, la invidiai. Tutto per lei era una novità e si comportava come una bambina a Disneyland. Anche a me sarebbe piaciuto trovare tante possibilità di stupore a due passi da casa. I monaci e le suore godono del privilegio dell'innocenza, pensai, sia pure a prezzo della proibizione.

Attraversammo tutte le tappe rituali dell'ingresso nel convento che ogni volta tentavo inutilmente di evitare: la suora portinaia, la richiesta del permesso, l'attesa nella saletta e, immancabilmente, quando suor Domitila tornò – la sua docile assistente era scomparsa – la richiesta che già mi aspettavo:

– La madre superiora la prega di passare nel suo ufficio, prima di andare, per una tazza di tè.

– Ma certo, con piacere.

Poi ci chiudemmo nella biblioteca, come sempre vuota, e suor Domitila si diede ad ammucchiare sul tavolo grossi tomi con segnalibri fra le pagine. Prima che cominciasse a parlare, le chiesi:

– Si era già preparata sull'argomento, sorella?

Abbassò gli occhi e arrossì.

– Vede, ispettore... lei penserà che sono una sciocca a impicciarmi di quel che non mi riguarda, ma come già le dicevo non ho saputo vincere la curiosità. Nei giorni scorsi mi sono domandata mille volte che cosa potesse significare quel messaggio, e così ho tentato di trovare una spiegazione. Chissà che non sia quella giusta.

– Non penso affatto quel che lei dice. Piuttosto mi piacerebbe che ci comunicasse qualunque cosa le venga in mente riguardo al crimine.

– Il fatto è che io non ho idea di come voi vi muoviate.

– Non importa. Posso darle qualche informazione, se lo desidera. Ma l'importante è che lei ci renda partecipi delle sue supposizioni, perché con i pochi indizi che abbiamo siamo del tutto a corto di ipotesi. Lei mi capisce, vero?

– Ma certo, sono qui per servirvi. Le prometto che le farò sapere qualunque cosa mi passerà per la mente. E ora mi ascolti. Lo troverà interessante. Anticamente, come lei saprà, i membri dell'alto clero e di nobili famiglie venivano sepolti nelle chiese. Ma a partire dal XVII secolo, i mercanti e artigiani che giungevano a ricoprire ruoli rilevanti nelle città, non si accontentarono più di ostentare le loro ricchezze in vita, con belle case, abiti sontuosi e carrozze, e vollero godere di onori anche da morti.

Suor Domitila passò a un altro libro, lo aprì al segno e, tutta presa dal racconto, proseguì:

– I mercanti precisavano nel testamento il numero delle messe di suffragio che dovevano esser loro dedicate, tanto più elevato quanto più potevano spendere. E non solo: si preoccupavano di specificare quante persone dovessero accompagnare il feretro ai loro funerali. Se il defunto apparteneva a una confraternita, lo accompagnavano i confratelli, ma anche monaci e poveri, oltre ai parenti, naturalmente.

– Incredibile! E quanta gente c'era a un funerale... medio, diciamo?

– Ascolti, le leggerò questo brano: «Pedro de Villanueva chiede di essere accompagnato da venti chierici d'ordine sacro, e dai preti, ai quali si paghi un'elemosina ciascuno e si dia una candela da quattro once». Ma mercanti particolarmente ricchi erano capaci di pretendere molto di più. Pensi: «Antonio Ferro, di origine portoghese, dispose per le esequie di sua moglie la presenza di tutti i religiosi della città, una messa nella cattedrale con accompagnamento di musica e un seguito di ventiquattro poveri con torce accese al corteo funebre». Che gliene pare? – mi domandò estasiata.

– Tremendo. Non voglio immaginare cosa significherebbe una cosa simile per il traffico di oggi.

Senza badare al mio commento fuori luogo, suor Domitila continuò con passione:

– La cosa più strana è che tutto questo si doveva a una credenza molto radicata: poiché frati, monaci, poveri e bambini erano graditi a Dio, si supponeva che intercedessero per l'anima del defunto di fronte all'Altissimo. Vede bene come alla religiosità autentica si intrecciasse troppo spesso l'opportunismo. Talvolta, mi duole riconoscerlo, la Chiesa stessa contribuì a questa ambiguità. Veniva incoraggiata, per esempio, la credenza che un defunto avvolto nell'abito di un ordine religioso ottenesse più facilmente il perdono dei peccati. Ascolti che cosa si dice qui: «I frati francescani ottennero grandi somme in donazioni ed elemosine giacché tutti volevano essere sepolti con il saio di san Francesco. Si riteneva così di poter apparire dinanzi al signore con la stessa umiltà del santo».

Mi guardò tutta eccitata. Le sorrisi.

– Non c'è dubbio che la storia la appassioni, sorella.

Lei arrossì fino alla radice dei capelli che sporgevano da sotto il velo.

– Passione non è un termine di cui una monaca possa servirsi, ma è vero che ho consacrato alla storia e a

Dio tutta la mia vita. Nella storia si trovano le chiavi del comportamento umano, gli esempi da seguire e gli errori da non ripetere. Sono orgogliosa della nostra biblioteca e mi piacerebbe che il nostro ordine acquistasse prestigio per gli studi storici. Badi che lo dico con la massima umiltà e zelo di servire. Questo la madre superiora lo sa molto bene.

– Capisco. Tuttavia, per quanto riguarda il caso...

– Aspetti, non ho finito. Mi dia tempo, per favore.

Tornò ad accendersi di esaltazione. Prese un terzo volume e lo aprì nel punto segnato da un nastro:

– «La sepoltura, per la Chiesa Cattolica e per la società in generale, conferiva al defunto dignità e rango, ratificando lo status raggiunto in vita. Il sepolcro diventa così la manifestazione visibile del desiderio di perpetuare la propria identità. La predilezione per le sepolture all'interno di chiese e conventi indicava la volontà di mantenere uno stretto legame fra vivi e morti. Questi ultimi riposavano circondati dalla collettività cui erano appartenuti. I poveri invece erano sepolti nei cimiteri, ora ubicati all'interno delle mura cittadine».

Mi guardò trionfante, come se lì stesse il nocciolo di un'importantissima questione. Sentendomi a disagio davanti a quel rompicapo storico, me ne uscii in una nuova osservazione del tutto superflua:

– Personalmente, preferirei essere cremata.

Non mi badò. S'immerse fra le pagine di un altro ponderoso volume. Era evidente che all'elaborazione di quell'ipotesi condotta interamente per suo conto aveva dedicato ore di studio.

– «La massima vicinanza a Dio poteva essere ottenuta dai più abbienti con la sepoltura all'interno di una chiesa, giacché questa era la dimora del Signore. Ciò dipendeva dalle condizioni economiche della famiglia del defunto. Nel secolo XVII non tutta la popolazione poteva permettersi di essere sepolta in chiesa. Gli artigiani di umile condizione non avevano altra scelta che essere sepolti nei cimiteri, ma chi poteva si faceva inumare presso la parrocchia o un convento. Queste tombe erano molto più costose. Solo durante le epidemie di peste, come nel 1648, dal 1677 al 1679, come pure in seguito alla grave inondazione del 1651, le sepolture collettive avvenivano fuori delle mura». E ora la prego di porre particolare attenzione a quel che viene ora: «Solo nel 1787 Carlo III comprese che le sepolture all'interno di chiese, conventi e cimiteri urbani erano insalubri. Decretò pertanto che i defunti venissero sepolti fuori delle mura. Eppure questa norma non fu applicata dappertutto, le resistenze furono molte, e solo dopo la Guerra di Indipendenza e sotto l'influsso di Napoleone si cominciarono a costruire i moderni cimiteri».

Chiuse a quel punto tutti i libri con aria trionfale. Mi guardò sorridente, in attesa che risolvessi da me quel rompicapo di morti ricchi e morti poveri. Spalancai le braccia come per implorare una tregua.

– Mi dispiace, ma continuo a non vedere cosa c'entri tutto questo con l'uccisione di frate Cristóbal.

– Ispettore, per legge oggi il beato non potrebbe più essere sepolto in un luogo santo. Ma, a dar retta al biglietto, l'uomo che ne ha trafugato il corpo deve averlo depositato in un'altra chiesa o convento.

– Ma, sorella, perché mai qualcuno avrebbe dovuto fare una cosa simile?

– Solo un pazzo potrebbe farlo. Lo psichiatra cui vi siete rivolti pare convinto che il colpevole sia uno squilibrato.

– Vedo che segue le notizie di cronaca.

– Tutte noi lo facciamo, ispettore, è naturale. Siamo molto scosse e vogliamo sapere. Solo che io, per di più, penso.

– E pensa che quell'ipotetico squilibrato conosca la storia quanto lei?

– Senza dubbio. Ho studiato molto attentamente la fotocopia del biglietto e posso dirle che chiunque ne sia l'autore conosce alla perfezione la grafia gotica e la esegue con la sicurezza di un esperto.

– Così dice anche la perizia del nostro grafologo.

Suor Domitila era entusiasta come una ragazzina che gioca a guardie e ladri, mentre io stavo per esplodere in un'incazzatura monumentale. Quella specie di rebus su morti e sepolture mi pareva già di per sé un'assurdità, ma in combinazione con la teoria dello psicopatico medievalista rischiava di precipitarmi nell'abisso della depressione. Molto educatamente pregai la suora di farmi una fotocopia di tutti i brani citati. Un sorriso vittorioso le si dipinse sul volto:

– Allora pensa che seguirete questa pista?

– Sorella, io penso solo che dovrò stendere un rapporto che giustifichi tutto il tempo che ho passato con lei.

Una lieve delusione accompagnò le sue parole:

– Ah! Però presenterà la mia ipotesi di interpretazione storica ai suoi superiori.

– Può starne certa. Non escludiamo mai nulla finché non disponiamo di chiari indizi in altro senso.

Questo parve confortarla.

– Perfetto. Farò le fotocopie mentre lei incontrerà madre Guillermina.

Naturalmente mi accompagnò fino all'ufficio della madre superiora, non fosse mai che mi perdessi. Bussò alla porta con le nocche e solo dopo l'imperioso «Avanti!» di madre Guillermina si decise a lasciarmi sola. Dentro, l'aria era piena di fumo come alla Jarra de Oro all'ora del caffè.

– Entri, ispettore, si accomodi! Ho fatto fare un tè e stavo aspettando lei per servirlo. Ci hanno portato anche qualche biscottino, ma non pensi alle antiche ricette delle monache, sono normalissimi biscotti industriali. Li compriamo direttamente in fabbrica perché costano meno. Non sono granché, vedrà, ma questa è la vita monacale: risparmiare, risparmiare, sempre risparmiare. Soprattutto in tempi convulsi e insicuri come questi.

Mi piaceva quella donna. Foderata del suo abito nero, con le sue enormi mani bianche, irradiava un alone di forza, di indiscutibile energia interiore. Servì il tè con gesti precisi, mi avvicinò il vassoietto dei dolci e si accese immediatamente una sigaretta, esalando il fumo con soddisfazione.

– Il diavolo deve aver deciso la mia condanna. Oggi ho fumato come una turca peccatrice, ma è il giorno in cui rivedo la contabilità del convento, cosa che mi mette sempre di pessimo umore. E lei? Com'è andata con suor Domitila?

– Mi ha tenuto un'interessante lezione di storia.

– Quella donna non ha nient'altro per la testa! Si è letta tutti i libri che abbiamo in biblioteca e da anni lavora per arricchirla. Ha spinto suor Pilar a orientare i suoi studi verso la storia, la segue giorno per giorno... Ma sa cosa le dico? Che fa bene, che alza il livello culturale di questo convento, e Dio sa quanto ne abbiamo bisogno!

– Le ha raccontato della sua ipotesi riguardo al significato del biglietto?

– Me ne ha accennato. Lei pensa che possa avere un senso?

– Non lo so, madre. In tutta sincerità sono restia a dar credito all'idea dell'assassino psicopatico e per di più fissato con la storia. C'è qualcosa che stride, che non mi convince. Per me chi commette un delitto obbedisce a una spinta concreta, alle passioni umane, alle normali forze che muovono il mondo. Faccio fatica a credere a ciò che esula completamente dalla realtà comune.

– La capisco, io ragiono come lei. Non voglio certo dire che sono una razionalista, ma una persona logica sì. Eppure talvolta penso che possiamo sbagliarci.

– Lo crede davvero?

– Sì, ispettore, la vita è molto più di quello che vediamo. Ci sono tante cose che sfuggono alla logica: la pazzia, la spiritualità, l'amore...

– Oggi la vedo filosofica, madre.

Lei rise.

– Forse sto solo cercando di contrastare il materialismo dei libri contabili! Ma... mi dica: come vanno le indagini?

– Male, francamente male. Siamo fermi. A volte succede: ci si blocca, non si intravedono nuove vie, gli indizi si esauriscono in se stessi... È un momento pericoloso, si comincia a temere che l'inchiesta finisca lì, che si chiuda con un nulla di fatto.

– Santo cielo! Non che io sia una suora giustiziera, ma se la morte del povero frate Cristóbal dovesse rimanere impunita ne sarei molto amareggiata. E poi, non poter mai sapere, non poter capire il perché di un atto così spaventoso...

– A volte succede, purtroppo. Madre, so che forse non ho il diritto di chiederglielo, poiché nulla sembra far pensare a un movente economico, però le spiacerebbe darmi una copia della vostra contabilità? Con tutte le follie e gli enigmi di questo caso sento il bisogno di un po' di realismo.

– Ma certo, cara! Posso fargliela avere subito. Oppure, se preferisce, può far rivedere i conti qui. Ma la avverto che non troverete niente di speciale: è tutto chiaro e trasparente... e perfettamente a posto con l'ufficio imposte! Che non perdona neanche a noi suore.

– Ne sono sicura. Ma chissà che non mi venga qualche idea, che non mi visiti un'ispirazione.

– Le preparo un CD con i nostri fogli Excel. Ci troverà tutte le nostre fonti di reddito, i finanziamenti che riceviamo, le voci di spesa, tutto, insomma.

Si mise subito all'opera. Era svelta nell'uso del computer e cominciò a canticchiare sottovoce manovrando il mouse. Cedetti alla tentazione e le domandai:

– Lei è felice, madre Guillermina?

Naturalmente ne fu sorpresa. Alzò gli occhi e mi guardò con ironia.

– Questa non è una domanda da poliziotto! Ebbene sì, sono felice. Ho Dio, la compagnia delle sorelle, la soddisfazione di fare ogni giorno il mio dovere... Ma non me lo chiedo continuamente. Chi prende i voti perde la propria identità personale, deve trascendere il proprio Io e identificarsi con la comunità. L'ideale sarebbe fondersi con Dio.

– Lei ci riesce?

Socchiuse gli occhi fino a ridurli a due fessure orizzontali.

– Senta, ispettore, questo non è serio. Lei è qui per un'indagine e io sono una suora. Non c'è nulla di interessante in me.

– Credevo di potermi considerare un po' come una sua amica.

– Noi suore non abbiamo amicizie personali. Ma se vuole le fornisco l'opuscolo *Amici del Cuore Immacolato*. Può iscriversi e versare una donazione mensile.

– In realtà avevo intenzione di invitarla a pranzo in una buona trattoria basca qui vicino.

Rise di gusto e scosse la testa.

– Lei proprio non vuol capire, ispettore. Io non vivo nel mondo, e le buone trattorie basche stanno nel mondo. Per di più un lauto pranzo mi metterebbe una voglia tremenda di fumare, e cosa penserebbero gli altri clienti vedendo una suora che dopo il *besugo* si accende una sigaretta?

Fui io a ridere questa volta. Lei continuò, divertita:

– Venga un giorno in refettorio con noi, piuttosto. La specialità della nostra sorella cuciniera sono le bietole.

– Non so se costituiscano una gran tentazione.

– Mi dispiace, il convento non passa tentazioni.

Uscii di lì carica di fotocopie e CD nella cui utilità non riponevo molta fiducia. In commissariato Garzón stava chiacchierando alla macchina del caffè. Quando si accorse della mia presenza venne subito a cercarmi.

– E allora, ispettore? Novità?

– Sono un po' più istruita in fatto di storia, questo è quanto.

– Che cosa mi dice delle interpretazioni della suora?

– Un'idea ce l'ha, ma molto tirata per i capelli. Già che siamo in ballo, però, ci toccherà ballare fino alla fine. Vado a Poblet a sentire cos'ha da dire frate Magí.

– Vedrà che non sarà d'accordo con suor Domitila. Quei due sono come cane e gatto.

– Non ho mai visto due intellettuali andare d'accordo. Sono sempre troppo convinti delle loro idee.

– Vuole che la accompagni?

– Neanche per sogno. Lei ha del lavoro da fare, qui. Porti questo CD all'ispettore Sangüesa. È la contabilità del convento. Voglio che dia un'occhiata e veda se è tutto in ordine. Poi si chiuda nel suo ufficio e cerchi di tirar fuori un rapporto comprensibile da tutte queste fotocopie. Vedrà, sarà come fare una ricerca per la scuola: storia delle sepolture nelle chiese e nei conventi.

– Io le ricerche non le ho mai fatte. Semmai andavo in cerca di funghi e di nidi. Saltavo per i boschi come una capra.

– Per questo è venuto su così selvaggio.

Non accennai nemmeno alle proteste della madre di Hugo e Teo. Ormai avevo capito che il viceispettore non aveva agito con cattive intenzioni. Quasi nessuno agisce con cattive intenzioni quando fa una stupidaggine. È questo a rendere così pericolosa la stupidità.

Mentre guidavo verso Tarragona le sinfonie di Mozart che misi a tutto volume riuscirono a rasserenarmi. Ma la serenità mi condusse ben presto a fosche conclusioni: il caso ci stava sfuggendo di mano, se già non l'avevamo perso per strada. Se non fosse stato per il furto della mummia sembrava uno di quei delitti che avvengono per caso, senza nessun motivo. Un mendicante fuori di senno che entra nella chiesa, vede il monaco e lo colpisce alle spalle... Un ladruncolo colto in flagrante... Ma c'era la maledettissima mummia. Il corpo incorrotto di frate Asercio de Montcada, che assurdità! Solo in Spagna succedono certe cose. Un paese arretrato, con i falò in piazza, i tori nelle arene e le reliquie esibite ai turisti: il braccio di santa Teresa, il santissimo orecchio di san Giuseppe, l'intestino crasso di santa Policarpa... Che schifo! Che schifo e che ignoranza, naturalmente. Ormai ero così alterata che avevo spinto il motore al massimo senza neppure rendermene conto. Alzai il piede dall'acceleratore. Sebbene il destino mi avesse fatta nascere in un paese disgraziato volevo continuare a vivere ancora per qualche anno.

La vista del monastero mi riempì della meraviglia di sempre. Tutto è contraddittorio, pensai: la stessa Chiesa capace di erigere monumenti come quello e di conservare e tramandare per secoli la cultura, aveva permesso il proliferare di impensabili raggiri.

Avvertito per telefono, frate Magí mi stava già aspettando in portineria. Mi sorrise e mi fece strada con passi felpati da gatto. Ci sedemmo in un parlatorio vuoto, su un sobrio divanetto. Si informò sui progressi delle indagini e dovetti deludere le sue aspettative.

– Non sa quanto mi dispiace, ispettore. Finché tutto questo non sarà finito il giudice non ci permetterà di dare cristiana sepoltura al nostro fratello.

Approfittai subito di quell'accenno per esporgli la teoria di suor Domitila. Volevo sapere che cosa ne pensasse. Lui rimase immobile, come mimetizzato col sofà. Il suo sguardo fisso a terra non mi permetteva di interpretare la sua espressione. Cominciavo già a spazientirmi quando si decise a parlare:

– Spero non riferisca alla sorella quanto le dirò. Potrebbe aversene a male. Ma la sua teoria mi pare poco fondata, troppo contorta e deludente nelle conclusioni.

– È quello che penso anch'io.

Ricadde in uno dei suoi silenzi che parevano cancellare il tempo, poi mi guardò in modo enigmatico e a voce bassissima disse:

– Anch'io avrei una teoria.

– Sul serio? Non ci posso credere! Quindi anche a lei piace giocare ai detective.

– Vede, ispettore, non c'è nulla di strano nel fatto che la sorella ed io mostriamo inclinazioni simili. In fondo ogni storico è anche un po' investigatore. Un investigatore che interpreta le tracce di cose avvenute molto tempo fa.

– Non vorrei mi fraintendesse. Ma mi stupisce che entrambi abbiate elaborato delle ipotesi senza condividerle con noi.

– Il lavoro della polizia si basa su prove concrete, e la mia teoria deve ancora essere provata. Vuole sentirla?

– Devo sentirla!

– Non desidera che le faccia portare qualcosa da bere? Un bicchier d'acqua, magari?

Si sentiva molto padrone di casa. Mi disposi ad ascoltarlo con la massima attenzione, ben sapendo che la sua teoria poteva rivelarsi lambiccata quanto quella di suor Domitila.

Frate Magí non aspettò la mia risposta. Si fece serio e mi domandò:

– Ricorda gli incendi dei conventi avvenuti nel nostro paese?

Capii che fino a quel momento una qualche fiducia nella sua teoria dovevo averla avuta, perché dopo quell'esordio la persi completamente. Santo Iddio, di nuovo la Spagna profonda: la Guerra Civile, le orde rosse, le profanazioni, il martirio! Per questo ero venuta fino a Poblet? Mi armai di santa pazienza e risposi:

– Non personalmente, come può immaginare.

Frate Magí, ormai in preda a un raptus di esaltazione storica che non aveva nulla da invidiare a quelli di suor Domitila, non mi badò neppure.

– Furono quattro i periodi in cui si diffuse quest'esecrabile pratica in Catalogna: l'invasione napoleonica; la *desamortización* del triennio liberale e quella di Mendizábal del 1836, quando vennero confiscati e messi all'asta i beni degli ordini religiosi; e più tardi la Settimana Tragica e la Guerra Civile. I primi due sono troppo lontani nel tempo per avere alcun legame con i fatti di oggi. Ci rimangono la Guerra Civile, dopo la quale le chiese e i conventi danneggiati furono quasi tutti ricostruiti, e la Settimana Tragica di Barcellona, che fu il momento in cui la furia popolare si scatenò contro i luoghi sacri con maggiore violenza. Fu allora che molti conventi scomparvero per sempre.

Annuii senza capire dove volesse andare a parare con quel discorso. Lui mi guardò quasi seccato, come se si aspettasse che ormai avessi afferrato il nodo della questione.

– Lei conosce questo triste episodio della nostra storia?

– Ma certo, fu una rivolta operaia e anticlericale che mise a ferro e fuoco la città.

– Nel luglio del 1909, in piena guerra del Marocco, il governo di Madrid cercava di mantenere il controllo sulla zona del Rif. Le sconfitte resero necessaria la mobilitazione dei riservisti, molti dei quali erano padri di famiglia. A quei tempi era possibile essere dispensati dalla leva pagando una consistente somma di denaro. Per questo a partire sarebbero stati soprattutto uomini della classe operaia. La gente si ribellò a questa ingiustizia, e al primo imbarco di riservisti dal porto di Barcellona vi fu una grande mobilitazione popolare. Scoppiò un'insurrezione che lasciò la città in mano al movimento operaio. Nessuna organizzazione politica volle mettersi alla testa della rivolta. Né i repubblicani di Lerroux, né i catalanisti di Cambó. E così le masse, prive di una guida, scatenarono la loro furia sulle chiese e i conventi della città.

– Molto bene, e allora?

– Ispettore, in uno dei conventi scomparsi durante la Settimana Tragica o all'inizio della Guerra Civile, ovvero nell'edificio che ora sorge al suo posto, devono trovarsi i sacri resti del beato frate Asercio de Montcada. A mio parere è questo quel che ha voluto dirci l'assassino con il suo biglietto.

Mi strofinai il mento, poi la fronte e alla fine, in preda alla costernazione, mi stropicciai tutta la faccia.

– Fratello, per favore, mi sembra di impazzire. Come spiegazione teorica mi va benissimo, anzi, se lei dovesse scrivere un saggio sull'argomento, la sua sarebbe una tesi brillante. Ma come facciamo a collegare tutto questo col nostro morto?

– Non stiamo parlando di epoche così lontane. L'odio e il desiderio di vendetta sopravvivono molto a lungo nel cuore dell'uomo.

– Per tutti i diavoli, fratello! E chi mai potrebbe vendicarsi dopo tanto tempo spaccando la testa a frate Cristóbal e portandosi via una mummia?

– Ispettore, frate Cristóbal si accingeva a condurre un esame approfondito di quei resti, un esame che avrebbe comportato una dissezione. Forse qualcuno ha voluto impedire che scoprisse qualcosa.

– Che cosa, secondo lei?

– Per tentare una risposta dovrei spingermi troppo in là con le supposizioni, e questo non è il mio metodo di lavoro.

– Provi a infrangere le regole, per una volta.

– Vede, anche se suor Domitila dissente su questo punto, ricordo bene di aver sentito dire al mio confratello che intendeva sottoporre i resti del beato a prove scientifiche per la datazione.

– D'accordo, ma questo cosa potrebbe cambiare?

– Forse molto, perché si sarebbe potuto scoprire che i presunti resti di frate Asercio non erano medievali, ma molto più recenti. Forse risalenti ad appena un secolo fa.

– Ma il beato era esposto alla vista di tutti, nella sua teca di vetro.

– Ispettore, i morti si somigliano, soprattutto quando hanno ricevuto un trattamento di cera al volto.

– Dio benedetto, ma questa è pura follia, frate Magí!

– Lo è, ispettore, tutta questa vicenda è una follia. Non se ne era accorta?

La mia mente lavorava a pieno regime, temetti perfino che mi fuoriuscisse una nube di vapore dai capelli. Ma ormai il monaco era lanciato e non si fermava più.

– Il colpevole, chiunque sia, voleva dare il massimo risalto alla sua impresa, forse per vendicare qualcosa: un antico sopruso, forse.

– Come per esempio?

– Rispondendole non solo azzardo delle congetture, ma ricorro direttamente all'immaginazione, il che viola tutti i miei principi di onestà intellettuale. Ma la repressione che seguì ai moti del 1909 così come a quelli del '36 mieté molte vittime. Forse qualcuno sapeva che al posto del santo giaceva un suo antenato, morto nel corso dell'assalto al convento.

– La prego, fratello, lasci in pace la sua immaginazione. Questo è troppo. Troppo complicato, troppo astruso, troppo... demenziale!

– La polizia non usa l'immaginazione?

– No, e le dirò perché. Perché lo scopo del nostro lavoro non è scrivere un libro o un intervento a un convegno, ma sbattere in galera chi ha commesso un crimine. Sono stata chiara?

– Sì.

La mia brusca reazione l'aveva impensierito. Guardò a terra. Le rughe dei suoi sessant'anni si fecero più marcate. Disse mestamente:

– Le assicuro che le ho esposto le mie congetture con la sola speranza di poterle essere d'aiuto.

Mi pentii. Nulla ci rende consapevoli della nostra superbia quanto una buona dose di umiltà altrui.

– Mi scusi, fratello, la prego. Ma cerchi di capire che di solito nel nostro mestiere abbiamo a che fare con realtà molto concrete: criminalità organizzata, traffico di droga, malavita... e che i crimini su cui indaghiamo rientrano in una casistica piuttosto comune. Una vendetta per questioni di droga o di gelosia avviene in un arco di tempo relativamente breve. Per questo ciò di cui lei parla mi sfugge, mi costringe a forzare i miei schemi e mi rende nervosa.

– La capisco bene. Tutto l'insieme di questo delitto è folle, e lei conosce il suo lavoro. Non prenderà neppure in considerazione le ipotesi che le ho esposto, vero?

– Niente affatto. Ne terrò conto, invece. Mi faccia una relazione dettagliata di tutto quanto affinché io possa inserirla nel mio rapporto e me la mandi via mail a questo indirizzo.

– Ecco, vede... avrei preparato anche una lista dei conventi scomparsi e...

– Me la metta in allegato, per favore.

Nei giardini del convento mi riempii finalmente i polmoni dell'aria fredda del pomeriggio. Il silenzio era magnifico, magico, delizioso, in se stesso una presenza. Perché non restare lì per qualche giorno? Forse i monaci mi avrebbero dato ospitalità nella loro foresteria, sebbene fossi una donna. Loro vivevano sempre in quel silenzio, così estraneo al mio habitat quotidiano. Decisamente, i nostri erano pianeti diversi. Forse per questo le ipotesi di frate Magí mi lasciavano così perplessa. E per questo il mondo del delitto era così lontano da lui. Eppure su un punto eravamo d'accordo: qualcosa in quei resti mummificati aveva scatenato la tragedia.

Feci tutta la strada fino a Barcellona senza accendere la radio, come per preservare il silenzio che mi aveva avvolta a Poblet. Fu inutile, naturalmente, dal momento che mi era impossibile annullare il sottofondo costante del motore e del traffico. E tuttavia la mia mente era popolata di fantasmi silenziosi: monaci, suore, corpi mummificati, morti di antiche guerre e drammatiche rivolte... Giunta al casello, per combattere quelle immagini funeste infilai nel lettore un CD di Charlie Parker. Un fantasma fra i fantasmi.

Trovai Garzón morto di noia quando arrivai.

– È successo qualcosa, ispettore?

– Niente. Tutto quel che doveva succedere è già successo. La storia è questo, no?

– E com'era la versione del frate?

– Un po' meno lambiccata di quella della suora, ma siamo sempre lì. Quelli pensano solo alla storia. Se vuole saperne di più apra la mia posta elettronica. La password è «castagna».

– Castagna? Ma come diavolo l'ha scelta?

– La castagna è un frutto nobile. Ci si fanno i deliziosi marron glacé. A domani, viceispettore. Me ne vado a casa perché non mi reggo in piedi.

– Il giudice strepita perché le suore non hanno ancora firmato le loro dichiarazioni. E siccome non so come fare per convocarle...

– Vada lei al convento. E già che c'è riferisca a suor Domitila la versione del suo collega di Poblet. Così vediamo cos'ha da dire.

– Da solo al convento? Quelle sono capaci di non lasciarmi entrare.

– Al contrario, madre Guillermina la inviterà a prendere un tè. Si faccia una bella chiacchierata con lei, adora chiacchierare.

– Ispettore...

– A domani, Garzón. La storia di Spagna mi ha esaurita.

Lo lasciai a metà di una frase, ma non me la sentivo più di parlare. Qualunque mia risposta sarebbe stata infarcita di parolacce.

Arrivare a casa fu meraviglioso. Come entrare alla Mecca per un musulmano, come giungere a Sion per un ebreo, come bruciare un convento per un anarchico barcellonese.

Aprii la porta e sentii il telefono squillare nel buio. Corsi nel soggiorno senza accendere la luce e risposi.

– Parlo con Petra Delicado? – domandò una voce femminile.

– In persona.

– Desidero solo dirle, signora, che non è mai stato fra le mie aspirazioni lasciare mia figlia nelle mani di un ispettore di polizia.

La interruppi immediatamente.

– Posso sapere con chi sto parlando?

– Sono Laura, la madre di Marina. E non le nascondo che se tollero la sua sporadica convivenza con lei è solo perché non posso fare altrimenti. Ma questo non significa che ammetta certe eccentricità. A chi mai può venire in mente di affidare una bambina a un poliziotto di mezza tacca che la porta in un commissariato e la espone a scene di violenza tali...

– Mi scusi, ma questa è una casa privata e io non desidero parlare con lei. Se ha qualcosa da dirmi si rivolga al mio avvocato.

– Che faccia tosta! Non dubiti, lo farò. Tanto più che lei ha persuaso mia figlia a non dirmi nulla e ho dovuto venirne a conoscenza da terzi. La avverto fin d'ora...

– Basta! Ho di meglio da fare che parlare con una ragazzina viziata come lei!

Misi giù il telefono con la violenza di una martellata. Il cuore mi batteva a cento all'ora. Ero fuori di me, come se avessi affrontato un temibile omicida. Mi versai un whisky liscio. Lo bevvi a brevi sorsi veloci, come una medicina. Allora sentii aprirsi la porta di casa. Marcos accese la luce centrale e mi abbagliò.

– Ma cosa fai lì al buio? – mi chiese.

Gli balzai addosso come un predatore dopo un lungo agguato.

– Marcos, io non ce la faccio più! Sono nel mezzo di un lavoro estremamente stressante. Di questo caso non capisco un accidenti, subisco pressioni dai capi, dalla stampa, da tutti quelli che lavorano con me. Arrivo a casa distrutta e con la testa come un pallone. E proprio qui, dove dovrei trovare un po' di pace, mi assalgono le tue ex mogli come gatte infuriate.

– Cos'è successo?

– Ha chiamato Laura. Te l'avevo detto, te l'avevo detto come sarebbe finita. Dice che... insomma, mi ha presa a pesci in faccia per aver lasciato che Marina andasse in commissariato con Garzón. Era scontato. Ma tu cos'hai fatto? Mi hai rifilato massime filosofiche come un piccolo Buddha e hai lasciato le cose come stavano.

– E cos'avrei dovuto fare secondo te?

– Non lo so, anticipare le sue reazioni, chiamarla per darle spiegazioni, placare gli animi prima che esplodesse tutto quanto... Qualunque cosa, pur di fare in modo che le intemperanze delle tue ex mogli ricadessero su di te, semmai, e non su di me.

– Scusa, ma questo sarebbe servito solo a...

– Non me ne importa! Si dà il caso che a sopportare gli isterismi di quelle signore sia solo io!

– Benissimo, Petra. Adesso hai detto quello che pensavi e ti sei sfogata. Ma ti ricordo che non sei l'unica a lavorare in questa casa, non sei l'unica a essere sottoposta a stress. O pensi che io passi le mie giornate a guardare il soffitto? Non hai nessun diritto di parlarmi così, nessuno! Può darsi che in commissariato questo tuo atteggiamento funzioni, ma io non sono uno dei tuoi sottoposti.

– D'accordo, ma c'è una cosa che non mi hai ancora spiegato: che cosa c'entro io con le tue ex mogli.

Lui smise di gridare, abbassò gli occhi. Non si era nemmeno tolto il cappotto.

– Mi spiace, Petra, mi spiace che tu sia stata disturbata. Pensavo che i problemi dell'uno fossero anche problemi dell'altro. Evidentemente sbagliavo. Salgo nel mio studio, sarà meglio che stanotte io dorma lì.

– Ottima idea.

Nel momento stesso in cui varcò la porta sentii un nodo in gola. Andai in cucina, sperando che la rabbia non mi abbandonasse. Aprii e chiusi con violenza un paio di cassetti e scagliai un pomodoro sul pavimento. Si spiaccicò. Rimasi a guardarlo in silenzio. Non ero più arrabbiata, ero triste. Decisi di andare a letto. Mi infilai sotto le coperte. Cercai di leggere ma non riuscivo a concentrarmi. Cercai di dormire, nemmeno questo mi riuscì. Verso l'una salii nello studio di Marcos. Lo trovai sdraiato sul divano, ancora vestito, sveglio, con lo sguardo fisso nel vuoto. Cercai il suo abbraccio senza dire una parola. Finalmente riuscii ad articolare:

– Mi dispiace molto. Scusa.

Le sue braccia mi strinsero.

– Ero nervosa.

– Ti capisco, non ci pensare più. E poi non importa.

– Sì che importa. Perché un matrimonio funzioni bisogna che ci sia armonia e io... io non creo altro che agitazione. Sono sempre tesa, mi porto dietro le cose orribili di cui mi occupo. Tu credi che dovremmo separarci, Marcos?

– Questo mai. Forse hai ragione, le mie ex mogli sono una seccatura. E anche i bambini. Dovrei farli venire meno spesso.

– Ma se non ci sono quasi mai! E poi a me piace stare con loro. No, voglio che tutto rimanga esattamente com'è. È stato un brutto momento.

– E allora dimentichiamolo.

– Sì, ma il peggio è...

– Che cosa?

– Il peggio è che ho detto a Laura che è una ragazzina viziata.

– Sul serio?
– Sì, e poi le ho attaccato il telefono in faccia.
– Non ci credo!
La mia smorfia contrita fu rovinata da una risata di Marcos. Lo sentii mormorare come fra sé:
– Avrei dato qualunque cosa per vedere la sua faccia in quel momento! Di sicuro è la prima volta che qualcuno le dice quel che si merita.

7

Come tutti gli sciocchi, Sonia era importuna e imprevedibile. Non capirò mai come fece, ma in tempo record aveva già selezionato un'ampia rosa di sospetti nel suo periplo per i reparti psichiatrici della città. Sembrava che al suo passaggio i matti con deliri religiosi spuntassero come funghi. Il dottor Beltrán era soddisfattissimo, mentre io l'avrei assassinata con gioia. Stavo ancora facendo colazione quando mi chiamarono dal commissariato per dirmi che lo psichiatra voleva vedermi con urgenza. Naturalmente il commissario mi aveva abbandonata al mio destino: una cosa è prescrivere una medicina, un'altra, prenderne una bella cucchiaiata.

Marcos mi guardò imprecare davanti al caffellatte. Trovava buffa la mia eterna irritazione lavorativa.

– Perché non chiedi una buona volta di lasciar perdere con quest'indagine psichiatrica?

– Non è così facile. Non abbiamo uno straccio di prova e non possiamo scartare nulla. Così almeno facciamo credere all'opinione pubblica che ci avvaliamo dei metodi più moderni.

– Ma è tremendo!

– È così. Lavoriamo per l'immagine. Suppongo lo faccia anche tu.

– Pensavo che la polizia potesse risparmiarsi certe miserie.

– Ti sbagli. Nessuno può risparmiarsele. Senti, perché non ce ne andiamo a vivere alle isole Galápagos?

– Perché sono una riserva naturale. Ma se vuoi possiamo metterci ad allevare capre nel deserto di Los Monegros.

– Sì, prendila pure sullo scherzo, ma io non ne posso più del mondo dell'immagine. Quel cretino di Beltrán non cerca altro che pubblicità. I miei capi vogliono dare della polizia un'immagine moderna. Le tue ex mogli temono che i bambini assimilino immagini scorrette.

– Per questo ti dico che se vuoi ce ne scappiamo in capo al mondo io e te soli.

– Io in fondo potrei, non lascio molto; ma tu hai i figli, un lavoro che ti appassiona...

– Petra, un uomo innamorato non ha altra famiglia che la donna che ama.

A momenti mi andò di traverso la *madalena* che stavo mangiando. Forse arrossii perfino.

– Se mi dici queste cose non riuscirò ad andare al lavoro.

– Possiamo tornare a letto se preferisci.

– *Vade retro*, seduttore! Io scappo. Sei troppo pericoloso per me.

Rimase lì sorridente, tutto soddisfatto della sua parte di diavolo innamorato. Io mi infilai l'impermeabile e dalla porta gli gridai:

– Ma sei anche molto simpatico!

– Meno male! – rispose lui, ridendo come un matto.

Mi sentivo felice. Che fortuna aver trovato un uomo simile! Quelle dichiarazioni d'amore estemporanee mi tiravano su il morale. Eppure, a pensarci meglio... essere amati in modo così esclusivo è una grande responsabilità. Una donna può amare nel modo che lui aveva così ben espresso? Forse no, forse noi, predisposte per natura alla maternità, lasciamo sempre un angolo libero nel nostro cuore, uno spazio da condividere con gli altri. Ma cosa sarebbe successo col passare degli anni? Marcos mi avrebbe sempre amata così o si sarebbe abituato alla mia presenza tanto da dimenticarsi chi ero? Mi avrebbe confusa con una delle sue ex mogli? Mi fermai a un semaforo. Ma come puoi essere così stronza, Petra Delicado? mi dissi. Di una cosa potevo star certa: l'amore non basta per cambiare una personalità. Avevo appena ricevuto uno straordinario omaggio verbale da mio marito e non sapevo fare altro che rimuginare sui pro e i contro del nostro matrimonio. Non avrei mai imparato a godere di quello che avevo. L'unico conforto era che il mio era il difetto di un'intera generazione: troppa autocoscienza, troppe elucubrazioni sui rapporti, troppe analisi dei sentimenti. Che zavorra!

Garzón mi aspettava preoccupato.

– Ispettore, so che non la prenderà bene ma...

– Sì, lo so, mi aspetta il dottor Beltrán. Mi hanno già telefonato.

– Sonia gli ha preparato una rosa di venti psicopatici e lui ne ha selezionato uno.

– Ma come ha fatto? Com'è riuscita a trovare tanti matti tutti insieme? Ha messo un annuncio sul giornale?

Il mio collega rideva come se non avesse mai sentito nulla di più buffo in vita sua.

– Ispettore, dovrà cambiare opinione sulla nostra Sonia.

– Sì, prima credevo che fosse solo un po' oca, adesso sono convinta che sia subnormale.

– In realtà nessuno le ha detto che queste indagini andassero svolte... diciamo così, con riserva.

– Lasciamo stare, meglio non parlarne. Com'è andata con le suore, ieri?

– Bene, hanno firmato tutte. Il giudice Manacor sarà contento.

– E la superiora l'ha invitata a prendere un tè?

– Sì, ma ho dovuto declinare, era già molto tardi.

– Poverina, deve annoiarsi da morire sempre chiusa lì dentro.

– Non c'è da stupirsene. Ma sa che cosa mi ha colpito di più? Quando ho parlato a suor Domitila della teoria di frate Magí lei mi ha ascoltato con un'attenzione che dire religiosa è poco. Dalla faccia che faceva non si capiva se fosse affascinata o dannatamente seccata. Forse si è resa conto che l'ipotesi del monaco è migliore della sua, anche se non l'ha ammesso. Ha detto solo che le sembrava un'idea un po' azzardata.

– E ha ragione. Ha fatto leggere il rapporto a Coronas?

– Sì, dice che l'ha trovato appassionante.

– Faccia di bronzo. Scommetto che non gliene importa un fico secco se questo assassino lo troviamo oppure no. Ormai ha neutralizzato tutti quanti: il questore, la televisione, la stampa. Più la tiriamo in lungo con le indagini più lui si vive il suo momento di successo mediatico.

– Lei è dura come la pietra, Petra.

– *Nomen omen*, Garzón. Dov'è lo strizzacervelli?

– La aspetta nel suo ufficio. Posso presenziare all'incontro?

– Ma certo, può anche scattare delle foto, se vuole.

Il sospetto scelto da Beltrán era un poveraccio di quarantacinque anni, paziente di un centro di igiene mentale di quartiere. La diagnosi era di schizofrenia con disturbo delirante. Aveva precedenti con la giustizia per aggressione. Un paio di volte era venuto alle mani con degli sconosciuti che avevano riportato contusioni non gravi. In entrambi i casi era stato prosciolto per infermità mentale.

– Ho avuto un paio di colloqui con lui e le impressioni che ne ho tratto mi portano a concludere che potrebbe aver commesso il fatto.

– Possiamo conoscere queste impressioni?

– In realtà non credo che per voi possano essere significative. In questi casi entrano in gioco intuizioni dettate dall'esperienza.

– Dottor Beltrán, desidero parlarle in tutta franchezza: per ora nulla sembra confermare l'ipotesi di uno psicopatico omicida.

– Vi sentite in grado di escluderla?

– Per ora non siamo in grado di escludere nulla.

– Quindi non vedo perché non proseguire lungo la via intrapresa.

– Esplorare tutte le possibilità è interessante, ma il tempo di cui disponiamo non è illimitato...

– Un momento, ispettore. Mi è stato chiesto di elaborare il profilo psicologico del possibile assassino, e questo è quello che ho fatto. Se desiderate che il nostro rapporto si concluda qui, per me non c'è problema. Ma le ricordo che siete stati voi a chiamarmi. Vuole che le parli delle caratteristiche dell'individuo in questione o no?

Mi morsi la lingua. L'avrei volentieri distrutto a forza di attacchi verbali e perfino fisici, gli avrei tracciato il profilo psicologico degli intellettuali opportunisti e affamati di spazio mediatico, ma dovevo riconoscere che aveva ragione, qualcuno l'aveva chiamato, anche se non ero stata io.

– La ascolto, dottore.

– Trova tutto scritto qui. Il soggetto si chiama Isaac Reverter, vive solo. Al momento della diagnosi era ricoverato in una struttura psichiatrica, dalla quale poi è fuggito. Più tardi è stato di nuovo ricoverato e dopo qualche mese ha ottenuto di poter proseguire la terapia ambulatorialmente. È stato assunto con un contratto part-time presso una cooperativa.

– Fin qui nulla di troppo sospetto, mi pare.

Beltrán mi lanciò un'occhiata di sfida. Era seccato. Forse per la prima volta qualcuno lo attaccava nel suo orgoglio scientifico mostrandosi poco interessato a quel che aveva da dire. Continuò:

– Certo, solo che da allora il Reverter ha già cambiato due volte posto di lavoro perché minacciava di uccidere i colleghi per mandato divino.

– Questo è abbastanza normale negli schizofrenici, no?
– Non sapevo che lei avesse nozioni di psichiatria.
– Oggi si legge ovunque di questi argomenti, non è difficile saperne qualcosa.
– Mi concede di saperne un pochino più di lei?
– Non ho mai dubitato delle sue conoscenze.
– La ringrazio. Il colloquio cui ho sottoposto quell'uomo mi ha dato modo di ritenere che in lui possano scatenarsi pulsioni omicide. E poi all'ambulatorio mi è stato detto che esercita un forte ascendente su un piccolo gruppo di pazienti cui impartisce insegnamenti sulla Madonna e sui santi.
– Che tipo di insegnamenti?
– Non lo so, ispettore. Il personale sanitario non è entrato nei dettagli. In ogni caso si tratta di un uomo intelligente e freddo. Ha risposto alle mie domande con aggressività mascherata. Inoltre sono convinto che nasconda deliberatamente alcuni aspetti della sua vita.
– Bisognerà verificare dov'era la notte del delitto.
– Questo è un compito che lascio a lei. Se avrà bisogno della mia consulenza quando lo interrogherà mi troverà disponibile.
Uscì col passo fermo di un uomo gravemente offeso. Garzón, che fino a quel momento non aveva aperto bocca, disse:
– Andrà a lamentarsi dal commissario e perfino dal questore, ne sono sicuro. Dirà che stiamo sabotando il suo operato, che facciamo orecchie da mercante alle perizie psichiatriche che ci fornisce.

– Probabile, ma non me ne importa niente. Coronas pagherà le conseguenze dei suoi atti.

– Eppure la sua logica non fa una grinza: lui ci presenta le informazioni che gli abbiamo chiesto.

– Ma se non ha fatto altro che mandarci a caccia di matti che rientrano nel suo stupidissimo profilo psicologico!

– Chi lo sa. Magari seguendo le sue indicazioni otterremo risultati sorprendenti.

– Pura teoria.

– E come la giudica l'indagine che stiamo portando avanti noi?

– Pura fantasia.

– Magnifico. E allora?

– E allora calma. Tutto si sistemerà.

– Come le invidio il suo sangue freddo, ispettore!

– E io le invidio il suo bel paio di baffi, Fermín. Ma adesso al lavoro. Dica a Yolanda di fare un primo interrogatorio di quell'Isaac Reverter.

– Non so se ha l'esperienza necessaria.

– Comincerà a farsela.

– A proposito, ispettore, mia moglie vorrebbe invitarvi tutti a cena da noi questo sabato.

– Tutti chi? – chiesi, sinceramente disorientata.

– Ma ispettore! Lei, Marcos, i ragazzi.

– Ne sarei felicissima, ma per voi sarà una corvée.

– A Beatriz farebbe molto piacere.

– D'accordo, allora, verremo tutti.

Trovavo un po' scioccante accettare un invito formato famiglia, ma non mi sarei mai permessa di deludere la simpaticissima Beatriz. Mio marito ne sarebbe stato felice, quanto ai bambini... dal giorno in cui aveva mostrato loro le durezze del mondo criminale Garzón era balzato in testa alle loro classifiche di gradimento.

Rimasi sola in ufficio a rivedere la relazione di frate Magí. Aprii l'allegato:

Triennio costituzionale 1820-1823 (beni ecclesiastici confiscati e abbattuti):

1. Convento dei cappuccini di Santa Madrona. Raso al suolo per fare posto all'attuale plaça Reial.
2. Parrocchia di Sant Jaume. Abbattuta per fare posto all'ampliamento di plaça de Sant Jaume.
3. Convento dei Trinitari Calzati. Demolito per ampliare il tracciato di carrer Ferran.
4. Chiesa e convento del Carme. Abbattuti per l'ampliamento del carrer dels Angels.
5. Convento de la Mare de Deu de la Bonanova. Demolito per erigere il Gran Teatro del Liceo.

La lista continuava per altre due pagine. Venivano poi gli edifici religiosi incendiati durante la Settimana Tragica: diciotto chiese e quarantanove conventi, alcuni dei quali successivamente ricostruiti. Erano scomparsi il convento delle Geronimite, l'istituto dei Claretiani, il convento delle Vincenziane, quello delle Domenicane, l'oratorio dei Filippini, il convento delle monache Cistercensi di Valdoncella e il monastero di Sant Antoni. Accanto a ciascuna voce figurava l'indirizzo.

Infine, tenendo conto che quasi tutti gli edifici incendiati durante la Guerra Civile erano stati ricostruiti, frate Magí aveva steso una lista dei più gravemente danneggiati. Un lavoro impeccabile, che avrebbe meritato di essere approfondito in una tesi di dottorato. Peccato che in relazione al nostro caso continuasse a sembrarmi una leggenda metropolitana. In quel momento entrò Garzón.

– Ispettore, mi rincresce disturbarla ma Coronas ha detto che se non interroghiamo quello psicopatico nel giro di due ore possiamo considerarci rimossi dalle indagini.

– Maledetto psicopatico! E va bene, dica a Coronas che lo farò io. Dov'è?

– Di là, in sala interrogatori, piantonato da Domínguez. Lo riconoscerà dal cappello da Napoleone.

– Molto divertente.

Domínguez si offrì di rimanere con me durante il colloquio per garantire la mia incolumità. Lo feci uscire con gesto imperioso. Tutti dimenticavano che fino a poche ore prima il nostro psicopatico se ne andava tranquillamente in giro per la città.

Guardai in faccia il presunto criminale, che aveva un aspetto normalissimo, per quanto spaventato.

– Buongiorno, Isaac. Sa perché è qui? – gli domandai senza nascondere il mio pessimo umore.

– Sì, perché credono che abbia ammazzato un frate.

– È vero. E l'ha fatto?

– No, io non ammazzerei mai nessuno, tantomeno un frate, perché credo in Dio.

– Dov'era la notte del delitto?

– Al centro ricreativo del municipio di Rius i Taulet, con quelli del laboratorio occupazionale. Dovevamo montare lo scenario per uno spettacolo che si faceva il giorno dopo. Abbiamo lavorato fino all'alba.

– C'è qualcuno che può confermarlo?

– Sì, tutti i colleghi del laboratorio, anche l'operatrice.

– Bene, d'accordo. Sa qual è stata l'arma del crimine?

– L'avrò letto sul giornale. Un coltello?

– No, non è stato un coltello. Lei come si guadagna da vivere, Isaac?

– Prendo una pensione di invalidità. E poi lavoro in una cooperativa e lì mi danno qualcosa. Senta, ispettore, se dico che il monaco l'ho ucciso io, andrò in televisione?

– E perché vuole andare in televisione?

– Per dire alla gente di andare a messa e pregare.

– Mi ascolti, Isaac. Lei ha una casa, un lavoro, forse anche degli amici. Le do un consiglio: lasci perdere la religione, gli angeli e i santi. Si beva una birretta di tanto in tanto e vada a prendere il sole la domenica. Questo è già molto, mi creda. E non si domandi se la gente prega o andrà all'inferno.

– Va già via?

– Sì, vado a parlare col suo medico. Credo che la rimanderanno subito a casa.

Uscii dal commissariato senza dir niente a nessuno. Andai al centro di igiene mentale che seguiva il nostro amico. Parlai col direttore sanitario, col suo psichiatra, con le infermiere, con gli psicologi che guidavano la terapia di gruppo. Tutti erano d'accordo: Isaac non avrebbe mai ammazzato una mosca, figuriamoci un frate. Erano disposti a dichiararlo e a sottoscriverlo. Mi diressi poi al laboratorio occupazionale che lo teneva impegnato. Tutti confermarono il suo alibi. Non mi occorreva altro. Chiamai Garzón:

– Lasciate andare quel poveraccio, abbiamo già perso troppo tempo.

– È sicura, ispettore?

– Mi assumo io la responsabilità.

– Provvedo immediatamente.

Andai alla macchina e mi fermai a pensare. Che disastro! E Isaac, povero diavolo! L'avevamo sottratto alla sua routine, forse l'unica cosa che riuscisse a stabilizzarlo, pur sapendo che le possibilità che fosse l'assassino erano praticamente nulle. Che schifo! Mi prese un'enorme tristezza, uno scoraggiamento cosmico. Mi guardai intorno. Quello era il quartiere dell'ex ospedale militare. Cercai un bar con lo sguardo. Lo trovai subito. Per fortuna in Spagna ci sono bar a ogni angolo di strada. Era il prototipo del bar miserabile: televisione a tutto volume, macchina mangiasoldi in piena attività, un cameriere che impilava piattini con frastuono... Perfetto! Sarebbe bastata una birra per impedirmi di pensare. Ne presi due. Quando il cellulare suonò decisi di non rispondere. Ma dopo cinque squilli mi arresi. Era Sonia.

– Ispettore, avrei trovato un altro malato psichiatrico

che mi sembra abbastanza sospetto. Ma non so se dirlo al dottor Beltrán, visto che ne state già interrogando uno.

– Sonia...

– Sì, ispettore.

– Rientra immediatamente nella squadra per la ricerca della testimone.

– Devo lasciare la mia missione?

– Sì. E un'altra cosa: cerca di non capitarmi davanti per almeno tre giorni. Ci siamo capite?

– Ma io...

– Niente ma. E se dovessimo incontrarci nel corridoio, gira i tacchi. D'accordo?

– Sì, ispettore – la sentii rispondere con un filo di voce.

Chiesi il conto all'intimorito barista che aveva ascoltato la mia telefonata e pagai. Quando uscii non ero in gran forma ma almeno avevo ritrovato la capacità di prendere una decisione: me ne sarei andata a casa.

Presi una nuova decisione strada facendo: avrei parcheggiato a qualche isolato di distanza per camminare un po'. Non mi pareva bello comparire davanti a Marcos in quello stato di confusione mentale. Scesi dall'auto. I miei passi risuonarono sul marciapiede già in penombra. A poco a poco ritrovai una certa tranquillità. Svoltato l'angolo di casa, vidi una donna venire dritta verso di me. Mi fermai e aspettai. Con gesto automatico portai la mano alla borsa dove tenevo la pistola. Lei si accorse di quel movimento e disse distintamente:

– Petra Delicado.
– Chi è lei?
Si avvicinò e la vidi bene in faccia. Era la madre di Marina.
– Sono Laura. Volevo parlare un momento con lei.
– Senta, Laura, non vorrei essere scortese...
– Sarà questione di un minuto. Possiamo prendere qualcosa in quel bar?
Non potevo non accettare. Forse era il momento giusto per pregarla di non importunarmi mai più. Attraversammo la strada e ci sedemmo. Io ordinai una birra e lei un'acqua minerale che non toccò neppure.
– Prima di tutto, voglio dirle che mi dispiace di essere stata brusca con lei per telefono.
– Anch'io lo sono stata. Comunque, se ha intenzione di dirmi che non desidera più che Marina entri in un commissariato, posso dirle fin d'ora di stare tranquilla.
– Vorrei dirle un'altra cosa, invece: Marina la ammira molto. Ho l'impressione che lei abbia un forte ascendente su mia figlia.
– Può essere, ma le assicuro che non ho fatto nulla per guadagnarmelo.
– Il risultato non cambia. Il fatto è che Marina va a dire in giro che la nuova moglie di suo padre è un poliziotto e che fa un lavoro bellissimo. Le avrà raccontato qualcosa lei, immagino.
– Si sbaglia, evito sempre di parlare del servizio con i bambini.
– Forse non basta.

– Che cosa mi suggerisce, di cambiare mestiere?

– No. Voglio che cerchi di toglierle dalla testa l'idea assurda che da grande farà il poliziotto anche lei.

– La bambina ha detto questo?

– Sì, e la prego di fare il possibile per evidenziare gli aspetti negativi del suo lavoro. Preferirei che maturasse una franca avversione per certe cose.

– Ha solo otto anni, come vuole che...

– Desidero che mia figlia smetta immediatamente di immaginare un simile futuro.

– Le sembra così terribile fare il poliziotto?

– Se mia figlia dovesse finire così per me sarebbe una tragedia.

– Capisco. Non posso prometterle di passare tutto il giorno a inculcarle il disgusto per quello che faccio, ma posso tentare di disilluderla.

– La ringrazio. Non la disturberò più. Permetta che sia io a offrire.

Tirò fuori il portafogli e andò alla cassa. Quando stava per uscire le dissi:

– Non so cosa pensi lei della polizia, ma le auguro di non averne mai bisogno. Noi siamo al servizio del cittadino, se lo ricordi.

Il suo volto perfetto e impeccabilmente truccato abbozzò un sorriso di superiorità. Se ne andò. Era una donna elegante e di successo: fredda, risoluta, sicura. La donna di oggi. E io, come una stupida, me ne uscivo con la più vieta retorica sulla legge e sull'ordine. Finii la mia birra d'un fiato, ne avevo bisogno.

Marcos capì subito che mi era successo qualcosa di

spiacevole. Era un uomo eccezionale, o forse in quel momento avevo una faccia degna di un Nosferatu con il mal di mare.

– C'è qualcosa che non va, Petra?

– Non c'è niente che vada.

– Nuove difficoltà nelle indagini?

– Sì.

– E nella vita privata?

– Anche.

– Ehi, ma te lo chiedevo per scherzo!

– Ho appena avuto uno scambio di idee con Laura.

La sua faccia si rabbuiò. Mi pentii di averglielo detto, ma ormai era troppo tardi, dovevo continuare.

– Mi aspettava qui fuori. Abbiamo preso una birra. Cioè, io ho preso una birra, lei non ha neanche toccato la sua acqua minerale, per non darmi l'impressione che fra noi ci fosse qualche complicità. Mi ha pregata di non influenzare Marina. Pare che adesso dica che da grande vuole entrare in polizia. La tua ex moglie pretende che la disilluda.

– Ma questo è intollerabile! Adesso esagera!

Marcos prese il cellulare.

– Cosa fai?

– La chiamo.

– Neanche per idea. Lasciala stare. Si è comportata educatamente.

– Petra, mi dispiace. Mi dispiace infinitamente.

– Non ci pensare, e soprattutto, quando parli con me, non usare formule di cortesia.

– Preferisci che ti tratti male?

– Senza dubbio.

– E allora muoviti e preparami la cena, santo Dio. Cosa vuoi? Che crepi di fame per i tuoi problemi del cazzo?

Sorrisi.

– Marcos, tu sapevi che Marina si è messa in testa di fare il poliziotto?

– Qualche volta me ne ha parlato.

– E perché non ha mai detto niente a me?

– Ha capito che avresti cercato di dissuaderla.

Il mio cellulare squillò. Era Garzón.

– Ispettore, hanno trovato la teste.

Ebbi un tuffo al cuore. Ma la voce di Garzón suonava spenta.

– È morta da parecchi giorni.

Smisi di respirare. Presi nota dell'indirizzo e guardai Marcos:

– Hanno trovato la barbona. Morta. Devo andare.

Mi abbracciò. Mi venne quasi da piangere.

– È evidente che quel che ho passato oggi non bastava, mancava il peggio.

– Quando avrai finito con questa storia ce ne andiamo ai Caraibi. Ti va?

– Solo se risolviamo il caso. Altrimenti ho altri piani per il futuro.

– Posso conoscerli?

– Un bel suicidio da bonzo davanti alle tue ex mogli. Sono sicura che apprezzeranno.

Eulalia Hermosilla era stata rinvenuta all'interno di un'officina dismessa in carrer Escornalbou. Il corpo era in avanzato stato di decomposizione. Proprio quando il commissario stava per dare l'ultimatum all'operazione, gli agenti erano entrati in quei locali vuoti. La saracinesca sulla strada era chiusa, ma la porta sul cortile era stata forzata e richiusa con un filo di ferro. Nessun inquilino dello stabile si era accorto di nulla, nessuno aveva sentito il forte odore di decomposizione. Era stato necessario perlustrare tutti gli stabili della via, isolato per isolato, prima di arrivare a quell'orribile scoperta.

Ipnotizzata, stavo a guardare i colleghi della scientifica impegnati nel rito del sopralluogo sulla scena del crimine. Il giudice Manacor fu rapidissimo, date le condizioni della vittima, ma non riuscì a nascondere la sua aria schifata. I locali dell'officina furono esaminati palmo a palmo. I dintorni si riempirono di curiosi. Era stato rintracciato il proprietario dell'immobile, che stava per arrivare. Quando la prima ondata di frenetica attività si placò, Garzón si rese conto che per due ore non avevo aperto bocca.

– Si sente male, ispettore?

– Non si preoccupi. Non è il giorno migliore della mia vita ma posso resistere.

– Suggerirei di andare a bere un goccetto al bar di fronte.

– Dopo, quando avremo sentito il proprietario.

L'uomo arrivò, rispose alle nostre domande. Aveva lasciato l'officina due anni prima, quando era andato in pensione. Non intendeva affittarla ad altri e non ci metteva mai piede. Era evidente che non aveva il minimo rapporto con il nostro caso né con la donna assassinata. Fra l'odore e le macchie di sangue sul pavimento, si sentì male. Chiesi a Yolanda di riaccompagnarlo a casa in taxi.

Mi rivolsi al viceispettore:

– Adesso accetto l'invito. Dica che ci avvisino quando tutto sarà finito.

Un altro bar miserabile ci avvolse, protettivo. Scegliemmo un tavolo accanto alla vetrina. Mi lasciai cadere sulla sedia come un fagotto. Gli avventori al banco parlavano del delitto, della polizia che da giorni girava da quelle parti. Sembravano tutti molto informati. Arrivò il cameriere.

– Un cognac – dissi. Il cognac è aromatico e forte, speravo che riuscisse a dissipare il tanfo di morte.

– Si sente giù, vero?

– E come vuole che mi senta? Ci assassinano l'unica testimone, povera donna. Che cosa ci rimane a questo punto del film? Niente. Due lezioncine di storia e un profilo psicologico che sembra uscito da Selezione del Reader's Digest. Un po' poco, non le pare?

– Io ne ho fin sopra i capelli di questo caso.

– Anch'io.

– Vuole che diamo le dimissioni?

– No.

– E allora, cosa vuol fare?

– Elaborare una teoria di nostra invenzione.

Buttai giù tutto il cognac in un colpo solo. Garzón mi guardò perplesso. Poi annuì e bevve anche lui allo stesso modo.

– Ce ne ordiniamo un altro?

– Ci sto.

Altri due bicchierini, tutti d'un fiato, in silenzio. Al terzo giro il cameriere ci guardava in modo poco amichevole.

– Sa cosa le dico, ispettore? Che io ce l'ho una mia teoria da sottoporle.

– Forza, la ascolto.

– Secondo me frate Assenzio, o come cazzo si chiama, era un gran peccatore, scopava da dio. Era morto di una brutta malattia e le suore, per paura che Cristóbal lo scoprisse, l'hanno fatto sparire. Il colpevole è la madre superiora. Che gliene pare?

– Gran bella teoria! Ma anch'io ho la mia, non creda. La colpa è tutta degli arabi, nemici da sempre della Spagna cristiana. Ai suoi tempi il nostro frate era un paladino della Riconquista...

– Ma non saranno stati i vichinghi?

Stanchi, sconfitti, mezzi sbronzi, ormai ci era rimasta solo la voglia di ridere. Proprio allora fummo invitati a tornare sulla scena del crimine.

– Ispettore – mi disse il collega della scientifica, – abbiamo avuto fortuna.

– Avete trovato qualcosa?

– L'assassino ha usato un paio di guanti di lattice e li ha buttati in cortile. Sarà possibile evidenziare le impronte.

– Potranno servire. Nient'altro?

– Apparentemente no. Vedremo cosa dirà il referto dell'autopsia, ma secondo noi, quando l'hanno portata qui, la donna era già morta. Non c'è abbastanza sangue per un'aggressione del genere.

– Com'è stata uccisa?

– Le hanno spaccato la testa. All'inizio non ce ne siamo neppure accorti, nello stato in cui era, sembrava...

– Va bene. Lasci tutto com'è e metta i sigilli.

Ci avviammo lentamente verso la macchina.

– Si rende conto? – dissi a Garzón. – Abbiamo passato mezz'ora a dire sciocchezze ma non ci è venuta in mente una sola ipotesi seria su quest'ultimo assassinio.

– Di ipotesi ce n'è una sola: l'hanno fatta fuori perché non parlasse di quel che aveva visto.

– Ma quel che aveva visto l'aveva già raccontato. Che cosa potevano temere?

– Che dicesse altro.

– Secondo lei la povera Eulalia conosceva gli uomini che hanno portato via il corpo?

– Improbabile, con la vita che faceva. Forse avrebbe potuto riconoscere il furgone. Ma dubito che fosse in grado di ricordare il numero di targa.

– Io dico che i ladri non si erano nemmeno accorti di essere stati visti. L'hanno saputo dal giornale e sono usciti a caccia prima di noi.

– Ma come facevano a sapere che era lei?

Garzón mi guardò. Ci fermammo davanti alla mia macchina.

– Non lo so, Garzón, non lo so. Quella donna è morta per colpa della nostra inefficienza. Non avrebbe dovuto andarsene così dopo quel che aveva detto.

– Noi non c'entriamo, ispettore. Quando abbiamo ricevuto l'incarico era già sparita.
– E questo la fa sentire più tranquillo?
– Mi fa sentire meno in colpa.
– Beato lei. A domani, Garzón. Ci vediamo in commissariato.
– Dorma, le conviene.
– Che mi convenga o no, dubito che riuscirei a fare altro.
Aprii la porta di casa. Salii le scale e mi buttai sul letto vestita. Marcos dormiva profondamente. Non si svegliò. Chissà che effetto gli fece il mattino dopo trovarmi avvolta nell'impermeabile.

Le pessime condizioni del corpo di Eulalia giocarono a nostro favore. L'autopsia venne fatta il prima possibile per evitare che si perdessero elementi utili. Nessun indugio, nessuna lista d'attesa. E tuttavia la lettura del referto non ci riservò nessuna sorpresa. Eulalia Hermosilla, cinquantotto anni d'età, era morta in seguito a un forte colpo infertole alla nuca con un oggetto molto pesante. Vale a dire che la barbona e il monaco erano stati uccisi dalla stessa persona, una vera bestia.
Il medico legale confermava l'ipotesi della scientifica: la donna non era morta all'interno dell'officina in disuso, ma vi era stata portata già cadavere. Poiché sul corpo non si notavano escoriazioni di nessun tipo, il trasporto doveva essere stato effettuato da due persone.

Coronas era stupefatto. Non era mai stato sfiorato dall'idea di un nuovo assassinio. Per lui l'esistenza di una teste era un fatto del tutto marginale. Perciò non aveva mai attribuito grande utilità alla squadra che gli avevo chiesto per cercarla. Ma la donna era lì, morta da più di una settimana.

– Mi sembra evidente che l'assassino l'ha individuata e uccisa per evitare che venisse nuovamente interrogata – sentenziò, con notevole originalità.

– E che quando hanno portato via la mummia non si erano accorti della presenza di quella poveraccia. Ma come avranno fatto a ritrovarla?

– Provi a pensarci, Petra. Come è venuto a saperlo lei che si aggirava in carrer Escornalbou, deve averlo saputo anche l'assassino.

– Ma l'assassino non aveva una squadra speciale al suo servizio.

– Avrà seguito uno dei nostri agenti.

– Mi è difficile crederlo.

– Su una cosa ha ragione, Petra. Questo è un caso odioso, odioso. Un monaco dedito agli studi, una povera donna senza dimora. Perché far male a gente così?

– È l'assenza di un movente a complicare tutto, commissario.

– Come lei sa, quando manca una logica, il colpevole è quasi sempre un pazzo.

– Io mi rifiuto di credere...

– Lei non può permettersi di rifiutare niente, Petra. E lo sa perché? Perché non propone nessuna alternativa. Ho sempre ammirato la sua razionalità, ma come lo spiega razionalmente che qualcuno possa uccidere un monaco inoffensivo in piena notte per rubare un cadavere vecchio di secoli e farne cosa, poi?

– Non posso ancora risponderle.

– Questa è l'opera di un pazzo, ispettore. Di un pazzo con un complice più pazzo di lui! Non è possibile spiegare altrimenti una simile assurdità. A che punto siete, adesso?

– È in corso l'esame delle tracce rilevate nell'officina abbandonata, e con un po' di fortuna... Tanto più che ci sono le impronte sui guanti di lattice. Gli esperti stanno procedendo al confronto.

– Aveva dei parenti quella donna?

– Nessuno ha reclamato il corpo.

– Forse quando uscirà la notizia sui giornali...

Mi strinsi nelle spalle. Fissai il pavimento abbattuta.

– E quelle teorie di cui ho letto nei rapporti?

– Non le ho prese troppo sul serio, commissario.

– In ogni caso l'assassino avrà pure voluto dirci qualcosa con quel biglietto.

Annuii, stanca, annoiata, impotente.

– Può andare, adesso. E mi metta tutto per iscritto.

Mi alzai, mi avviai lentamente verso la porta. Stavo già uscendo quando sentii la voce di Coronas che diceva:

– Non si abbatta, Petra. Sta lavorando bene.

Sì, benissimo, pensai, così bene che il nostro assassino aveva ucciso di nuovo. Difficilmente si sarebbe potuto fare di meglio. Ma certo, la vittima era una poveraccia che non contava niente, e la sua morte rientrava nelle varie ed eventuali. La città è piena di gente di cui si può fare tranquillamente a meno e la cui scomparsa non cambia la vita di nessuno.

In una busta sulla mia scrivania mi aspettava una perizia che non ricordavo neppure di aver chiesto. Era l'esame della contabilità del convento. Il caro ispettore Sangüesa aveva aggiunto un biglietto di suo pugno:

«Eccoti il lavoro, Petra. Le tue suorine non sanno neanche cosa vuol dire frodare il fisco. Ricche non sono, ma povere nemmeno. Ti faccio notare che hanno un benefattore fisso. Mi sono permesso di fare una piccola indagine in proposito. Ti sottolineo in rosso i dati, nel caso ti interessasse».

Sangüesa era fantastico, una vera mosca bianca fra i poliziotti. Cercai le righe sottolineate. Lessi: «Heribert Piñol i Riudepera. La sua famiglia è benefattrice del convento dal 1896. Attualmente i versamenti ammontano a 12.000 euro annui erogati attraverso una fondazione». Sì, poteva essere interessante. Mi preparai spiritualmente a una nuova visita alle sorelle del Cuore Immacolato. I casi erano due: o risolvevo quel caso o mi sarei ritrovata con una vocazione religiosa in piena regola.

Come sempre, madre Guillermina fu lieta di rivedermi.

– Ma perché non mi ha detto che sarebbe venuta? Le avrei fatto trovare un tè come si deve. Quello che mi è rimasto sa di erba secca. Su certe cose non si può stare a guardare il centesimo...

– Sono venuta appunto a parlarle di denaro.

– Questa sì che è una novità.
– Si tratta delle donazioni di cui siete beneficiarie. Più precisamente di quelle del vostro principale benefattore, il signor Piñol i Riudepera.
– Ah, don Heribert! Un uomo molto generoso. La sua famiglia ci sostiene da tempo immemorabile. Per fortuna i figli continuano la tradizione e aggiornano il loro contributo in rapporto al costo della vita. Bisogna dire che due milioncini di pesetas, per una comunità come la nostra, con le spese che abbiamo, sono ben poca cosa. Ma aiutano, certo, e prego il Signore che non debbano mai venirci a mancare.
– Quindi i vostri rapporti con la famiglia risalgono a prima della nascita dell'attuale capofamiglia?
– Ma certo. I Piñol sono benefattori del nostro convento da... ora non ricordo con esattezza, ma di sicuro da prima dell'industrializzazione.
– Che tipo di attività svolgono?
– Sono imprenditori. Un tempo erano possidenti, ma hanno sempre avuto fabbriche tessili, erano molto attivi nelle importazioni... Credo che ora siano nel settore informatico, ma anche in altri, naturalmente... Figli e nipoti ormai lavorano anche loro. È una di quelle famiglie catalane che hanno saputo adattarsi bene a tutti i cambiamenti. Mi domando se anche la prossima generazione sarà così caritatevole.
– Hanno una fondazione, mi è stato detto.
– Sì, e non siamo le uniche a beneficiarne, ma credo si occupi soprattutto di problemi sociali. Anche questo è un segno dei tempi.

– E politicamente, di che orientamento sono i Piñol?
– Non lo so, ispettore. È una famiglia numerosa, non ho neppure idea di quanti siano.
– Sì, ma in generale?
– Credo siano di destra, ma neppure tanto. Non hanno mai nascosto una certa vena catalanista...
– Madre Guillermina, parliamo di rivoluzioni e di guerre, adesso.
Fece un salto sulla sedia. Si tolse gli occhiali, se li rimise. Premette il campanello che aveva sulla scrivania.
– Santo cielo, ispettore, non mi faccia pensare a cose tanto terribili! Io sono nata nel '51 e non mi ricordo di niente. Il Signore ha voluto preservarmi dalla guerra fratricida, e ogni giorno gliene rendo grazie.
– Voglio solo sapere che cosa successe al convento durante la Guerra Civile, e se subì dei danni durante la Settimana Tragica. Questo deve pur saperlo.
Entrò una suora con il vassoio del tè. Lo posò sulla scrivania. Madre Guillermina chiese:
– Dov'è suor Domitila?
– In biblioteca, a studiare con suor Pilar, che dopodomani ha un esame.
Si rivolse a me:
– Non le dispiacerà se sarà suor Domitila a risponderle, vero? Io su queste cose non sono molto informata.
Annuii. Nell'attesa madre Guillermina servì il tè, spense la sigaretta che stava fumando e mise via il posacenere.
– Non che voglia nascondere il mio vizio alle consorelle, ma trovo più rispettoso non esibirlo.

Suor Domitila bussò ed entrò. Si vedeva che era felice di essere stata chiamata. Mi fissò col suo sguardo intelligente.

– Ci sono novità? – osò domandarmi senza preamboli.

– La donna che ha visto portar via il corpo del beato è stata trovata morta. Assassinata.

Identica fu la reazione delle due monache: soffocarono un'esclamazione addolorata. Suor Domitila si fece il segno della croce, la madre superiora la seguì. Poi madre Guillermina abbassò gli occhi, mentre la bibliotecaria li inchiodava nei miei.

– Si sa chi è stato, ispettore?

– Non ancora.

– Signore Iddio santissimo! – disse la madre superiora. – Che cos'abbiamo fatto per meritarci queste morti? Perché proprio a noi?

Lasciai che avessero il tempo di riprendersi. Madre Guillermina era visibilmente scossa. Suor Domitila pareva lottare contro la divorante curiosità della sua mente speculativa. Ma non le permisi di bombardarmi di domande. Cercai di farmi chiarire la questione che avevo sottoposto alla sua superiora. Lei parve soddisfatta di essere consultata in qualità di storica e ancora una volta dimostrò la sua innegabile erudizione:

– Durante la Settimana Tragica il nostro convento non venne incendiato, ma fu profanato. Molti oggetti preziosi scomparvero e qualche immagine fu mutilata. Tutto questo è registrato negli annali del convento. Esiste inoltre un resoconto delle riparazioni effettuate all'epoca con relativi costi. Se lo desidera posso fornirle copia dei documenti originali. Non sono stati digitalizzati.

– E accadde qualcosa al corpo del beato?

– Nei registri non compare nulla al riguardo. Con ogni probabilità fu rispettato. A quanto risulta da altre cronache, perfino gli anarchici provavano un certo timore nei confronti dei corpi incorrotti. Un timore superstizioso. Perciò raramente i resti furono toccati.

– Capisco. E durante la Guerra Civile?

– Nel '36 il convento non fu devastato. In seguito fu usato per alloggiare una guarnigione di soldati repubblicani. Questo provocò dei danni, ma non si registrarono furti né profanazioni.

Annotai tutto quanto nel mio taccuino. A un tratto la suora riprese a parlare con una certa esitazione:

– Ispettore, io... ecco, il suo assistente, il viceispettore, mi ha parlato dell'ipotesi di frate Magí circa il messaggio lasciato dall'assassino. Ho l'impressione che la riteniate più affidabile della mia. E in effetti è più plausibile. Devo umilmente riconoscere che forse mi sono sbagliata con la mia ipotesi sulle sepolture.

– È un po' presto per deciderlo. In ogni caso speriamo di poter contare ancora sulle sue preziose conoscenze, sorella.

Il viso le si illuminò. La ringraziai. Poi, rispettando scrupolosamente la scala gerarchica, dissi alla madre superiora che poteva darle il permesso di ritirarsi.

Non appena suor Domitila fu uscita, madre Guillermina si accese *ipso facto* una sigaretta.

– Quella suora vale tanto oro quanto pesa, glielo assicuro. È istruita, ma al tempo stesso volenterosa e umile. Non le basta il compito di archivista e bibliotecaria che le ho assegnato. Si fa in quattro per aiutare suor Pilar negli studi, si accolla addirittura dei turni di pulizia, e aiuta la nostra economa nell'amministrazione. Per me tutte le consorelle sono uguali, ma so riconoscere i doni che nostro Signore ha concesso a ciascuna di loro, e suor Domitila è il fiore all'occhiello della nostra comunità, mi creda.

Senza dare molto peso a quegli elogi dettati da un orgoglio quasi materno, passai a una domanda di cui conoscevo già la risposta, che però volevo sentirmi ripetere da lei:

– E mi dica, madre, tutta questa storia del restauro del beato, da chi è partita in realtà? Com'è che un bel giorno avete deciso di affrontare questo lavoro?

– Non è stata una decisione nostra, ma della madre provinciale. Si tratta di un'iniziativa che coinvolge tutti i conventi del nostro ordine. Una specie di aggiornamento e inventario dei nostri tesori e documenti.

– E dove si trova la madre provinciale?

– Presso la nostra casa madre. Viene a farci visita solo una volta l'anno, ma ogni convento ha il dovere di rendere conto trimestralmente di tutte le sue attività.

– E il vostro benefattore era al corrente di questi lavori?

– Il signor Piñol? Certo. È stato informato, perché a tutti coloro che ci sostengono è stato chiesto un contributo per finanziare gli interventi. Secondo le possibilità di ciascuno, beninteso. Lei mi scuserà, ma sinceramente non capisco perché mi chiede del signor Piñol. E devo dire che nemmeno capisco le sue domande sulla Settimana Tragica e la Guerra Civile. Perché non mi racconta tutto, ispettore?

– Non posso farlo perché ancora non so nulla. Le prometto che quando avrò le idee più chiare le spiegherò ogni cosa.

Mi alzai, ma in quel momento lei disse:

– Ispettore, non può andarsene proprio adesso. Non abbiamo preso il tè. Lo trova davvero così orribile?

Mi scusai e ingollai un tè quasi freddo che, in effetti, lasciava molto a desiderare. Per fortuna la suora portinaia mi stava già aspettando per scortarmi fino all'uscita. Di lì mi incamminai a passi rapidi senza perdere un minuto di più.

A casa trovai un silenzio assoluto. Quando vivevo sola, e rientravo dal lavoro dopo una giornata stressante, avevo l'abitudine di versarmi un whisky e di ripercorrere mentalmente tutto quel che era successo. Ora avevo solo voglia di andarmene a letto per sentire il corpo caldo di Marcos accanto a me. Ma sapevo che se fossi andata a dormire con la testa piena di interrogativi appena abbozzati di sicuro non sarei riuscita a prendere sonno prima di un paio d'ore. Decisi di andare in cucina, di prepararmi un latte caldo e di accendere il computer per collegarmi a Internet. E così feci. Seduta di fronte al servizievole schermo, digitai le parole: «*incendi conventi spagna*». Mi stupii della quantità di siti dedicati all'argomento. Navigai senza una meta precisa. C'erano pagine di compendio storico, dispense e tesi universitarie, articoli di riviste... e stranamente un gran numero di forum di discussione. Forum di discussione su episodi avvenuti tanto tempo fa? Provai a entrare, e la mia sorpresa crebbe. Interventi fortemente ideologici scatenavano repliche e controrepliche sempre più accese. Si leggevano frasi come:

«Durante la Settimana Tragica orde di lavoratori scamiciati commisero soprusi e delitti orrendi ai danni delle comunità religiose. I facinorosi, istigati da anarchici e comunisti, non si limitarono ad appiccare il fuoco agli edifici sacri, distruggendo tesori di inestimabile valore storico, trafugando oggetti preziosi e profanando reliquie. No, è noto che in alcuni conventi i monaci furono sottoposti a sevizie d'ogni genere prima di essere assassinati. All'oratorio di Sant Felip Neri, un frate fu percosso con un crocifisso fino alla morte. Al convento delle Clarisse una monaca fu sodomizzata in pubblico con un enorme cero. Presso i gesuiti di Sarrià, a un innocente novizio vennero amputati i genitali, che gli vennero introdotti in bocca insieme con le ostie consacrate trovate nel tabernacolo».

Che orrore! pensai. Solo il marchese De Sade poteva vantare un'immaginazione così perversa e tempestosa. Ma l'altra campana suonava altrettanto pittoresca:

«La Settimana Tragica fu un moto rivoluzionario e le rappresaglie contro la Chiesa furono atti di giustizia popolare. Con la connivenza del padronato e delle forze reazionarie, nei conventi si praticava un vero e proprio sfruttamento del sottoproletariato. Non si contavano i laboratori retti da ordini religiosi dove gli operai erano sottoposti a orari estenuanti in cambio di niente, un magro sostentamento costituito da un tozzo di pane e un pezzo di lardo. Nei conventi di suore, orfane ancora bambine erano soggette a ogni genere di abusi, anche sessuali. Non deve stupire che il popolo si sollevasse contro una simile vergogna. Va detto inoltre che il numero dei conventi danneggiati nel corso della Settimana Tragica e durante la Guerra Civile fu ingigantito allo scopo di demonizzare la rivolta».

Mio Dio, sembrava di sentire Radio Tirana ai tempi d'oro. Quei forum erano pieni di insulti. Epiteti come «Fasci!», «Maledetti comunisti!», «Infami!» erano moneta corrente negli scambi virtuali fra gli iscritti. Non credevo ai miei occhi. Quella era internet, la più moderna rete di comunicazione mondiale? Eravamo nel XXI secolo, in piena era digitale, opppure nel Medioevo? Da dove uscivano quei trogloditi, impegnati a discutere di storia con un linguaggio da caserma, come se si trattasse di un derby della settimana prima? Eravamo ancora a quel punto, l'un contro l'altro armati? Che ne era stato della transizione, dell'avvento della democrazia, della nuova Spagna moderna e multiculturale? Forse non era così fuori luogo seguire una pista storica. In Spagna si può ancora uccidere per certe cose. La storia è pericolosamente viva e saremmo capaci di prenderci a fucilate in nome del Cid Campeador o di san Giacomo Apostolo.

Sentii la voce di Marcos alle mie spalle:

– Stai ancora lavorando? Te lo proibisco! Vieni subito a letto, dovrai pur riposare.

Lui crollava dal sonno, in pigiama, ma io ero così agitata che non potei fare a meno di raccontargli tutto. Mi ascoltò in silenzio strofinandosi gli occhi.

– Diamine, Petra! Come vuoi che mi preoccupi per le sorti della Spagna a quest'ora di notte?

– Ma io sono veramente preoccupata! Mi fa orrore che in questo paese le cose non cambino mai.

– Le guerre civili lasciano strascichi interminabili. Ma io non mi preoccuperei così tanto. A rimanere ancorati a questo tipo di problemi sono quattro emarginati a cui nessuno dà ascolto.

– Ma se in internet ci sono migliaia di pagine su questi argomenti!

– In internet c'è di tutto, anche tanti fuori di testa che entrano nelle chat solo per dire le loro bestialità.

– E tu non credi che il nostro assassino possa essere uno di questi fuori di testa?

– Può darsi.

Ci guardammo in silenzio. Sorrisi. Ero esausta. Allora Marcos mi prese per mano e mi trascinò via.

– A letto, adesso.

– Tanto non riuscirò a dormire.

– Ma certo che dormirai! Hai bisogno di riposare e di smettere di pensare per qualche ora. Per fortuna domani è sabato.

– È vero, me ne ero scordata.

– E abbiamo la cena a casa di Garzón con i bambini.

– Come?

– Neanche di questo ti ricordavi. Ha chiamato Beatriz, ci aspettano per le nove.
– Adesso sì che non riuscirò a dormire.
– Meglio, so io come farti passare la notte.
E invece mi addormentai all'istante, stretta contro il suo petto. È difficile pensare alle guerre fratricide quando ti avvolge il calore di un altro corpo.

8

Feci un salto dallo spavento quando vidi Marina aggirarsi per il corridoio.

– Ehi, non sapevo che fossi qui!

– Sono arrivata ieri sera. Volevo aspettarti alzata ma papà mi ha mandata a letto.

– Certo, ha fatto bene.

Mi infilai barcollante in cucina per fare il caffè e lei mi seguì.

– Hai ancora sonno?

– Sono stanca. Ieri è stata una giornata molto dura.

– State per prendere l'assassino?

– Sì.

– Hanno ammazzato anche una signora, vero?

– Non credi di guardare un po' troppo la televisione?

– No, io no. Hugo l'ha visto al telegiornale e mi ha telefonato subito.

– Ma che bel pensiero! Hai già fatto colazione?

– No.

– Ti metto su il latte.

Si sedette al tavolo e scelse un programma di cartoni animati alla tele. Preparai le tazze e mi sedetti accanto a lei.

– Ho preso dei bei voti, sai? – mi informò.
– Ma brava!
– Siccome ieri non ti ho vista non ho potuto dirtelo.
Sapevo che il suo tono neutro nascondeva un rimprovero ed ebbi un moto di irritazione. Dover rendere conto a una mocciosa dei miei orari era davvero troppo. Stavo per risponderle per le rime. Ma lei era furba come una gatta e si accorse perfettamente del mio malumore. Aggiunse:
– Certo che con tutto il lavoro che hai non puoi mica arrivare tanto presto.
Cambiai argomento:
– Tuo padre dov'è?
– Di sopra a lavorare. Ma tu, Petra, anche se sei stanca, sei contenta?
Non sapevo dove volesse andare a parare con quel discorso, ma decisi di bloccarla in tempo.
– Contentissima. Anzi, ti dirò una cosa: questa è una delle mattine più felici della mia vita.
Marina sorrise enigmaticamente e continuò a far colazione, mentre io mi concentravo sul caffè cercando di non badare alle voci stridule dei personaggi sullo schermo. Santo cielo! Se qualcuno, solo un anno prima, mi avesse detto che avrei passato i miei sabati mattina in compagnia di una bambina a guardare cartoni animati avrei pensato che soffrisse di *delirium tremens*. La vita è strana e ci conduce dove mai avremmo pensato.
– E il viceispettore, è contento il viceispettore?
– Marina, si può sapere cos'è questo interrogatorio?

– Volevo solo dire che avete lavorato tanto questa settimana e magari siete così stanchi che non andremo a cena a casa sua stasera.

– Ah! Ti preoccupi per questo? Ma sì che ci andremo.

– Bene! E porteremo dei regali?

– Un mazzo di fiori, penso, e forse una bottiglia di champagne.

– Io gli voglio regalare un disegno. Vuoi vederlo?

Partì velocissima verso la sua stanza e io ne approfittai per prendere un'aspirina perché cominciavo ad avere mal di testa. Un attimo dopo tornò sventolando un foglio che mi mostrò tutta orgogliosa. Aveva disegnato il viceispettore: un pupazzo con la pancia e due grossi baffi, armato di un pistolone come quelli dei pirati. Il pupazzo sparava una fiammata rossa e arancione contro un malfattore mascherato che scappava curvo sotto il peso di un sacco pieno di refurtiva. Dalla testa del malcapitato, affinché non restassero dubbi sull'effetto prodotto dalle pallottole, usciva uno zampillo di materia di colore grigio che saliva fino alle nubi spargendosi in tutte le direzioni. L'insieme era orlato di gocce di sangue rosso di cui si vedeva una gran pozzanghera per terra. Osservai il disegno senza dire una parola.

– Sarebbe il viceispettore – spiegò Marina.

– Capisco. Nel compimento del dovere?

– Sì – rispose tutta orgogliosa.

Non mi pareva il caso che si presentasse a casa d'altri con un simile dono. Avrei dovuto spiegarle per l'ennesima volta che compito di un poliziotto non è ammazzare i delinquenti, né tantomeno un ladruncolo disarmato e incapace di difendersi oppresso da un peso più grande di lui. Non lo feci. Decisi che Garzón meritava di assaggiare i frutti del suo interessante «intervento pedagogico». Doveva pur capirlo che era pericoloso permettersi certi giochetti con i bambini. Me la sarei spassata alla consegna del regalo. E così, machiavellica, mi limitai a domandare:

– Non hai messo il titolo?

– Perché, ci vuole un titolo?

– Di solito i quadri ce l'hanno.

– Non me ne viene in mente nessuno.

– Che ne dici di questo: «Il viceispettore Garzón paladino della giustizia»?

Ci pensò su e poi disse:

– Mi piace di più quello che hai detto prima: «Il viceispettore Garzón nel compimento del dovere».

– Andrà benissimo – sentenziai soddisfatta.

– Per fare i poliziotti bisogna essere molto coraggiosi, vero Petra?

– Fare i poliziotti è un mestieraccio, credimi.

– A me piacerebbe.

Mi ricordai delle esortazioni di sua madre.

– Ah, no, Marina. Questo no! Da grande potrai fare quello che vorrai: l'ingegnere aeronautico, la gondoliera, la fotografa specializzata in struzzi... Quello che vuoi, ma il poliziotto no. È un consiglio, dammi retta.

Rimase zitta un pochino e poi replicò con perfetta calma:

– Allora magari potrei fare il pompiere, di quelli che spengono fuochi pericolosi, oppure l'agente segreto, oppure il dottore di quelli che fanno le autopsie, o anche il detective privato, non ti pare?

Bevvi con rassegnazione un altro sorso di caffè. Mio Dio, avrei fatto meglio a rinunciare a ogni impegno pedagogico con quella bambina. E così, guardandola negli occhi, risposi:

– Sì, faresti meglio, molto meglio.

Lei corse nella sua stanza a completare il suo quadro e io salii da suo padre per decidere come occupare quel sabato libero.

Esausta com'ero dopo una settimana di fuoco, trovai magnifico tutto quello che mi propose e mi preparai a godermi la giornata. Andammo al mercato della Boquería, poi a una mostra di fotografia al Palacio de la Virreina e infine pranzammo in un ristorante tedesco. Poi, mentre Marina trascorreva il pomeriggio in casa di un'amica, facemmo tranquillamente l'amore. Mi sentivo una donna nuova. Dopo una doccia, stesi sul viso una maschera idratante e dedicai un mucchio di tempo a decidere l'abito giusto per la cena a casa di Beatriz.

Alle sette arrivarono i gemelli, e mezz'ora dopo rientrò Marina dalla sua festicciola. Tutti e tre erano entusiasti di quell'invito. Hugo e Teo avevano comprato con i loro soldi una scatola di lingue di gatto. A quanto pare avevano sentito dire a Garzón che le lingue di gatto ricoperte di cioccolato erano i suoi dolci preferiti. Salii a vestirmi e a truccarmi mentre i ragazzi chiacchieravano nel soggiorno. Era una situazione nuova e divertente andare a cena da amici con Marcos e i ragazzi, come una vera famiglia. Dalla camera da letto li sentivo ridere al piano di sotto e pensai che era bello avere in casa gente così giovane. Certo che non era il caso di idealizzare la situazione: se quei bambini fossero stati miei e non in prestito, non sarei stata così tranquilla. Mi sarei preoccupata che fossero vestiti bene, che mangiassero quel che sarebbe stato loro offerto, che si comportassero decentemente a casa d'altri. L'essere umano è strano, pensai, l'unico capace di crearsi quadretti idilliaci a partire dalle realtà che non gli è toccato vivere. Tante volte avevo visitato ambienti e luoghi dove mi ero detta: «Qui sarei felice». Solo l'esperienza mi aveva insegnato che andare a stare in un posto nuovo non significa fare una nuova vita. Tutti noi ci portiamo dietro ovunque andiamo le nostre manie e le nostre preoccupazioni, i nostri complessi e i nostri traumi, il nostro cocciutissimo mondo interiore che, anche volendolo, non riusciremmo mai a reinventarci. E così decisi di non lasciarmi trasportare dalla piacevolezza del momento. Io non ero una madre felice, ero solo una moderna matrigna. Confortata da questo pensiero mi diedi a impiastricciarmi le ciglia di rimmel con assoluta dedizione.

Scelsi un vestito di maglia verde muschio che metteva in risalto la curva delle anche e il seno con un prodigioso effetto balconcino. Volevo fosse ben chiaro che ero una matrigna sensuale e gioiosa, non inacidita e ossuta come quella di Biancaneve. Solo allora mi accorsi di quanto si fosse fatto tardi e lanciai una voce a Marcos perché scendesse dal suo studio. Mio marito era un uomo meraviglioso, ma ogni tanto la sua serafica lentezza aveva il potere di esasperarmi. Quando me lo vidi comparire in camera da letto ancora in maglione e pantalonacci gli avrei volentieri scagliato un oggetto contundente sulla testa.

– Sei bellissima! – mi disse.

– Marcos, lo sai che ore sono?

– Dici che è tardi?

– Mi faresti il piacere di cambiarti? Non penserai di presentarti a casa di Beatriz e Fermín in quello stato!

– Ma non stiamo andando a una serata di gala dai marchesi di Colmenar.

– Chiunque si prenda il disturbo di invitarti a cena merita di essere trattato come i marchesi di Colmenar, che a dire il vero non so neanche chi siano.

– È un modo di dire. Ma non preoccuparti, c'è tempo, tutto il tempo del mondo.

Scesi di sotto con i nervi già alterati. I gemelli mi guardarono in silenzio. Teo chiese con aria sorniona:

– Non è ancora pronto, papà?

– C'è tempo, tutto il tempo del mondo! – ripeté Hugo in una perfetta imitazione. Conoscevano a memoria la formula e scoppiarono a ridere tutti e tre.

– Non lo sapete che vostro padre è un monaco buddista?

Questo li fece ridere ancora di più. Mi chiesi se avessi fatto bene a raccogliere lo scherzo, perché da quel momento si scatenarono.

– Petra, Marina non vuole farci vedere il suo regalo per Fermín!

Marina stringeva gelosamente al petto una cartellina legata con un fiocco rosa.

– E fa benissimo – risposi. Allora Hugo mostrò la lingua a Teo e Teo cercò di dargli uno schiaffo e rotolarono tutti e due sul tappeto ridendo e accapigliandosi, mentre Marina gridava: – Basta, maleducati! – La situazione mi era completamente sfuggita di mano quando Marcos scese perfettamente vestito e sbarbato e si diresse verso la porta con passo atletico.

– Siete ancora lì? Forza, che vi sto aspettando!

Sbalordita dalla sua sfacciataggine spinsi i bambini verso il garage. Lì ricominciarono i litigi quando si trattò di decidere chi doveva sedersi in mezzo agli altri due. Marina, ostinata, non voleva saperne:

– Ma perché devo sempre stare io in mezzo?

– Perché tu occupi meno spazio.

– E chi dice che chi occupa meno spazio deve stare in mezzo?

– Lo dico io che sono più grande – ribatté Hugo.

– Un momento! Io sono grande quanto te, e lei ha ragione perché l'ultima volta è stata lei a sedersi in mezzo – disse Teo.

– E allora mettitici tu, perché io...

Marcos aveva acceso il motore e io seguivo la lite stupefatta. Non avevo la minima idea di come uscirne. Allora la voce di mio marito tuonò:

– Vi do cinque secondi per sedervi.

Dopo una breve rivoluzione sul sedile posteriore la comitiva fu pronta per partire. Appurai con la coda dell'occhio come fosse finita la contesa. Hugo era seduto nel mezzo, scocciatissimo, mentre Marina e Teo, ai finestrini, sorridevano trionfanti. Da quella scaramuccia avevo imparato due cose: una, che se avessi avuto dei figli la mia vita sarebbe stata molto più complicata; e due, che la pazienza di Marcos aveva dei limiti. I bambini dovevano già saperlo, perché la loro obbedienza al primo avvertimento fu esemplare. È vero che avevo sentito Hugo mormorare un «non è giusto», ma la sua protesta era caduta nel vuoto.

Venne ad aprirci il viceispettore in persona, in inedita tenuta da gentiluomo di campagna. Camicia a minuscoli quadrettini e cardigan di cachemire grigio. Com'erano lontani i tempi in cui per avere un'aria disinvolta si limitava a togliersi la cravatta! Beatriz l'aveva trasformato nell'aspetto come nel carattere. I bambini erano felicissimi, sorridevano estasiati davanti al loro idolo che si materializzava in tutta la sua grandezza. Lui li salutò con una stretta di mano come degli adulti e tutti passammo nel salone. Avevo dimenticato quanto fosse elegante la nuova casa del viceispettore: enorme e ariosa, arredata con un comodo convenzionalismo borghese che infondeva tranquillità. Beatriz comparve vestita con classe e semplicità, simpatica come sempre. Coprì i bambini di baci e complimenti, e dopo averli aiutati a togliersi i cappotti li portò con sé a vedere una collezione di treni in miniatura che la sua famiglia conservava da tempo immemorabile. Garzón, perfetto padrone di casa, ci offrì un aperitivo con disinvoltura ineccepibile. E per giustificare il suo *savoir faire* recentemente acquisito si sentì tenuto a confidarci:

– Ho detto alla ragazza che ci aiuta di prendersi la serata libera. È ucraina e parla poco lo spagnolo. Mi dà sui nervi vederla girare per casa con gli occhi strabuzzati. Ma Beatriz è molto contenta di lei.

– Ha avuto davvero fortuna con Beatriz, è una donna eccezionale.

– Certo che lo è, sono io che non la merito.

– E come la prende la tua vita di poliziotto? – Naturalmente Marcos e Garzón si davano del tu.

– Preferisce non saperne troppo. E devo dire che a me va benissimo così. Mi dispiacerebbe che dovesse preoccuparsi per le mie indagini o per i rischi che potrei correre.

Sentendolo parlare con tanta delicatezza, in quell'ambiente così sofisticato, vestito in modo così adeguato all'occasione, mi parve di non avere davanti il mio collega Fermín ma un uomo totalmente sconosciuto. Ne fui turbata, tanto da rimpiangere il poliziotto zoticone con cui condividevo le ore di lavoro. In quel momento i bambini tornarono, entusiasti delle meraviglie che Beatriz aveva mostrato loro. Ma Marina non stava nella pelle. Mi si avvicinò per dirmi nell'orecchio:

– Possiamo dargli i regali?

Acconsentii, con una vaga inquietudine. Lei andò a confabulare con i gemelli, e Teo, in nome di entrambi, porse a Beatriz la scatola dei dolci. Lei lanciò un'esclamazione di gioia:

– Lingue di gatto ricoperte di cioccolato! Sono buonissime, una vera specialità. Che grande idea avete avuto!

– E adesso tu – dissi a Marina, ma lei si strinse alla sua cartellina.

Marcos consegnò quindi a Garzón una bottiglia di whisky invecchiato e io porsi a sua moglie la più che evidente orchidea che avevo posato accanto alla mia poltrona. I ringraziamenti fioccarono. Quando ebbe la certezza che la nostra parte nello spettacolo si fosse conclusa, Marina si avvicinò in punta di piedi al viceispettore e con fare angelico gli consegnò il suo regalo. Lui, felice, cominciò a svolgere i successivi strati di carta con cui la bambina aveva voluto proteggere il suo capolavoro. Alla fine il disegno comparve. Garzón lo guardò e si lasciò sfuggire un poco opportuno: – Oh, cazzo!

– Fermín! – lo riprese la moglie, e si chinò sopra la sua spalla per vedere anche lei. Allora mutò espressione ed esclamò: – Santo cielo!

Cominciavo davvero a divertirmi quando Hugo e Teo, incuriositi, si lanciarono sul disegno della sorella. Fu Teo a uscirsene in una risata sarcastica e ad annunciare:

– Il viceispettore giustiziere della notte!

Hugo si lasciò cadere sul divano dal gran ridere. Marina ci rimase malissimo, e perché nessuno la vedesse piangere uscì di gran carriera dalla stanza in direzione sconosciuta. Per riscuotere Marcos, che non aveva capito nulla di quel parapiglia, Garzón gli passò il disegno della bambina. Neppure lui rimase indifferente.

– Santo cielo! – disse.

Beatriz, dolcissima, intervenne:
– Forse qualcuno dovrebbe dire alla piccola che Fermín non spara mai sulle persone, che il compito della polizia...
– Ma se glielo abbiamo detto mille volte! – rispose Marcos. – Non so come le sia saltato in mente di disegnare una cosa simile.
– Forse il viceispettore, certo senza volerlo, ha alimentato qualche sua fantasia infantile – insinuai con malizia. Garzón colse subito l'antifona:
– Sì, può darsi che sia tutta colpa mia. Quella volta...
Marcos lo interruppe:
– No, la colpa è nostra e vi dobbiamo delle scuse.
All'improvviso uno sghignazzo mal represso di Teo lo costrinse a voltarsi. I due gemelli si erano nascosti dietro il divano. Marcos andò su tutte le furie:
– E voi due, si può sapere cos'avete da ridere? Chiedete subito scusa a vostra sorella! Poi sarà lei a scusarsi con il viceispettore. Andate a cercarla!
– No, per favore, non peggioriamo le cose – disse Beatriz. – La bambina ha preparato il suo regalo con le migliori intenzioni e adesso si vergogna. Vado a cercarla io e ci metteremo a tavola come se niente fosse.
Alzandosi fece volare il disegno che planò sul tappeto alla vista di tutti, e i gemelli non si lasciarono sfuggire una nuova occasione per torcersi dalle risate. Anch'io scoppiai a ridere. Nel mezzo di quel pandemonio suonò il mio cellulare. Era Yolanda. Mi allontanai di qualche passo per rispondere:
– Yolanda, cosa c'è?

– Si tratta di Sonia, ispettore. Anzi, non proprio di Sonia, il fatto è...

– Yolanda, ti prego, se quel che vuoi dirmi ha a che fare... come dire, con la caratteristica tipica di Sonia, pensaci bene prima di parlarmene. Sono a cena con tutta la famiglia in casa del viceispettore.

– Allora guardi, ispettore, visto che siete lì, sarebbe meglio che veniste subito tutti e due in commissariato.

Dalle mie labbra scomparve ogni ombra di sorriso. Di Yolanda mi fidavo.

– Veniamo immediatamente.

Se non altro a quella serata non avevamo avuto il tempo di annoiarci, pensai mentre salivamo in macchina.

Il mistero fu presto svelato. Sonia era caduta in preda a una crisi di nervi, era finita in infermeria. Il motivo? Una telefonata. Yolanda ci spiegò tutto nei particolari:

– A quanto pare una signora ha trovato un pacchetto misterioso in plaça de Sant Felip Neri, buttato in un angolo. Si è insospettita e ha chiamato la Guardia Urbana. Visto che pesava poco e non aveva l'aria di contenere una bomba o roba del genere, i vigili l'hanno aperto. Ci sono rimasti secchi quando hanno visto quello che c'era dentro. Per fortuna uno di loro si è ricordato del caso del beato ed è venuto subito qui col reperto. C'era solo Sonia e gliel'hanno lasciato sulla scrivania. Quando l'ha trovato le è preso un colpo.

– Scusa, ma si può sapere di cosa stiamo parlando? Questo pacchetto, dov'è?

– Adesso è nell'ufficio del commissario.

– Per la miseria, Yolanda! Ma cosa c'era dentro?

– Doveva essere un piede della mummia.

– Cosa?

– Sì, un piede, un piede tagliato. Ma parlo per sentito dire perché io non l'ho visto. Se ne è impossessato Coronas.

Partii di corsa seguita da Garzón. Ma il commissario Coronas il piede di frate Asercio non ce l'aveva più.

– L'ho mandato alla scientifica per farlo esaminare. Però mi stupirei se fosse falso. L'ha visto anche Villamagna ed è della mia stessa opinione.

– Villamagna? E ne parlerà alla stampa?

– L'ho autorizzato io.

– C'era qualcosa nel pacco oltre al piede? Un biglietto, qualche indizio?

– Niente Petra. Solo il piede, completo di sandalo, ma senza nessun messaggio. Cosa ne pensi?

– Forse è significativo il punto dove è stato lasciato. Quello è il messaggio.

– Già – disse Garzón, – me lo ricordo bene. La plaça de Sant Felip Neri era sulla lista di frate Magí. L'ho ricopiata io.

– E che conclusioni se ne possono trarre? – chiese il commissario.

– Nessuna, per ora. Ma col suo permesso convocheremo il nostro team di esperti.

– Tenetemi informato.

Nel corridoio, Garzón commentò:

– Lei non si decide a gettare gli ossi a quel cane di Villamagna e adesso lo fa lui direttamente.

– Che si arrangi. Se vuole trasformare queste indagini nell'evento dell'anno, contento lui. Io non collaboro.

– Bel colpo: lo zampino di san Asclepio sbattuto in prima pagina. Domani lo vedremo sul giornale, visto che qui nessuno ci considera.

– Ah, no! Adesso corriamo alla scientifica a dare un'occhiata anche noi. Dica a Yolanda e Sonia che nel frattempo vadano a fare un giro in plaça de Sant Felip. Chissà che non ci siano testimoni.

– Troppo tardi.

– Non si sa mai.

– E se Sonia si trova sotto gli effetti di un sedativo?

– Me la mandi. Una bella lavata di capo e vedrà come si sveglia.

Nei locali della scientifica si stavano già occupando del reperto. Una giovane agente non voleva autorizzarci a vederlo perché non avevamo un mandato del giudice. Per fortuna un amico della sezione balistica mise una buona parola. Ci accompagnarono nel laboratorio e potemmo finalmente ammirare un campione della famosa reliquia. Il piede giaceva su un tavolino d'acciaio. Restammo impalati a guardarlo per due minuti buoni. Incorrotto finché si vuole, quel piede era orribile. Pelle e ossa, con le dita incollate le une alle altre, senza unghie, di un color pergamena marroncino che faceva impressione, era imprigionato in un sandalo, o in quel che restava di una suola e di logore strisce di cuoio rinsecchito. Il taglio pareva essere stato praticato con precisione, poco sopra la caviglia, e permetteva di riconoscere un triste osso color avorio abbastanza somigliante a quelli che si vedono dal macellaio.

– Ma che schifo! – esclamò Garzón facendomi sobbalzare. – Secondo me, ispettore, qui non ci troviamo di fronte a un pazzo, ma a un idiota in cerca di notorietà. A chi può venire in mente di tenersi in casa una mummia per farla a pezzettini?

– Certo non a una persona normale. Ed è la prima volta che lo penso. Finora ho sempre creduto nella razionalità del movente, ma una cosa così va oltre l'umanamente concepibile.

Garzón inforcò gli occhiali e si chinò sul reperto:

– Sembra l'osso del bollito!

Allungò un dito, ma una voce alle nostre spalle lo bloccò.

– Non penserà mica di toccarlo?

Era l'agente di prima, francamente indispettita.

– Lo stiamo ancora esaminando – disse, e prese a passare un pennellino sotto le dita del beato come per fargli il solletico.

– Siete già in grado di dirci qualcosa?

– Per ora possiamo affermare che la resezione è stata praticata con una lama lunga e affilata, una mannaia da macellaio, per intenderci, oppure un machete, a giudicare dal taglio netto. In qualche punto i tessuti appaiono danneggiati, ma più per le manovre a cui è stato sottoposto il corpo che per l'ablazione dell'arto.

– È possibile stabilire a quando risale il corpo?

– Non ne abbiamo ancora la certezza assoluta, ma antico lo è di sicuro.

– Il commissario ha richiesto delle prove di datazione.

– Lo so. Ma per questo ci vorrà qualche giorno.

All'uscita, come al solito, Garzón aveva da dire la sua:

– Che antipatica! Ma cosa le costava lasciarmi toccare il pieduccio del frate?

– Non credo che le avrebbe portato fortuna, Fermín.

– Sì, però era così carino.

Non perdeva mai il buonumore, il mio ineffabile collega. Io sì: quando le difficoltà erano serie riuscivo a tirare fuori energie impensabili, ma quando i fatti violavano ogni logica sentivo la terra mancarmi sotto i piedi.

– E adesso cosa facciamo? – mi chiese Fermín come se davanti a noi si aprisse un vasto orizzonte di possibilità.

– E adesso, ciascuno a casa sua. E si riposi, che domani abbiamo un funerale.

– Non mi dica. E di chi?

– Ci sarebbe l'imbarazzo della scelta, ma stavolta onoreremo il nostro amico monaco.

– Il giudice ha già dato il permesso per l'inumazione?

– Sì. E frate Magí ci ha concesso il privilegio di assistere alle esequie. Mi sa che dovremo andarci. Così già che ci siamo lo convochiamo per una nuova riunione.

– Con suor Domitila?

– Esatto.

– Si beccheranno un'altra volta.

– Meglio. Forse ne uscirà fuori qualcosa di nuovo.

Il giorno dopo, mentre correvamo sull'autostrada, telefonammo ai nostri rispettivi coniugi per avvertire che anche quella sera avremmo fatto tardi. Erano già le cinque e la luce cominciava a declinare. Garzón accese il lettore e le soavi note di un CD di Saint-Saëns inondarono l'abitacolo. Di solito, quando era alla guida, il mio collega non era mai a corto di motivi per imprecare. Ce l'aveva soprattutto con i camion: occupavano la corsia di sorpasso, erano troppo veloci o troppo lenti, non mettevano la freccia... Per lui, come del resto per la maggior parte degli uomini, la strada si trasformava automaticamente in un circuito da corsa e la sua auto nella quadriga di Ben Hur lanciata verso la vittoria. Ma quella sera l'armonia della sonata, unita alla magnifica luce del tramonto invernale, che ci avvolgeva in un'atmosfera magica, lo resero tranquillo e taciturno. All'improvviso mi venne voglia di piangere, e non riuscendo a capire il motivo di quell'inspiegabile sconforto, decisi di attribuirlo alla situazione disastrosa del paese. Che orrore, pensavo, questa Spagna così triste e così insopportabile. Patria di santi suppliziati, di corpi incorrotti, di chiese costruite col sudore della fronte, e incendiate, e poi ricostruite, e poi incendiate di nuovo. In che posto ci era toccato nascere! Con il peso delle colpe dei nostri padri sempre sulle nostre spalle, spagnoli contro spagnoli, il progresso contro la reazione, la religione contro il libero pensiero... La Santa Inquisizione, i roghi in piazza, le ostie consacrate, il pulpito, e la Madonna e i santi e Gesù Cristo in croce. Come mi sarebbe piaciuto essere francese, comprarmi la baguette appena sfornata, mettermela sotto il braccio e sentire di avere alle spalle un'epica rivoluzione! E invece no. Mi era toccato vedere il piede rinsecchito di un santo col sandalo da frate. Ma aveva senso una cosa simile? Aveva senso indagare nel silenzio di un convento sotto la guida di due religiosi in sottana che non facevano che parlare di settimane tragiche, di tumulti, di cappelle profanate? Guardai Garzón. Lui certe cose poteva trovarle più o meno normali. Era cresciuto quando ancora non si erano spenti gli echi della Guerra Civile, non le aveva lette soltanto sui libri. Ma tanto per lui quanto per me era inverosimile che un odio covato per quasi un secolo potesse spingere qualcuno a commettere un delitto. Se davvero era così, allora la Spagna poteva ben dirsi il paese più disgraziato del mondo.

– Ispettore, dorme? Guardi che siamo arrivati.

Aprii gli occhi. Ormai era buio pesto e si vedevano solo le mura illuminate dell'abbazia. Garzón spense il motore. Giunsero al nostro orecchio i rintocchi di una campana a morto.

– Andiamo, la cerimonia dev'essere già cominciata.

Entrammo nella chiesa. Tutto era in penombra, tranne l'altar maggiore che rifulgeva di luce. Tre sacerdoti officiavano la messa e le prime file di banchi erano occupate dai monaci con i loro vistosi sai bianchi e neri. Dietro sedevano i parenti di frate Cristóbal. Piangevano tutti. Anche se era morto da parecchi giorni, solo ora il loro congiunto abbandonava per sempre il mondo dei vivi. Contribuivano alla solennità dell'atmosfera le note dell'organo e il canto del possente coro maschile.

– Che meraviglia! – sussurrai a Garzón.

– Ci metto la firma per un funerale così – rispose lui, a voce un po' troppo alta per i miei gusti.

Ma con l'omelia l'incanto si ruppe. La musica esalta i nostri pensieri, la parola esprime quelli degli altri. Tutta quella retorica sul Regno dei Cieli, sull'anima immortale, sull'amore divino e la resurrezione della carne era così anacronistica da farmi venir voglia di gridare. E tuttavia quando l'abate disse che fratello Cristóbal era stato un uomo semplice e umile, vissuto sempre lontano dalle vanità del mondo, mi commossi. In effetti, bisognava essere delle bestie per ammazzarlo con una mazzata alla nuca. Sentii rinascere dentro di me tutta la furia investigativa dei primi giorni e il resto della messa mi parve interminabile. Basta con la spiritualità! Il nostro era il regno di questo mondo e dovevamo scovare l'assassino. Un assassino disgustoso che aveva tolto la vita a due esseri innocenti: un monaco e una povera mendicante, entrambi senza un soldo, senza passioni, senza potere. Quello era forse l'aspetto più stravagante di quel caso: i moventi tradizionali sembravano escludere due figure come quelle dal novero delle possibili vittime.

Quando la cerimonia finì rimanemmo ad aspettare che tutti i monaci sfilassero davanti a noi. Poi furono i genitori e i fratelli del defunto ad avviarsi compunti verso l'uscita, chiusi nel loro dolore e nella loro solitudine. Pur essendo i congiunti, erano rimasti in secondo piano, dietro la famiglia ecclesiastica. Abbassai gli occhi per non doverli salutare: non avrei saputo cosa dire. Alla fine Garzón ed io ci ritrovammo soli nella chiesa deserta.

– E adesso? – domandò lui.

– Adesso torniamo in portineria e chiediamo il permesso per parlare con frate Magí.

– Non mi abituerò mai a questa storia dei permessi. Non avere la libertà di entrare e uscire o di parlare con chi mi pare e quando mi pare mi dà sui nervi.

– È chiaro che lei non prenderà mai i voti, Fermín.

– No di certo! La vita è troppo bella per perderla in questo modo.

– Non è mai chiaro in che modo si perde la vita.

– Lasciamo stare la filosofia e andiamo a chiamare il monaco. Se quelli cominciano con le loro preghiere del cavolo non potremo interromperli e ci toccherà rimanere qui tutta la notte.

Fermín Garzón era realismo allo stato puro. Se mai fossi caduta nel dormiveglia dell'irragionevolezza, la medicina sicura per uscirne sarebbe stato uno scambio di idee con lui.

Frate Magí si fece attendere quasi un'ora. Si scusò:

– Perdonatemi, ma mi sono concesso un momento di meditazione.

– Certo, certo – gli rispose Garzón, come se per lui le pratiche meditative fossero pane di tutti i giorni.

– Fratello, è al corrente degli ultimi fatti?

– Vediamo tutti il telegiornale all'ora di cena.

– In questo caso saprà della mutilazione del beato.

– Purtroppo sì. La notizia è stata data in un modo

che non posso che disapprovare. Sembrava parlassero di una caccia al tesoro.

– È sempre così. La gente chiede spettacolo, non informazione.

– E adesso staranno tutti aspettando che salti fuori l'altra zampa – disse il viceispettore.

Temetti la reazione del monaco. Eppure mi parve di cogliere sul suo volto un lievissimo sorriso.

– Non le sarà sfuggito che il ritrovamento è avvenuto in uno dei luoghi da lei elencati nella sua lista sulla Settimana Tragica.

– Sì, certo. Proprio davanti all'antico oratorio dei Filippini. Le mura esterne sono rimaste le stesse, ma ora l'edificio è adibito ad altro uso.

– Comprenderà che ci è più che mai indispensabile il suo aiuto, e quello di suor Domitila. Forse fra tutti e due saprete trovare nuove informazioni che gettino luce sulla vicenda.

– Ispettore, ci proverò. Quando pensate che potremmo incontrarci?

– Domani stesso. L'ideale sarebbe che veniste in commissariato, se la madre superiora acconsentirà a far uscire suor Domitila dal convento.

– D'accordo, allora. Cercherò di procurarmi dati più precisi sull'oratorio scomparso.

– Alle undici andrebbe bene per lei?

– Chiederò all'abate, ma non penso ci siano problemi.

Al ritorno guidai io, e il mio collega, dimentico dell'atmosfera conventuale, sintonizzò la radio su una trasmissione sportiva. Varie voci si affannavano a commentare il campionato di calcio con tale passione e drammaticità da far impallidire il teatro shakespeariano. Io ero arrivata ad astrarmi al punto che quel chiasso non mi disturbava. Ormai avevo capito che per tutti gli uomini, senza eccezione alcuna, le notizie sullo sport sono indispensabili alla sopravvivenza. Niente di male. In fin dei conti era una tradizione antica e abbastanza innocua. E poi dopo quella cerimonia quasi irreale un bagno di quotidianità aveva effetti confortanti sul mio animo. Pensai a mio marito e mi parve di non averlo più visto da secoli. Se è vero che "lontano dagli occhi lontano dal cuore", allora per salvare il nostro matrimonio avrei dovuto comprare alla svelta due videofonini.

– Ci vediamo al convento – si limitò a dirmi Garzón, ormai ridotto a uno zombi, quando lo depositai davanti al commissariato.

A casa trovai Marcos in cucina. Stava cenando.

– Non ti ho preparato niente – ammise. Poi, in tono di velato rimprovero: – Visto che non avevo idea di quando saresti tornata...

– Siamo stati al funerale della vittima. Della prima, dal momento che, come sai, siamo già a due.

– Nemmeno io ho avuto una gran giornata.

– Qualche problema con i bambini?

– Qualche problema sul lavoro. Uno dei committenti ha bocciato una parte del progetto e bisogna rifare tutto.

– E non è una cosa che succede?

– Può succedere, ma questa volta le motivazioni sono assurde.

– Il mondo è assurdo! Cosa stai mangiando?

– Due fette di roast-beef che ho trovato nel frigo. A proposito, Jacinta ha lasciato un biglietto. Dice che se non ci decidiamo a fare la spesa in internet, presto non saprà più cosa cucinarci.

Mi lasciai cadere su una sedia. Il mio cervello non riusciva più a mettere insieme i diversi pezzi della realtà. Contemporaneamente, nello stesso luogo, dei monaci seppelliscono un confratello assassinato, strani assassini spuntano fuori dalla notte dei tempi per rubare un corpo rinsecchito, dei poveri poliziotti vanno di qua e di là senza capire niente, e intanto gli architetti disegnano, le donne di servizio lasciano biglietti e per di più bisogna far la spesa e mangiare, sempre mangiare.

– Voglio farmi suora – bisbigliai.

– Cos'hai detto?

– Niente, una sciocchezza. Me ne occupo io.

– Di cosa?

– Della spesa. Domani esco un po' più tardi, quindi...

Marcos mi guardò e sorrise.

– Mi dispiace, ti ho ricevuto un po' malamente. A volte la vita rende le cose difficili.

– Peggio di un cruciverba senza schema. Oggi, al funerale, ho pensato che i monaci stanno meglio di noi.

– Lo pensi davvero?

– Sì, alla chiesa del Poblet quando li ho visti cantare in coro, mi sono detta: sai cosa significa tutto questo? Che almeno in un convento hai sempre un mucchio di gente intorno che ti sostiene. Un giorno ti senti giù e ce l'hai con mezzo mondo? Fra quaranta fratelli ce ne sarà uno disposto a tirarti su. Mentre nel matrimonio...

Marcos scoppiò a ridere.

– Per te tutti i mali del creato sono sintetizzati nel matrimonio. Eppure ti sei sposata tre volte.

– Tutti possono sbagliare. E poi...

– E poi?

– E poi se mi contraddici ancora una volta la spesa in internet la fai tu.

– È il tuo turno.

– Non me ne importa un fico secco.

Ci guardammo, stanchi e divertiti.

– Andiamocene a dormire – propose lui. Accettai. Dormire soli era uno dei pochi aspetti della vita monastica che non mi convincevano.

9

La stramaledetta madre superiora non era disposta a concedere una nuova visita di suor Domitila in commissariato. Suggerii che come l'altra volta suor Pilar la accompagnasse, ma lei fu irremovibile.

– Suor Domitila, giustamente, ritiene poco opportuno per una giovane visitare un luogo del genere.

Persi la pazienza e alzai la voce:

– Madre Guillermina, si rende conto che se le facessi inviare regolare notifica lei non potrebbe negare il suo consenso?

– Mi spiace, ispettore, ma si dà il caso che suor Domitila non sia una testimone. Il suo aiuto è richiesto solo a titolo di consulenza. Gratuita, per di più.

Monaca dei miei stivali! Certo, non per nulla era diventata madre superiora. Di colpo trovai la soluzione:

– E se la accompagnasse lei? Naturalmente non la lasceremo aspettare in corridoio, parteciperà alla riunione.

All'altro capo della linea ci fu un silenzio prolungato. Sentii una specie di piccolo soffio. Stava aspirando il fumo di una sigaretta. Alla fine disse:

– A che ora?

– Alle undici.

Esalò un «va bene» come se mi facesse una specialissima concessione.

– Mando un taxi a prenderla, d'accordo?

– Le ho già detto di sì – rispose con finto malumore, e poi aggiunse, con un sospiro di rassegnazione che trasudava falsità: – Tutto, pur di collaborare con la polizia. Nessuno deve poter dire che le sorelle del Cuore Immacolato non stanno facendo il possibile in questa spaventosa circostanza.

Due ore dopo ebbi la gioia di vedere gli abiti delle due suore contrastare vivacemente con il grigiore dell'ambiente poliziesco. Madre Guillermina non riusciva a impedire che la sua enorme curiosità per tutto quel che vedeva affiorasse ai suoi occhi vivi e intelligenti. Mentre Garzón preparava la sala e riceveva il monaco, offrii loro una breve visita guidata. La superiora non tentò nemmeno di rifiutare ed entrambe mi seguirono per uffici e archivi ascoltando con puntigliosa attenzione le spiegazioni che mi sforzavo di rendere il più possibile interessanti. Dissi:

– Se volete, quando avremo finito qui, vi porto a fare un giro ai laboratori della scientifica. Anzi, possiamo fare di meglio: lei, suor Domitila, comincerà subito a lavorare con frate Magí sotto la guida del viceispettore, mentre madre Guillermina ed io ce ne andremo a trovare i colleghi scienziati.

Mi bastò guardare madre Guillermina per capire che niente avrebbe potuto attirarla di più. Il volto le si illuminò, ma poi subito tornò a incupirsi.

– Non so se sia corretto, ispettore.

– Ma certo che lo è! Al convento tutto funziona secondo le vostre regole, qui no.

– Deve sapere che ovunque si trovi una monaca, quello è il suo convento.

– D'accordo. Ma allora perché non portare un po' di pace conventuale anche ai poliziotti della scientifica?

Lei rise. Intercedette suor Domitila:

– Vada pure, madre. Imparerà cose interessanti che poi potrà trasmettere a noi consorelle.

Finalmente accettò. Quando uscimmo era felice e contenta. La giornata era radiosa e lei tirò fuori dalla borsa un astuccio con un antiquato paio d'occhiali da sole che si mise subito sul naso.

– Così sembra una diva hollywoodiana degli anni Quaranta – le dissi. Lei rise.

– Ma lo sa lei che è una bella sagoma, come si dice dalle mie parti? Questi occhiali li ho da quand'ero ragazza e devono durare fino alla mia morte, che prego Dio non arrivi troppo presto.

– Non ha il diritto di comprarsi niente?

– Solo lo stretto necessario, ed essere alla moda non è strettamente necessario.

– Tutto considerato è vero che fate una vita di sacrifici.

Rimase zitta. Quella donna mi era simpatica. Avrebbe potuto sistemarmi con una predica sulle persone che non hanno niente o sull'amore di Dio che non bada alle apparenze, e invece si limitò a tacere, senza smettere di guardarsi intorno con un mezzo sorriso sulle labbra. A un tratto qualcosa attrasse la sua attenzione: un tizio con tutta l'aria del giovane manager rampante parlava da solo camminando a tutta velocità. Lei mi interrogò con lo sguardo.

– Sta parlando al telefonino. Ha un apparecchietto fissato all'orecchio che gli permette di sentire – le spiegai. Lei voltò la testa per continuare a osservarlo.

– Questa non l'avevo mai vista! Dà un'impressione di follia, non crede?

– Ci sono giorni in cui tutto mi dà un'impressione di follia.

Subito dopo si fermò davanti alla vetrina di un negozio di articoli sportivi. Ne fui stupita. Sentì di dovermi delle spiegazioni:

– Stavo guardando quei manubri tutti colorati. Sembrano di un materiale nuovo. I miei sono di quelli vecchi, di piombo.

Nuovo stupore da parte mia. Nuove spiegazioni:

– Noi suore abbiamo molto bisogno di fare ginnastica. Così ci teniamo in forma, dato che non usciamo mai. Ci mettiamo in mutandoni e maglietta, con un fazzoletto sulla testa.

Sorrisi, cercando di prendere la cosa con naturalezza, ma lei si accorse della mia perplessità.

– Lo trova ridicolo, vero?

– Ma si immagini.

– Certo che lo trova ridicolo. L'idea di una suora in mutandoni fa ridere chiunque.

Non potei trattenere una risata.

– Lo vede?

– No, stavo pensando a un'altra cosa. La gente trova sempre motivo di curiosità nella vita delle suore come in quella dei poliziotti. E noi non facciamo eccezione. Io mi stupisco per quello che fa lei, lei per quello che faccio io.

– Perché entrambe apparteniamo a categorie un po' ai margini della società.

– L'idea non è male.

– L'idea di essere ai margini?

– No, che lei ed io abbiamo qualcosa in comune. Forse non siamo così diverse.

– Forse no – rispose, e ci sorridemmo.

La gita alla scientifica fu un successo. Affidai madre Guillermina alle cure dei colleghi e ripassai a prenderla un'ora dopo. Era entusiasta.

– Ispettore, non la ringrazierò mai abbastanza per l'opportunità che mi ha dato. Tutto era nuovo per me, anzi, più che nuovo, appassionante. Quante risorse, quanta tecnologia al servizio dell'ordine!

Era esaltata come una ragazzina.

– Ha voglia di prendere qualcosa prima di tornare in commissariato? – le domandai.

Come se le avessi fatto una proposta ai limiti della decenza, lei ebbe un sussulto.

– Non so se sia una bella cosa che io entri in un locale pubblico.

– Prenderemo solo un caffè.

Anche questa volta, accettò. Entrammo in un affollato bar della via Augusta. Madre Guillermina osservava ogni particolare con l'attenzione e la meraviglia di un bambino in un negozio di giocattoli. Ordinai due caffè al banco. Molti avventori ci fissavano. Non era più così normale vedere delle monache in giro per la città come nella Spagna d'altri tempi. Ormai, con il loro spettacolare abito medievale si avviavano a diventare una curiosità antropologica. Per fortuna la mia amica non parve accorgersi di nulla. Si divertiva come una matta, assaporando ogni sorsetto del suo caffè. Al convento appariva sicura, nel pieno dominio di ogni situazione, armata di un sapere antico che le conferiva grande dignità. Lì, invece, fuori dal circoscritto ambiente claustrale assumeva un'aria infantile che la rendeva quasi incantevole.

– Guardi quei canapè! – disse, indicando un vassoio di complicate tartine. – Devo dire alla nostra suora cuciniera che ci prepari anche lei delle cosine così per la merenda della domenica.

Rise da sola, divertita all'idea di inserire certe delicatezze nel vitto quasi carcerario del convento. Risi anch'io. Quella donna mi era sempre più simpatica. Invece di lanciare strali sulle mollezze della vita cittadina, rivolgeva la sua attenzione a tutte le cose nuove e piacevoli che colpivano il suo sguardo.

Il ritorno in commissariato fu traumatico per entrambe. Anch'io avevo goduto di un momento di grazia facendole da guida nel facile mondo della vita quotidiana. Ora però le elucubrazioni dei nostri esperti ci avrebbero fatalmente allontanate dalle piccole gioie del presente.

In sala riunioni Garzón e i due religiosi dovevano aver lavorato senza tregua. Dallo sguardo del mio sottoposto dedussi che il tempo dedicato alle ricerche aveva dato frutti. Ci sedemmo anche noi intorno al tavolo e lasciammo che Garzón continuasse a dirigere l'incontro con l'inimitabile stile che gli era proprio.

– I nostri due... collaboratori qui presenti sarebbero arrivati alla conclusione che il piede della mummia, pardon, del beato, è stato collocato in plaça de Sant Felip perché lì era ubicato il famoso oratorio dei frati di Sant Felip, volgarmente detti Filippini, che è andato a fuoco durante la Settimana Tragica. E dato che con la famosa repressione diversi anarchici e facinorosi furono condannati a morte, e chissà quanti si fecero anni di galera, il fratello e la sorella qui presenti fanno presente che l'omicidio potrebbe essere una vendetta di un discendente dei giustiziati o di qualcun altro che l'ha pagata cara. In ogni caso la mummia, ovverosia il beato in oggetto, dev'essere il beato in persona, e non un sostituto, come prima si sarebbe potuto sospettare, perché adesso che abbiamo il piede mozzo le analisi ci diranno di che epoca è, e di conseguenza l'assassino, se avesse saputo che il morto non era il beato, sarebbe stato attento a non lasciare pezzi in giro che si sarebbero potuti riconoscere. Non so se mi sono spiegato, perché se devo essere sincero anch'io in questa faccenda ho una gran paura di fare una confusione del diavolo.

La madre superiora fu la prima a intervenire:

– Ma insomma, non capisco. Nel caso si sia trattato di una vendetta, perché mai avrebbe dovuto prendere di mira la persona di frate Cristóbal? E perché l'assassino avrebbe dovuto rubare il corpo incorrotto del beato Asercio? Cosa c'entriamo noi, sorelle del Cuore Immacolato, con la repressione di un episodio che non ha toccato, se non molto di sfuggita, il nostro convento?

– Questo è il punto – rispose il viceispettore, – non sappiamo che cosa leghi gli elementi dell'ipotesi. L'unica è sperare che l'assassino stia cercando di attirare l'attenzione. Forse quando l'attenzione ricevuta gli sembrerà sufficiente, ce lo spiegherà lui con uno dei suoi bigliettini scritti in gotico.

– Non parli al plurale, perché finora ne ha scritto solo uno.

– Questo è un aspetto da considerare – disse timidamente frate Magí. – In effetti è strano che sul luogo del secondo delitto non abbia lasciato alcun messaggio, e neanche nel pacco della reliquia profanata. Se quello che voleva era giocare agli indovinelli, avrebbe continuato, non credete?

– Sì, anche a me pare strano – disse Garzón.

– Magari non è la stessa persona – esclamò madre Guillermina. La guardai con severità:

– Proprio lei che si interessa tanto ai metodi d'indagine dovrebbe sapere che non si fanno affermazioni senza un motivo fondato. Perché dietro i due omicidi non dovrebbe esserci la stessa persona?

La madre superiora rimase sconcertata e mi guardò delusa:

– Pensavo fosse vostro compito trovare una spiegazione.

– Chi ha ucciso frate Cristóbal ha ucciso anche la mendicante, madre. E chiunque sia stato, ha sottratto il corpo del beato e lo tiene nascosto. Questo per il momento è un assioma – sentenziai.

– Un dogma di fede – ironizzò frate Magí.

Tutta la sicurezza di cui facevo sfoggio davanti agli estranei non era che una sottile mano di vernice a mascherare la misera realtà: non ero sicura di niente.

– Allora, che cosa suggerite? – chiese Garzón nel tentativo di chiarire un paio di punti.

– Umilmente penso che suor Domitila ed io potremmo proseguire con le nostre ricerche: da una parte si tratterà di vagliare tutti i documenti relativi a fatti della Settimana Tragica che possano riguardare il convento del Cuore Immacolato. Dall'altra, reperire informazioni all'archivio diocesano sull'antico Oratorio di San Filippo Neri e sulla sua distruzione. Se suor Domitila non potrà trascurare i suoi doveri al convento, io stesso mi assumerò l'intero carico del lavoro, con l'autorizzazione dell'abate, beninteso.

– Assolutamente no! – saltò su suor Domitila come se l'avesse punta una vespa. – Ci sono fascicoli nel convento di cui solo io conosco la collocazione. E poi non intendo abbandonare le indagini proprio ora che stiamo arrivando a qualcosa di concreto.

Di colpo si rese conto dello stupore che la sua reazione aveva suscitato e si rivolse alla madre superiora e a me per aggiungere, in tono più remissivo: – Naturalmente tutto dipende da ciò che riterrà giusto madre

Guillermina e dall'opinione dell'ispettore sull'utilità del mio lavoro.

– Da parte mia reputo indispensabile che lei ci dia una mano – risposi con sincerità.

La madre superiora si decise seduta stante:

– Certo che ha il mio permesso. Qualunque cosa possa servire a far luce su questi delitti avrà sempre l'appoggio delle sorelle del Cuore Immacolato.

Mi sarebbe piaciuto sapere se quella gente di chiesa fosse così disinteressata come dava a vedere o se ciascuno di loro fosse mosso da ragioni ben radicate nella natura umana. Frate Magí poteva aver cercato di togliersi di torno suor Domitila con quella sua offerta di accollarsi lui il lavoro. Ed era plausibile che suor Domitila non volesse rinunciare all'orgoglio di prendere parte alle indagini. Anche la madre superiora, mostrandosi così acquiescente, poteva nascondere un'avidità di informazioni assai poco rinunciataria. Ma non era il caso di pensar male, e poi, quali che fossero le loro motivazioni, l'importante era che qualcuno si occupasse con competenza di cose sulle quali non eravamo preparati.

Un taxi si portò via tutta la nostra squadra celestiale e finalmente io e Garzón rimanemmo soli.

– Che ne dice? – mi chiese.

– Che cosa vuole che le dica, Fermín? È vero che una vendetta a distanza di tanti anni mi sembra inverosimile, ma quando penso a tutta la gente strana che popola questo paese...

– Stiamo a vedere che cosa ne esce. Intanto, io e lei,

che facciamo? Non vorrà che ci chiudiamo anche noi in una biblioteca?

– No, io e lei adesso dobbiamo vedercela con Coronas e con l'addetto stampa.

– In che senso?

– Bisognerà rimettere in azione lo psichiatra. La stampa non è mai stata così tranquilla come nei giorni in cui era lui a rispondere alle domande.

– Quello è capace di dire che siccome non gli diamo retta non ha più voglia di occuparsene.

– Vedrà che ne sarà ben lieto, invece. E anche i giornalisti. Ci vanno a nozze con i matti. Dica al commissario che ci serve una nuova consulenza psichiatrica. L'idea gli piacerà. Ne parlerò con Sonia e Yolanda.

– A Sonia verrà un altro attacco di nervi quando saprà che le tocca una nuova caccia allo psicopatico.

– Non importa. Il dottor Beltrán avrà una soluzione anche per lei.

– Bene. In questo modo teniamo aperte due linee investigative. Ma non mi ha ancora risposto: che cosa facciamo lei ed io?

– Apriamo la terza, no? Ma prima ci meritiamo un pomeriggio libero.

– Non mi dica!

– Proprio così. Ho promesso a Marcos di occuparmi dei bambini.

– Vuole che le faccia compagnia?

– No, grazie, Fermín. Declino l'offerta. Non voglio che mi rubi la scena di fronte ai miei figliastri.

– Lei è peggio di suor Domitila. Ha visto come se

l'è presa quella santa donna quando ha avuto paura di rimanere tagliata fuori dalle indagini?

– In convento e fuori, ci somigliamo tutti, mi creda.

Un pomeriggio di baby-sitting era quel che mi ci voleva. Per qualche ora avrei lasciato riposare la mente e avrei smesso di pensare a quel caso così irriducibile. Ero stanca di correre dietro ai fatti senza che ne uscisse una sola ipotesi accettabile. Per questo mi ero offerta io stessa di occuparmi dei ragazzi. L'appuntamento era alle cinque e arrivarono tutti e tre con la massima puntualità.

– Siamo andati a casa di Marina in taxi – mi informò Hugo.

– E poi siamo venuti qui da soli – aggiunse la bambina, orgogliosa della prodezza.

– Questo vuol dire che ormai siete grandi – dissi per lusingarli.

– Io il taxi da solo l'avevo già preso un sacco di volte – intervenne Teo che non rinunciava a primeggiare in tutto.

Si tolsero i cappotti e cominciarono a sistemarsi tranquillamente in soggiorno. Ma io avevo già dei programmi.

– Vostro padre arriverà verso le otto, e visto che oggi sono libera possiamo fare qualcosa di bello insieme. Se vi va, vi porto al cinema.

L'idea li sconcertò. Si guardarono tutti e tre senza sapere cosa rispondere. Alla fine Teo prese la parola:

– E che cosa andiamo a vedere? Perché noi, per metterci d'accordo su un film, facciamo sempre casino.

– Come, casino?

– Eh, sì, perché Marina vuole sempre vedere cartoni o film pallosi di principesse.

– Non è vero! – saltò su la bambina.

– E a Hugo piacciono i film violenti con un sacco di sangue e gente che dice parolacce.

– Già, perché a te no! – si ribellò il fratello.

– E allora si può sapere a te che cosa piace?

– Lui vuole vedere solo film che fanno paura, pieni di gente morta che poi ritorna viva e ammazza tutti facendo uscire le budella – puntualizzò Marina, vendicativa.

– A me veramente i film che piacciono di più sono quelli di poliziotti – annunciò Teo con orgoglio.

– Che schifo! Sono tutti uguali. Alla fine prendono sempre l'assassino e lo mettono in galera – concluse Hugo.

– Certo che siamo a posto! – riassunsi. – Se è così difficile mettervi d'accordo, allora guarderò sul giornale e deciderò io.

Dalle loro facce sbalordite capii che non si aspettavano una conclusione così categorica, ma nessuno protestò. Sfogliai il giornale e scelsi una soluzione neutra:

– Al Capitol danno un documentario sugli animali dell'Artico. E dato che io vado matta per la natura, andremo tutti quanti a vederlo.

Probabilmente pensarono che quello stile dispotico fosse una specie di deformazione professionale perché non tentarono neppure di discutere. Solo Teo azzardò timidamente un commento che poteva somigliare a una protesta:

– Saranno tutti animali in via di estinzione per il cambiamento climatico, così poi viene fuori che la colpa è nostra perché usiamo troppa acqua calda nella doccia. È sempre così.

Feci finta di non aver sentito e mi preparai per uscire. Mi parve stranissimo ritrovarmi per strada con tre bambini al seguito. Era una situazione del tutto nuova. Un po' pensavo che sarebbe stato divertente incontrare qualche vecchio amico, e un po' la sola possibilità mi faceva orrore. Comunque non incontrai nessuno.

Entrammo nella sala buia e ben presto fummo trasportati in un universo di ghiacci. Il gioco della vita e della morte si materializzò davanti ai nostri occhi attraverso le vicende degli animali in lotta per la sopravvivenza. In alcuni momenti, come quando un orso polare aggredì un gruppo di pacifici trichechi, temetti che il film non fosse adatto ai bambini. Poi mi rimproverai quell'eccesso di moralismo e capii quanto sia facile diventare iperprotettivi e retrogradi quando si hanno figli piccoli. Ringraziai il cielo di essere scampata a un simile destino. All'uscita del cinema, manco a dirlo, i miei protetti erano tranquillissimi, mentre io ero in preda all'angoscia che lo spettacolo della vita selvaggia mi aveva suscitato: competizione fra specie, predatori e vittime, ghiacci che si sciolgono, orsi che uccidono i propri cuccioli... Meglio non fare paragoni col mondo degli esseri umani.

– E adesso una bella merenda! – dissi, sperando di scrollarmi di dosso quel turbamento, e li condussi tutti e tre in un caffè della Diagonal famoso per la cioccolata calda, dove si gettarono con entusiasmo sulle paste. Io mi limitai a sorseggiare un bourbon per rimettermi in sesto.

– Come vi è sembrato il film? – domandai.

– Bello – fu l'intervento dei gemelli a quel cineforum improvvisato.

– A me però non è piaciuto che quel papà orso fosse così cattivo con i suoi bambini – disse infine Marina.

– Neanche a me, tesoro – confermai con sincera solidarietà femminile.

– Gli animali sono fatti così – sentenziò Hugo.

– Io a ogni scena sapevo che cosa sarebbe successo dopo – fu il contributo di Teo.

– Tu preferisci che la vita ti sorprenda, vero? – gli domandai col dente avvelenato.

– Sì, però non mi capita mai.

– Questo è grave.

– Perché, a te invece sì?

– No, ma io ho più di quarant'anni, mentre tu nei hai solo dodici. E se a dodici anni niente riesce più a sorprenderti, finirai per annoiarti parecchio.

– Il fatto è che voi grandi ci fate vedere sempre le solite cose. Quelle interessanti ve le tenete per voi.

– E quali sarebbero queste cose interessanti?

– Le cose interessanti della vita.

Mandai giù un sorso di whisky. Caspita! Il ragazzino aveva colto nel segno. All'anima delle tenere creature! pensai. A dodici anni sono così svegli che è ridicolo pretendere che non capiscano o si accontentino delle briciole della torta. Ma dovevo ancora sentirne delle belle, perché Teo, consapevole dell'importanza di quella sua dichiarazione, tenne a completarla affermando:

– Anche tu che fai tanto la simpatica non ci dici mai niente delle tue indagini perché pensi che certe cose non sono adatte ai bambini. E così noi non capiamo niente e ci sorbiamo sempre la stessa barba: gli animali, i fiori, i cartoni animati e quello scemo di Indiana Jones... Ormai certe storie le conosciamo a memoria.

Agitai i cubetti di ghiaccio in fondo al bicchiere, mi schiarii la gola. Lo capivo così bene che avrei voluto mettermi a ridere. Mi trattenni. Dovevo decidermi a prendere il toro per le corna, solo così sarei riuscita a risolvere i problemi che mi trascinavo dietro fin dagli inizi del nostro rapporto. Mi feci coraggio.

– Magari ti sbagli, Teo. Magari se non vi racconto molto non è perché penso che voi non possiate capire, ma perché ho paura che corriate a ripetere le mie confidenze alle vostre madri, come è già successo.

– Io non la faccio la spia! – gridò Marina saltando su come un ghepardo. Evidentemente aveva seguito benissimo tutta la conversazione. La faccia di Teo dimostrò che aveva accusato il colpo, così come quella di Hugo. Tardarono entrambi a rispondere, girando inutilmente il cucchiaino nella tazza. Alla fine Teo, rosso fino alle orecchie, si mostrò pentito per la prima volta da quando lo conoscevo:

– Non sapevamo che fosse così importante mantenere il segreto.

– Tutto quello che ha a che fare con la polizia è segreto. E dovete capire che se voi raccontate quello che vi dico a vostra madre, posso pensare che facciate lo stesso con i vostri insegnanti, con i compagni di scuola, con chiunque vi faccia delle domande.

– No, questo no! – esclamò Hugo.

– E perché no? Quando si perde la fiducia in qualcuno, la si perde su tutto.

Seguì un silenzio meditativo e imbarazzato. La mente di Teo lavorava come un orologio. Alla fine mi chiese:

– Ma se noi ti promettiamo e ti giuriamo...?

– Va bene – lo interruppi. – Affare fatto. Che cosa volete sapere?

Teo non si perse d'animo e partì subito all'attacco:

– È vera la storia del fanatico religioso?

– Stiamo cercando di verificarlo, anche se io sinceramente non ci credo. Però parleremo di nuovo con lo psichiatra. Lo rivedrete in televisione. Ci serve per impedire che i giornalisti ficchino troppo il naso nelle nostre cose.

Un'ondata di soddisfazione percorse i miei tre interlocutori.

– E poi un frate e una suora esperti di storia stanno cercando di capire se il delitto può essere una vendetta per qualcosa che è successo molto tempo fa. Avrete sentito parlare della Settimana Tragica. Molte persone furono punite per quel che successe allora. E adesso qualcuno dei loro nipoti o pronipoti potrebbe essersene ricordato.

– La Settimana Tragica è una cosa della Guerra Civile? – chiese Hugo.

– No, è stata molto prima.

– Poi guardiamo in internet – intervenne Teo, temendo che potessi rovinare le mie rivelazioni con una noiosa lezione di storia.

– Secondo me è una cosa che ha fatto Franco – disse Marina, che cominciava a perdere il filo.

– Non proprio. Comunque fu un momento difficile in cui delle persone, per protesta, bruciarono molti conventi.

– Pazzesco! Pensa che un mio compagno di classe dice che Franco non era così cattivo – disse Hugo.

Ma Marina aveva le idee chiare.

– Quel bambino della tua classe non capisce niente. Papà mi ha detto che Franco era cattivissimo, peggio degli orsi che abbiamo visto oggi.

L'eterno conflitto della Spagna era già presente nelle loro giovani menti con opinione inclusa nel pacchetto. Non credevo alle mie orecchie. Ma Teo non mollava.

– E allora? – mi chiese guardandomi negli occhi.

– E allora, cosa?

– Tu che cosa pensi? Credi che sia vera la storia della vendetta?

– Tutto porta a pensarlo. Ma se devo dirvi la verità, faccio fatica a crederci. Il mio istinto di poliziotto mi dice che il movente è qualcosa di molto più concreto, più vicino, più materiale. È sempre così, in tutti gli omicidi.

Le mie parole dondolarono nell'aria e rimasero lì, sospese, mentre i bambini le sorbivano pensierosi. Continuai, prima che sfoderassero nuove domande:

– E adesso vi dirò cos'ho deciso di fare. Ma dovete capire bene che non lo sa ancora nessuno. Nemmeno il viceispettore Garzón.

– Nemmeno lui? – Hugo aveva gli occhi fuori dalle orbite.

– No. Glielo dirò domani mattina. Quel che farò sarà indagare a fondo nell'ambiente di quella povera donna che hanno ammazzato.

– Quella signora che chiedeva l'elemosina?

– Proprio lei. Forse non abbiamo preso abbastanza sul serio la sua storia e ci siamo persi qualcosa.

– Ma ormai è morta. Perché non l'avete fatto subito?

– Purtroppo sono cose che succedono nei casi difficili. Si corre troppo in fretta dietro a nuove piste e non si approfondiscono abbastanza quelle che ci sono già. Ma ogni tanto bisogna avere il coraggio di tornare indietro.

Sapevo che non potevano capire tutto quel che dicevo, ma erano così contenti di essersi guadagnati la mia fiducia che mi ascoltavano senza battere ciglio. Meglio così, perché non avrei saputo come spiegare certe cose con parole più semplici.

– E adesso, se avete finito con la cioccolata possiamo andare. Vostro padre dev'essere già a casa.

In silenzio solenne cominciarono a mettersi i cappotti. Teo, come senza volerlo, disse:

– Grazie, Petra.

– Come? – Desideravo una piccola conferma.

– Grazie per averci raccontato tutto questo.

– Però voi...

Marina mi interruppe per affermare con energia:

– Se dite qualcosa di quello che ha detto Petra a vostra madre vi giuro che non sarò mai più vostra sorella.

– Ma cosa credi? Noi terremo la bocca chiusa. Però se scoprite qualcosa ce lo dirai, vero, Petra?

– Se è interessante, sì.

Tornai a casa con la sensazione di avere finalmente firmato un trattato di pace, o almeno un armistizio. All'ora di andare a letto lo comunicai a Marcos.

– Mi fa piacere – disse laconicamente. Poi aggiunse: – Chiederò a Teo come hanno fatto a farti parlare. Adesso i miei figli ne sanno più di me.

– Ti racconterò tutto domani. Sono stanca di fare il portavoce familiare della polizia. Lo sai cosa penso certe volte? Che tu mi abbia sposata per dare ogni tanto una sbirciatina al lato oscuro delle cose. Tutto era troppo perfetto nella tua vita senza di me.

– Mi sembra un'idea così complicata che dovrò dormirci sopra. Sono morto di stanchezza anch'io. Domani ne riparleremo.

– Sì, domani è un altro giorno – mormorai, e ci abbracciammo in silenzio.

Il mattino dopo le nostre indagini ripartirono su tre linee investigative parallele. Il dottor Beltrán aveva accettato di incontrarci. Disse di avere sempre saputo che l'avremmo richiamato e si diede a tracciare nuovi profili di pazzi come un pittore espressionista paranoico. Yolanda e Sonia lo affiancarono e io ne fui felice perché avrei potuto passare tutti i loro rapporti a Villamagna dopo averli opportunamente filtrati. Poi li avrei tranquillamente cestinati.

Quanto ai nostri esperti, frate Magí trascorreva le sue giornate al convento a spulciare vecchie carte con suor Domitila. Sarebbe bastato vederli ogni due o tre giorni per capire come andavano le cose, a meno che non scoprissero novità spettacolari, nel qual caso ci avrebbero convocati.

Finalmente Garzón ed io eravamo liberi di muoverci a nostro piacimento, come forse avremmo dovuto fare sin dall'inizio di quelle indagini troppo inquinate da interventi esterni. Mi sedetti davanti a lui e gli sorrisi.

– Che ne dice di andare alla casa di accoglienza dove dormiva Eulalia Hermosilla, la nostra mendicante?

– Accidenti, neanche me lo ricordavo il nome di quella donna. Sono successe tante cose...!

– Mi dispiace sentirglielo dire. Quella poveretta è stata fin troppo trascurata. E adesso, dopo il ritrovamento del piede mozzo, come dice lei, nessuno se la ricorda più.

– Cosa vuole, l'essere umano è superficiale, bada più all'eccezione che alla norma: al mondo ci sono più mendicanti che piedi di santo.

– Devo ammettere che ha ragione – dissi, e mi sfuggì un sorriso.

La responsabile della casa di accoglienza non parve contenta di ricevere per l'ennesima volta degli investigatori. Cercai di mettermi nei suoi panni. Aveva parlato con i Mossos d'Esquadra, e poi con noi, e poi con Yolanda e Sonia, e chissà quante altre volte con la squadra che avevamo messo in moto per cercare la povera Eulalia. Senza dare segni di irritazione, ma appellandosi al nostro buon senso, spalancò le braccia e disse:

– Signori, davvero, non so proprio cosa speriate di trovare qui. Non è successo nulla che possa riguardare la povera Eulalia. Neppure dei parenti si sono presentati. È probabile, se ci sono, che stiano facendo finta di niente per non dover provvedere al funerale.

– È stato già deciso qualcosa al riguardo?

– Pare che il giudice abbia dato l'autorizzazione ieri.

– Questo giudice fa quello che vuole – sussurrai all'orecchio di Garzón. Poi domandai: – Sa se ci sarà una cerimonia?

– Eulalia non era praticante di nessuna religione, quindi verrà cremata con una cerimonia laica. Leggeremo un testo adatto a queste occasioni. Ci sarò io, con qualche operatrice che la conosceva. Sarà una piccola cerimonia d'addio. Naturalmente i nostri utenti potranno partecipare, se lo desiderano, ma di solito non ci tengono molto. Chi di sicuro verrà è Lolita, l'amica di Eulalia. Si sedevano sempre insieme in mensa...

– Ci saremo anche noi – promisi, in uno slancio di solidarietà.

– Gliene sarò grata. Vede, spesso la gente si comporta come se il nostro lavoro con i senza dimora fosse uno spreco di risorse più che un servizio reso alla società.

– E Lolita è stata sentita dai nostri colleghi?

– Certo, ma non è riuscita a dire molto.

– Sì, mi pare di averlo letto sui verbali. Che tipo è?

La responsabile distolse lo sguardo. Scosse la testa e disse in tono disincantato:

– Che tipo crede che sia, ispettore? Come tutti quelli che finiscono qui, un rottame umano. È alcolizzata da almeno trent'anni. Per fortuna, con un intervento farmacologico siamo riusciti a farla smettere di bere. Ma ormai ha sessant'anni, il fegato e il cervello distrutti e nessun futuro.

Tanta durezza mi scioccò. Eppure quella donna era solo una professionista che si esprimeva in modo rigoroso.

– Si trova qui, adesso?

– No, un giorno alla settimana va al canile municipale a portare a passeggio i cani. Si sforza ancora di aiutare chi ha meno di lei. Domani potrà vederla, sono sicura che verrà. Ma non si aspetti molto, la sua capacità di comunicare è molto compromessa.

– Potremmo avere una copia del vostro dossier su Eulalia Hermosilla?

– Ma certo, aspettatemi qui.

Garzón ed io, rimasti soli, ci guardammo.

– Pensa davvero di andare al funerale di quella poveraccia?

– Lei non venga se non le va, Fermín. Basto io.

– Io vado dove va lei, ma la avverto che sarà una cosa triste, molto peggio del funerale di frate Cristóbal. Li ha assassinati lo stesso bastardo, ma facevano vite diverse.

– Non così tanto. Erano arrivati, ciascuno a modo suo, a liberarsi di tutto. Si erano spinti fino all'essenziale, dove si dice che stia Dio.

– Non sono all'altezza di seguire il suo ragionamento, ispettore.

– Lasci perdere, sono cose mie.

Tornammo a casa con il dossier di Eulalia Hermosilla sotto il braccio e passammo il pomeriggio a esaminarlo e a rileggere i verbali degli incontri con tutti quelli che avevano avuto a che fare con lei. Il giorno dopo andammo al cimitero di Collserola.

Il viceispettore aveva ragione, il clima di quella cerimonia funebre era ben diverso dall'atmosfera mistica che aveva accompagnato le esequie all'abbazia. Eppure la responsabile della casa di accoglienza fece quel che poté. Lesse un testo molto commovente e sobrio che parlava delle durezze della vita, del riposo che tutti meritiamo e si concludeva enumerando le virtù della defunta, tutte molto generiche: rassegnazione, senso della solidarietà, coraggio di fronte alle avversità. Poi partì un orribile arrangiamento elettronico di una corale di Bach e ci fu un minuto di silenzio, dopo di che la bara venne fatta scivolare via. Non c'era quasi nessuno: la responsabile, un paio di operatrici, due vecchietti disorientati e quella che doveva essere Lolita, la sola a piangere in silenzio.

All'uscita, Garzón mi disse sottovoce:

– Guardi, io non sono credente e i preti mi stanno sulle balle; ma bisogna riconoscere che la Chiesa con i funerali ci sa fare. Almeno promette qualcosa, e si impegna nella coreografia: fiori, candele, paramenti sontuosi. Io lo voglio mettere nel testamento: funerale religioso. Queste cerimonie laiche non sanno di niente.

– Si muova, che Lolita ci sta scappando.

Salutammo rapidamente la responsabile per correre dietro alla donna che già varcava i cancelli a passo svelto. Era alta e asciutta, con i capelli tagliati corti e tinti di un improbabile giallo limone. Quando la chiamammo per nome si girò a guardarci con gli occhi gonfi di pianto. Il suo volto solcato di rughe profonde, che in passato doveva essere stato bello, dimostrava ben più dei suoi sessant'anni.

– Lolita, aspetti. Siamo della polizia e vorremmo parlarle un momento.

– La polizia, bravi. Intanto Eulalia è morta.

Articolava le parole in modo confuso, con lo sguardo perso nel vuoto. Cercai di attirare la sua attenzione:

– Non è morta, l'hanno ammazzata, e noi vogliamo scoprire chi è stato.

– Lasciatemi in pace. Voglio fare una passeggiata.

Ci voltò le spalle e riprese a camminare. La seguimmo. Le dissi:

– È vero che lei porta a passeggiare i cani, Lolita?

Si fermò. Qualcosa che somigliava a un sorriso contorse la sua bocca appassita.

– Loro mi vogliono bene, mi aspettano. E quando mi vedono mi fanno le feste.

– Perché non viene a prendere un caffè? Così ci racconta dei suoi cani, ci dice come si chiamano, dove li porta a passeggiare...

Accettò senza esitazioni. Garzón mi guardò sorpreso. Avevamo trovato uno spiraglio in cui infilarci. Lolita salì in macchina e io scesi fino al primo bar, un posto grande e squallido, dove i pochi avventori si voltarono a guardarci. Anche in un posto come quello una donna ridotta così destava curiosità. Ma forse più per l'aria assente che per l'aspetto. Quando fummo seduti a un tavolo e ordinammo un caffè, lei ci chiese se poteva avere un cappuccino. Mi fece pena vederla piena di gioia davanti alla sua tazza traboccante di spuma. Non volendo correre il rischio che si sentisse usata e ci sfuggisse, con la stessa facilità con cui aveva deciso di venire con noi, la avvertii:

– Le faremo qualche domanda su Eulalia, certo. Però prima mi piacerebbe che mi raccontasse di quei cani. Anch'io ogni tanto ho pensato di dare una mano al canile.

– Puoi andarci benissimo anche tu. Hanno sempre bisogno di volontari. E i cani li trattano bene. Sono liberi e hanno tanto spazio per giocare. Io li porto fuori col guinzaglio, me ne danno anche quattro o cinque insieme.

– Dev'essere bellissimo! E non litigano?

– No, sono amici. I cani sono meglio delle persone.

– Senza dubbio. Non fanno mai male senza motivo e non si uccidono fra di loro.

– Eulalia era l'unica amica che avevo e quei due l'hanno ammazzata. Non mi è rimasto più nessuno, solo i cani.

Il brivido che sentii mi bloccò il respiro. Guardai Garzón, come per dirgli di star zitto e lasciarmi fare.

– Allora sono stati in due. Tu li hai visti?

– No. Un giorno Eulalia mi ha detto che doveva andar via perché c'erano due che la cercavano.

– E ti ha detto chi erano?

– No.

– Neanche perché la cercavano?

– No, era tanto spaventata, poverina.

– Ma perché non l'hai detto prima ai nostri colleghi?

– Lei mi aveva avvertita: sta' zitta, altrimenti vengono anche da te. Ma adesso non me ne importa più. Lei è morta, l'hanno bruciata, non è rimasto niente.

– E non ti ha raccontato altro?

– Aveva paura. Ed è finita in paradiso. Negli ultimi giorni lo diceva che l'avrebbero portata in paradiso. In paradiso ci vanno solo i cani e quelli come lei e come me. Quindi lei adesso è lì, e mi aspetta.

Ero commossa dalla tragicità di quelle parole così semplici. Deglutii e le chiesi:

– E come sarebbe la gente come te e come lei, Lolita?

– Gente che non ha nessuno che gli vuol bene, e che non vuol bene a nessuno.

– Ma tu vuoi bene ai cani.

– Ai cani sì. E poi volevo bene a Eulalia ma lei non c'è più.

– Ti aveva detto com'erano quei due che la cercavano? Se erano giovani o vecchi? Se erano grandi e grossi? Se era gente che lavorava o tipi della malavita?

– Non mi ha detto niente, solo che erano in due.

– Ti aveva detto se erano gli stessi che avevano portato via il beato dalla chiesa del convento?

– Non lo so, lei non mi ha parlato della chiesa, diceva che erano in due e basta.

Non sembrava avere tutte le difficoltà di comunicazione che le venivano attribuite. Io, almeno, l'avevo capita benissimo. Mentre mi guardava con aria smarrita, con un baffo di cappuccino sul labbro, mi domandai se non fosse il caso di offrirle protezione. Qualcuno poteva averci seguiti, in quello stesso momento poteva osservarci. Mi guardai intorno. Nessuno in quel bar mi parve sospetto. Era una decisione difficile. Metterle alle calcagna un agente era come segnarla a dito. Se qualcuno la sorvegliava avrebbe di sicuro pensato che ci avesse rivelato qualcosa. E rinchiuderla in una struttura mi pareva un'ingiustizia. Sospirai rassegnata.

– Lo sai cosa dovresti fare, Lolita? Uscire il meno possibile, in questi giorni. Se vuoi ti sistemiamo in una pensione finché non ritroviamo quei due. E ti consiglierei di non andare al canile finché non li avremo pescati.

Riaffiorò il suo sorriso tetro.

– Io vado dove voglio perché non ho paura. Non ne ho mai avuta e non ne ho adesso. Farò quello che ho sempre fatto, e i cani non li lascio aspettare.

Quella donna era perfettamente a posto, di questo ero sicura. Il cervello le funzionava meglio che a molti nostri concittadini integrati e apparentemente felici. Tirai fuori cinquanta euro dal portafogli.

– Prendili, Lolita. E mi fai un favore? Compra qualcosa per i cani abbandonati. Scatolette o biscotti, quello che vuoi. Così comincio a fare qualcosa per loro.

– Oh, sì! Loro vanno matti per certe barrette al gusto di carne. Con questi soldi ne avrò per un sacco di tempo.

Si infilò il biglietto in tasca con la mano agitata da un lieve tremore. La vidi andar via, ossuta e curva, con i suoi capelli gialli, ultimo segno visibile di un'identità perduta. Sentivo qualcosa al petto. Garzón, seduto accanto a me, mi chiese:

– Ma lei crede davvero che li userà per dar da mangiare ai cani?

– Sì. E se no, me ne frego.

– Lei e la sua stupida pietà per i deboli!

– Chi non prova pietà è un mostro, Garzón, o un cretino che non merita di vivere.

– Ecco dove va a finire la sua pietà: tutti i cretini al muro.

– Ma certo. E adesso mi offra qualcosa di forte, che mi sento poco bene.

Ordinammo un dito di whisky e me lo bevvi d'un fiato. Quel calore artificiale sortì subito un effetto benefico. Garzón, intanto, pensava ad alta voce:

– Erano in due. E le davano la caccia.

– Lei che idea si è fatto?

– Non so quanto si possa credere a una donna che parla del paradiso. Visto e considerato che non era religiosa.

– Sì, però i due che hanno portato via il beato sono andati a cercarla e l'hanno fatta fuori.

– In due.

– Sì, due serial killer, secondo la versione che piacerebbe a Villamagna.

– Magari due gemelli: «I gemelli paranoici».

– Sembra il nome di un gruppo musicale.

Mi venne da ridere. L'umorismo è sempre la miglior medicina.

– Muoviamoci, Fermín. Voglio risentire tutti quelli che hanno visto Eulalia in carrer Escornalbou.

– Ma perché sarà andata fin lassù, quella poveraccia? Perché non si è più mossa di lì?

– È una bella domanda. E scommetto una cena che troveremo la risposta.

– Scommetta cinquanta euro, che tanto li ha già persi.

– Sembra impossibile che lei sia così tirchio!

– Tirchio? Io non butto via i soldi, che è ben diverso. Dare cinquanta euro a una barbona perché compri qualcosa ai cani del canile è come buttarli dalla finestra.

– Lo sa cosa le dico, Fermín? Che quando io e lei arriveremo nel paradiso di cui parlava Eulalia scopriremo una bella cosa.

– Che cosa?

– Che il Padreterno, seduto lì sul suo trono, è un barbone pieno di pulci. E intorno a lui, lo sa cosa ci sarà?

– Non ne ho la minima idea.

– Cani, un mucchio di cani. Bastardi, di razza, grandi, piccoli, belli, brutti, pelosi, spelacchiati... cani a non finire. E sarà proprio quel Dio a giudicarci e a decidere chi entra nel Regno dei Cieli.

– Allora lei di sicuro avrà la suite nuziale già prenotata.
– E lei lo sgabuzzino delle scope.
– Ecco, me la sono voluta. Con lei non si può mai parlare.
– Non si può parlare a vanvera, vorrà dire.

Quel giorno Marcos mi aveva invitata nel miglior ristorante della città per festeggiare l'approvazione del suo progetto. Era felice, e io lo ero per lui. Ci servirono una deliziosa crêpe ai tartufi e poi un profumatissimo branzino al forno. Io, ben vestita e truccata, ero quasi bella e lui mi guardava con i suoi occhi lucenti orlati di ciglia folte e lunghe come un sipario teatrale. Per un attimo riuscii a vederci dal di fuori come una bella coppia matura, e al tempo stesso mi resi conto di quanto fossimo lontani dal modello classico della coppia sposata. Certamente ero io a non rientrare nei canoni, forse per via del lavoro che facevo. Accanto a mio marito, con il suo stile di vita e la sua personalità, sarebbe stata meglio una donna più normale, con un'attività socialmente più accettabile. Magari un'avvocatessa di prestigio, come non ero diventata, o una docente universitaria, o anche una pittrice. Qualunque cosa tranne un poliziotto. Ma forse il problema andava formulato in senso opposto: qual era il marito adatto a una donna poliziotto? Le mogli dei miei colleghi maschi erano per lo più maestre d'asilo, impiegate di banca o commercianti. Ma i mariti delle mie colleghe erano quasi sempre legati all'ambiente poliziesco: magistrati o medici legali o funzionari in qualche carcere, quando non poliziotti anche loro. A me l'eventualità di sposare un collega aveva sempre fatto orrore. Non concepivo l'idea di una serata in casa trascorsa fra lamentele sugli isterismi di un commissario o, ancora peggio, a sviscerare gli squallidi retroscena di un'indagine. Per questa e per molte altre ragioni Marcos ed io eravamo lì, uniti davanti alla legge ma separati dalla differenza incommensurabile dei mondi in cui ci muovevamo. Sembrava che lui non se ne preoccupasse, ma io non riuscivo a scrollarmi di dosso la sensazione di essere una bestia rara nella sua vita. Per questo ero così parca di notizie sulla mia vita fuori casa, pur temendo che lui potesse attribuire il mio ermetismo a una mancanza di fiducia nei suoi confronti.

– A cosa stai pensando? – mi chiese.

– Non lo so, mi ero distratta.

– Pensavi al caso del monaco?

– Ma no! – esclamai ridendo. – Sono così stufa di quella storia che appena posso cerco di scordarmene. Stavo pensando a Garzón – mentii.

– Se non lo conoscessi sarei geloso. Passi più tempo con lui che con me.

– È molto cambiato, ultimamente.

– In meglio o in peggio?

– In meglio, credo. Da quando si è risposato prende meno a cuore il servizio. Non che questo incida negativamente sulla qualità del suo lavoro, ma lo vedo meno appassionato.

– Sono sempre stato convinto che voi donne siate più versatili di noi uomini. Voi sapete amare molte cose contemporaneamente, ognuna in modo diverso. Siete capaci di amare il vostro lavoro, e i figli, e gli animali, e il marito... Invece noi uomini abbiamo una riserva d'amore limitata e la riversiamo tutta su un solo oggetto. Per questo quel che mettiamo da una parte siamo costretti a toglierlo dall'altra.

– Non mi piace per niente sentirtelo dire.

– Perché?

– Perché tu ami moltissimo il tuo lavoro, quindi dovrei dedurne che non ami me.

– Altolà! Tu sei la prima cosa, l'unica, la più importante... Il lavoro per me è un mezzo di sussistenza, gratificante finché vuoi, ma prescindibile, se dovessi scegliere. Ti dirò di più: a volte penso che ormai sto lavorando solo per non esserti di peso mentre lavori tu, per aver qualcosa da fare quando tu non ci sei.

– Piantala! Non so se mi prendi in giro o dici sul serio.

– Devi essere l'unica donna al mondo che reagisce così alle dichiarazioni d'amore.

– Sono pudica. Ormai dovresti conoscermi.

Lui mi riempì il bicchiere di un eccellente spumante catalano e accennò un brindisi.

– Al pudore, all'amore e al lavoro.

– E al Cuerpo Nacional de Policía – aggiunsi.

– Senti, Petra, passando a cose più pratiche: mi sono dimenticato di dirti che venerdì arriva da Londra il mio figlio maggiore.

– Viene Federico?

– Sì, per una settimana, e si fermerebbe un paio di giorni da noi.
– Bene, così lo conoscerò meglio.
– Lo sai che ha un umorismo un po' strano.
– Apprezzo i tipi ironici, non preoccuparti. Con i gemelli va d'accordo?
– Si vogliono un bene dell'anima. Con loro è spietato, ma quei due sanno difendersi. Quanto a Marina, la differenza d'età ha fatto nascere una vera adorazione reciproca.
– Dovremo organizzare qualcosa di speciale?
– No, niente, sabato sera si cenerà fuori. Tutto qui.
In realtà non era una notizia da poco. Proprio quando ero riuscita a creare un certo equilibrio con i tre piccoli, mi piombava in casa l'enigmatico figlio maggiore. La vita di una donna sposata a un uomo con prole numerosa è disseminata di insidie. Chissà come me la sarei cavata con un ragazzo quasi ventenne.

Quel pranzo di festeggiamento fu davvero meraviglioso, ma fui costretta a maledirlo mille volte non appena rientrai in commissariato. Non perché avessi mangiato troppo, ma per l'effetto terribile che ebbe sul mio umore il ritorno alla squallida realtà. Garzón, che si era rifocillato alla svelta con il solito menu a prezzo fisso della Jarra de Oro, non si vedeva costretto ad adeguare la sua mente alle bassezze delle indagini. Quando mi vide alzò serenamente gli occhi e disse:
– Ispettore, ho qui la lista dei testimoni che hanno

visto Eulalia in carrer Escornalbou. Quando vuole, andiamo.

Quel sommario rapporto fu un colpo basso per la mia psiche intorpidita dai piaceri della tavola e dall'amoroso colloquio. Come un'artista interrotta in pieno atto creativo, risposi, con indolenza tragica:

– E va bene, Fermín. Vada a prendere la macchina, per favore.

Ora sapevo che cosa provava Beethoven, immerso nell'*Eroica*, quando la sua governante gli chiedeva che cosa volesse per cena.

10

In carrer Escornalbou cominciammo a fare il giro delle case segnate sulla lista. Tutti gli inquilini, avendo già ricevuto la visita dei nostri agenti, ci accolsero un po' spazientiti, a volte decisamente esasperati. Erano lontani i tempi in cui la gente amava collaborare con la polizia. Diffidenza o disinteresse era quel che potevamo aspettarci nella maggior parte dei casi. I nostri sforzi per andare oltre quel che già era stato detto non davano alcun risultato. Sì, molti avevano visto la donna aggirarsi per il quartiere, ma questo era tutto. Che altro potevano aggiungere?

Arrivammo al termine del compito che ci eravamo prefissi per quel pomeriggio, circa metà della lista, senza cavar fuori nulla. La fede del viceispettore vacillava.

– Senta, Petra, lei crede davvero che quest'operazione ci porterà da qualche parte?

– Dobbiamo andare fino in fondo. Visto che idee non ne abbiamo, non ci resta che la tenacia. C'è gente senza talento che in questo modo arriva al successo.

– E va bene, riconosciamo che siamo degli inetti, ma questi testimoni non hanno visto niente.

– Basta, Garzón. Seguiamo le procedure, per una volta. Magari il Signore ci premierà. Se non altro il Signore è un amante dell'ordine.

– A proposito del Signore, a che ora abbiamo la riunione con i nostri esperti in odore di santità?

– Adesso. Faccia rotta verso il convento.

– Ma, ispettore, io francamente farei uno spuntino. Non ci siamo fermati neanche per un caffè.

– Ci penseremo dopo la riunione.

– Secondo lei, il Signore ci premierà perché facciamo la fame?

– Non c'era ancora arrivato? È una delle due cose che apprezza di più. Indovini qual è l'altra.

– Me lo immagino. Con queste premesse, quasi quasi preferisco che Dio mi castighi, dico la verità.

Suor Domitila e frate Magí avevano lavorato sodo. Li trovammo nella biblioteca, immersi fra i loro scartafacci. L'immagine era quasi pittorica, se non fosse che lui era in pantaloni e maglione con lo zip. La tonaca l'aveva lasciata al monastero. Altrimenti la scena sarebbe stata perfettamente medievale.

Le notizie con cui ci accolsero parvero incoraggianti. Erano giunti a una specie di conclusione provvisoria. Frate Magí ce la espose con entusiasmo:

– Siamo partiti da un'ipotesi teorica: quella della vendetta. Ebbene: abbiamo esaminato tutti i documenti riguardanti la Settimana Tragica, e abbiamo appurato che le sorelle del Cuore Immacolato, malgrado la profanazione della cappella, non richiesero alcun intervento da parte delle forze dell'ordine, la madre superiora dell'epoca non sporse denuncia e l'ordine non si costituì parte civile. Allora siamo passati a un'altra ipotesi: una vendetta simbolica ai danni di un gruppo o di un'istituzione. Poiché nessun individuo in carne e ossa può essere ancora vivo dopo tanto tempo, ci siamo domandati quali gruppi possano ancora essere ritenuti significativi.

Suor Domitila lo interruppe con voce lievemente angosciata:

– Fratello, la prego di essere molto cauto. È necessario sottolineare che stiamo parlando di ipotesi, forse molto remote.

Il monaco era evidentemente seccato e parve contare fino a tre prima di trovare la calma necessaria per rispondere:

– Continui pure lei, sorella.

– No, no, è meglio che vada avanti lei. In fondo queste sono idee sue.

– Niente affatto, sorella. Le sue considerazioni sono state preziose per giungere a definire...

Allarmata dalla possibilità di un nuovo battibecco, decretai:

– Prosegua, frate Magí. Siamo certi che entrambi abbiate contribuito a far luce sui fatti. Ma dal momento che ha cominciato lei...

Con visibile soddisfazione, il monaco disse:

– Dunque, come stavo dicendo, se esaminiamo le possibili istituzioni a contatto con il convento sopravvissute nel corso degli anni, ci resta solo la famiglia Piñol i Riudepera, nella sua veste di benefattrice.

Garzón ed io spalancammo gli occhi dalla sorpresa.

– Come? – fu la domanda che mi uscì dal cuore.

– Solo i Piñol i Riudepera si sono succeduti nelle generazioni al fianco del convento e non hanno mai tralasciato di versare le loro donazioni annuali. Pertanto ci è parso lecito verificare se fosse avvenuto qualcosa di insolito, durante o in seguito alla Settimana Tragica, che potesse coinvolgere quella famiglia.

– E cosa avete trovato? – chiese a bruciapelo Garzón.

– Abbiamo riscontrato un fatto sorprendente. Don Luis Piñol i Riudepera, nonno dell'attuale benefattore, si distinse nei giorni successivi al tumulto per la sua intransigenza nei confronti dei profanatori. Pare che avesse perfino avviato un'indagine privata affinché i colpevoli venissero arrestati.

– Caspiterina! – esclamò il viceispettore profondamente scandalizzato.

La mia domanda mirò al punto cruciale:

– E avete trovato i nomi delle persone che furono incarcerate?

– Non nei documenti consultati finora. Ma ci proponiamo di arrivarci, è solo questione di tempo.

– C'è una cosa che non capisco, frate Magí – obiettai. – Se escludiamo l'ipotesi di un singolo individuo, che oggi non potrebbe più essere in vita, perché pensare che una famiglia o i suoi discendenti siano stati presi di mira da una vendetta? E chi sarebbero questi vendicatori?

– Vale il discorso di prima, ispettore. Potrebbero essere membri di un gruppo estremista o discendenti di chi fu punito per aver profanato il convento.

– Non è difficile risalire o discendere i rami di certi alberi genealogici, ma lei crede che la gente comune sappia che cos'è successo al nonno o al bisnonno? E che genere di gruppo, o organizzazione o partito, potrebbe erigersi a vendicatore al punto di uccidere?

Suor Domitila, che appariva profondamente turbata dalla piega che aveva assunto la cosa, si decise a intervenire:

– Secondo frate Magí, con tutto il parlare che si fa oggi del recupero della memoria storica, e tutte le associazioni che sono sorte per riesumare i morti della guerra... insomma, secondo lui qualche sodalizio clandestino può aver deciso di attirare l'attenzione dell'opinione pubblica su altre ingiustizie del passato.

– Sì, ma non assassinando due persone...

– Come voi stessi avete fatto notare, l'assassino poteva non avere intenzione di uccidere. Loro pensavano solo di rubare il corpo incorrotto del beato per poi trascinare la polizia in un gioco malsano. Purtroppo frate Cristóbal si trovava nella cappella e gli hanno dato una botta in testa per tramortirlo... Forse chi l'ha colpito non ha valutato le proprie forze.

Sospirai, senza nascondere la mia scarsa propensione a credere a una storia simile.

– Un sodalizio clandestino...! Non so cosa pensare, sorella.

– Lo chiami come vuole. Possono essere quattro esaltati, usciti da una delle tante associazioni per la memoria storica. E poi non si può escludere l'ipotesi di un discendente diretto del rivoltoso condannato. Il ricordo di certi fatti terribili si tramanda di generazione in generazione. E di colpo qualcuno può reagire in modo irrazionale a un senso di ingiustizia venuto dal passato.

– Un pazzo?

– Certamente uno squilibrato, che prende spunto da questi motivi per dare sfogo alla sua parte malata.

Garzón se ne stava in silenzio, immobile come un gatto. Lo guardai più volte per indurlo a esprimere un'opinione, ma lui pareva stregato dalle parole dei due religiosi. Alla fine, di fronte alla nostra scarsa partecipazione, frate Magí disse umilmente:

– Voi ci avete chiesto di formulare un'ipotesi a partire dalle fonti di cui disponiamo, e noi questo abbiamo tentato di fare. Che poi le cose siano veramente andate così è un'altra questione.

In quel momento suor Domitila diede voce ai suoi timori:

– E comunque sarebbe preferibile che non si riscontrasse alcun nesso fra la famiglia di don Heribert Piñol e il delitto, perché, ve lo immaginate lo scandalo? Il nostro principale benefattore, gente di quella levatura...! Spero sinceramente che nulla possa macchiare la memoria dei loro antenati. Sarebbe una catastrofe.

– Sì, immagino che madre Guillermina non ne sarebbe affatto contenta.

– Già adesso è desolata, e ha fatto sapere che desidera incontrarsi con voi prima che lasciate il convento.

– Quindi lei le ha già parlato...

– Ispettore, il mio primo dovere di obbedienza è verso la superiora del mio ordine.

– Mi pare discutibile. Lei è soggetta alle leggi di questo paese.

Suor Domitila mi guardava con occhi incendiari. Magí intervenne per appianare quell'improvviso attrito:

– Ispettore, in ogni caso la madre superiora non farà nulla prima di aver sentito il suo parere.

– Me lo auguro.

La riunione si concluse così, con improvvisa freddezza. Mentre venivamo scortati verso l'ufficio della madre superiora sentii montare dentro di me l'irritazione. Davvero, l'interno di un convento era territorio off-limits per la polizia. Non potevamo muoverci liberamente, non potevamo pretendere nessuna riservatezza, non potevamo interrogare nessuno. Come se fra quelle pareti non vigessero le stesse leggi che regolano la vita dei comuni mortali.

Come se non bastasse madre Guillermina era di pessimo umore. Tanto per cominciare, si fece aspettare per venti minuti buoni. E quando arrivò ci salutò sbrigativamente e venne al dunque:

– Ispettore, sappia che non intendo tollerare, in nessun caso e per nessuna ragione, che si infanghi pubblicamente il buon nome dei Piñol i Riudepera. Non so a chi sia venuto in mente di rovistare fra i panni sporchi di cent'anni fa, e che cosa questo possa avere a che fare con la morte del povero frate Cristóbal, ma sia chiaro che la ritengo una solenne insensatezza. Se è questo il modo di indagare della polizia nazionale, mi duole dirlo, ma gli abitanti di questo paese sono ben sistemati.

Quell'offensiva mi fece trasalire come se avessi ricevuto una scarica elettrica. Alzai la voce:

– Mi fa molto piacere che lei tiri in ballo gli abitanti di questo paese, perché così mi dà modo di ricordarle che anche lei e le sue consorelle ne fate parte. Queste sono indagini criminali, e pertanto seguiranno le procedure necessarie, a prescindere dagli interessi del suo convento.

– Come osa insinuare che io tema di perdere il contributo della famiglia Piñol i Riudepera? La mia sola preoccupazione è preservare il loro onore e la loro tranquillità. E sappia che se mai lei osasse importunarli o fornire i loro nomi alla stampa, io...

La interruppi, pazza di rabbia:

– Lei non farà proprio niente, reverenda madre, e non lo farà perché fuori da questo convento la sua autorità è pari a zero.

Garzón, che fino ad allora si era mostrato molto remissivo, si alzò in piedi:

– Signore, per favore, un po' di contegno!

– Io non sono una signora, sono una suora!

– Nemmeno io sono una signora, sono un poliziotto!

– Vi prego di calmarvi. Così non andiamo da nessuna parte. Mi scusi, madre, ma non crede che sarebbe una buona idea far portare un tè?

Quell'intervento estemporaneo salvò la situazione. Madre Guillermina, incapace di infrangere le regole dell'ospitalità, sospirò e premette il campanello. Io tornai a sedermi. La sentimmo dire all'interfono:

– Sorella, porti un tè per tre persone, per favore.

Con mia sorpresa, Garzón precisò:

– E magari anche qualche biscottino.

Nel silenzio imbarazzato che seguì entrambe trovammo il tempo per rimproverare a noi stesse quella dimostrazione di impulsività. Poi entrò zoppicando la spaventosa suora portinaia che posò il vassoio sulla scrivania. Non era ancora uscita che già Garzón si avventava sulle paste. Seppi perdonare quel peccato di gola, ben poca cosa in confronto alla nostra intemperanza. Il primo sorso di tè caldo mi placò definitivamente i nervi.

– Madre Guillermina, la prego di capire che noi non agiamo con superficialità, né per capriccio. In ogni caso le do la mia parola che non verrà concessa alcuna informazione alla stampa finché non ci sarà nulla di dimostrato. Useremo la massima discrezione. Ma devo dirle fin d'ora che faremo visita al signor Piñol. Anzi, se volesse chiamarlo lei stessa per comunicarglielo, gliene saremmo grati.

– D'accordo, ispettore. Farò quel che lei mi chiede.

Una volta che l'ascia di guerra fu sepolta senza danni irreversibili, il viceispettore poté finalmente esprimere il suo gradimento per i dolci e, già che c'era, darne conferma spazzolandone via altri due o tre.

Quella sera Marcos ed io avevamo deciso di concederci un aperitivo prima di cena. Lo trovai affascinato dalla visione di Villamagna e Beltrán al telegiornale. Ne fui annichilita, ma era così. Le spiegazioni fornite dallo psichiatra su certe figure di solitari che cercano nella religiosità una compensazione al loro disagio e si sentono chiamati al crimine da una voce divina gli erano parse interessantissime e rivelatrici.

– E Villamagna cosa diceva?

– Conduceva la conferenza stampa in modo impeccabile. Dava la parola ai giornalisti, li interrompeva con garbo, lasciava spazio all'esperto... È un ragazzo che ci sa fare.

– Una conferenza stampa?

– Sì, ho acceso il televisore mentre scaldavo la cena, ma sono sicuro che il servizio comparirà ovunque.

– Ma è demenziale! Ci manca solo che facciano pagare il biglietto e devolvano il ricavato agli orfani dei poliziotti!

– Ma ti assicuro che quel che dicevano non era affatto superficiale.

– Me lo immagino. Ad ogni modo ti ricordo che si trattava di notizie sullo svolgimento di un'indagine, non di un programma di divulgazione psicologica.

Che mio marito ragionasse come l'uomo della strada mi dava sui nervi. Eppure, a pensarci su, non era un male. Se non altro mi sarebbe servito per avere un riscontro immediato sulle reazioni della gente. Mi massaggiai le tempie. Lui rimase zitto a guardarmi.

– Scusa la mia rozzezza – disse. – Tu non ne puoi più di un caso che ti costringe a lavorare tutto il giorno senza tregua e io riesco solo a parlarti di quello che ho visto in televisione.

– No, al contrario. È bene che certe cose io le sappia.

Ci guardammo negli occhi. Marcos alzò il bicchiere.

– Alla salute. Parliamo d'altro, adesso?

– Sì. Hai visto Marina oggi?

– Sono andato a prenderla a scuola e l'ho portata a far merenda, poi l'ho accompagnata a casa. Sembra che voglia ad ogni costo fare il poliziotto quando sarà grande. Ma mi ha chiesto di non dirtelo.

– Non preoccuparti, le passerà.

– E se non le passa, poco importa. Avrò due donne a vegliare sulla mia sicurezza.

– Carino –. Cercai di sorridere ma ero davvero esausta. Marcos mi prese una mano, si avvicinò.

– Petra, ma tu stai bene? Voglio dire, a parte le complicazioni del lavoro, sei felice con me? Pensi di aver fatto un buon affare sposandomi?

Risi sottovoce:

– Ma certo. E ti dirò di più: questo caso mi sembra provvidenziale.

– E perché?

– Perché mi serve per capire fino a che punto mi è prezioso il tuo sostegno.

Lui ne fu quasi turbato. Non gli succedeva spesso di sentir uscire dalle mie labbra dichiarazioni di quel genere. In quel momento, malgrado lo scoraggiamento e la stanchezza, decisi che anch'io avrei trovato il modo di sostenerlo quando la stessa cosa fosse accaduta a lui. Ma forse non se ne sarebbe mai presentata l'occasione. Forse avevo trovato un miracoloso porto di pace dove rifugiarmi ogni volta che la burrasca minacciava di farmi naufragare.

Il giorno dopo, mentre ci dirigevamo in auto verso carrer Escornalbou, parlai a Garzón della conferenza stampa con Beltrán.

– Sì, anche Beatriz l'ha vista. L'ha trovata molto istruttiva.

– È la stessa cosa che ha detto mio marito. Che disastro!

– L'ha voluto lei, ispettore. Adesso l'opinione pubblica ha qualcosa a cui pensare e ci lascerà tranquilli. Ottima mossa.

– Vedremo quanto dura. E stamattina, da chi stiamo andando?

– Abbiamo qui tre indirizzi. Tutta gente che avrebbe visto Eulalia aggirarsi da quelle parti.

– Pensi che ingiustizia, i verbi: i soldati marciano, i bambini trotterellano, i vecchi arrancano, e i barboni... si aggirano. Potremmo passare questa bella notazione linguistica al nostro Villamagna perché aggiunga un capitoletto culturale al suo teleromanzo.

– Ispettore, non si scoraggi, la prego.

Tutti cercavano di farmi coraggio in quell'abisso di fallimento professionale. Meraviglioso, sebbene la frustrazione continuasse a tallonarmi.

Nel secondo appartamento che visitammo quel giorno il bottino fu magro come in tutti gli altri. Le testimoni erano due, le tipiche sorelle che vivono sole, già sulla settantina, che ci accolsero perfino con una certa cortesia ma non seppero aggiungere uno straccio di informazione a quanto già era stato messo a verbale. Quando già infilavamo il corridoio con la coda fra le gambe, una delle sorelle emise il tipico lamento politicamente corretto che le persone per bene si sentono in dovere di proferire:

– Sembra impossibile che abbiano assassinato quella povera donna indifesa, quell'infelice!

– E dire che gli unici che avrebbero potuto fare qualcosa se ne sono lavati le mani – aggiunse l'altra.

Mi girai, convinta che quella frase nascondesse una critica al nostro operato.

– Be', immagino lo sappiate – mi rispose la signorina numero due con perfetta naturalezza.

– Non capisco cosa vogliate insinuare.

– Ma quello che dicono tutti qui nel quartiere: che se il fratello l'avesse aiutata quando lei gliel'aveva chiesto, adesso sarebbe ancora viva. Certo, non si può mai sapere...

Garzón mi affiancò e con pacatezza le invitò a riprendere l'argomento:

– Vedete, signore, noi non abbiamo notizia di questo fratello. Sareste così gentili da raccontarci tutto dall'inizio, per favore? Con calma e nei minimi particolari.

Tornammo nel minuscolo salottino, il cui spazio angusto era quasi interamente occupato da un tavolo da pranzo. Ci sedemmo. Dagli sguardi che si scambiarono le sorelle e dalla soddisfazione con cui cominciarono il racconto capimmo che sapevano benissimo di coglierci di sorpresa.

– Quell'Eulalia aveva un fratello, proprio qui, al numero 18. Tutti lo sanno, ispettore.

– Cioè, lo sanno al contrario – rettificò la sorella.

– In che senso?

– Quello che tutti sapevano era che Rogelio Hermosilla aveva una sorella mezza matta, che andava in giro a chiedere l'elemosina e dormiva nei ricoveri dei barboni.

– Ma ogni volta che lei veniva a chiedergli qualcosa, lui la mandava a quel paese.

Avevano tutte e due una gran voglia di parlare, e presto capii che formavano un armonico duo avvezzo a cedersi vicendevolmente la parola.

– A dir la verità, Rogelio non è una cattiva persona, ma ha una moglie che è una vipera. Una che non sa cosa sono i sentimenti.

– Qualche giorno prima che la trovassero morta, la sorella di Rogelio era venuta fin qui. Voleva che lui la prendesse in casa, per un po', l'ha pregato e scongiurato. E lui l'ha mandata via.

– Ma lei come lo sa?

– Lo sanno tutti, perché è successo davanti al bar Bigotes, a mezzogiorno.

– Solo che la gente certe cose non le dice. Ha paura di compromettersi.

– Noi no, però. Collaborare con la polizia è il nostro dovere di cittadine.

– E allora perché non l'avete detto ai colleghi?

– I suoi colleghi ci hanno chiesto se l'avevamo vista. E poi quella poveretta non era ancora morta.

Meglio non approfondire sul loro senso del dovere, pensai. Comunque fosse, ora avevamo in mano un elemento nuovo. Il sorriso di trionfo che rivolsi a Garzón fu l'unica ricompensa che concessi alle vecchie signorine. A tutta velocità, senza dire una parola, uscimmo da quella casa e andammo in cerca del numero 18. Sull'angolo vedemmo il bar denominato Bigotes. Vantava tutti gli attributi del miserabile bar di quartiere: odore di frittura, musichetta di macchina mangiasoldi e frastuono di televisore. Il tutto reso ancor più pittoresco da una fila di prosciutti appesi sopra il bancone.

Il titolare prestò ascolto alle nostre domande in religioso silenzio. Una volta digerite tutte le informazioni in esse contenute, sospirò mestamente:

– Sì, c'è stata qui da me una scena del genere ma, voi capite, erano cose loro, io non posso entrarci. La famiglia è sacra.

– È sacra, sì, ma noi stiamo indagando su un duplice omicidio.

– Chiedetemi qualunque cosa, ma quel che è privato è privato.

Garzón, sapendo che non l'avremmo mai smosso di lì, decise di tagliare corto.

– Per noi non è difficile fare una verifica, ma se lei ci conferma che questo tizio abita al 18 ci fa risparmiare tempo e sangue cattivo.

– Questo sì che posso farlo.

Salimmo all'appartamento degli Hermosilla francamente indispettiti.

– Ma si rende conto di com'è questo paese, Fermín? Qui tutto è sacro, tutto è al di sopra della legge: il buon nome, l'onore, la religione, la famiglia... Ma che concetto hanno gli spagnoli della polizia? Ma cosa credono, che le indagini noi le facciamo solo per rompere le scatole alla gente? Neanche fossimo di troppo, un lusso superfluo...

– Tanto si sa, ispettore, che qui nessuno pensa che combiniamo niente. Un giorno un vicino mi fa: «E tutta la refurtiva e la droga sequestrata che si vede in televisione, è roba vera o serve solo per dimostrare che fate qualcosa?». Mi è saltata la mosca al naso quella volta!

Presi com'eravamo dal furore dialettico, pensammo di aver sbagliato porta quando venne ad aprirci una ragazza. Tanto lei quanto noi rimanemmo a guardarci per un po' senza dir niente, finché, senza neanche salutare, lei proruppe in un acutissimo «Maaammaaa!» e sparì. Un attimo dopo comparve una donnetta con i capelli crespi, in vestaglia, che ci guardò piena di astio.

– Cosa volete?

– Parlare con il fratello di Eulalia Hermosilla. Siamo della polizia – risposi, cercando di apparire sufficientemente sgradevole.

– Santa Madonna, proprio quel che ci mancava! Mio marito non c'è.

– Dove possiamo trovarlo?
– È al lavoro.
– Potrebbe darci l'indirizzo del suo luogo di lavoro?
– No di certo. Non può essere disturbato. Il lavoro è sacro.
– Benissimo, è sacro. Allora lo aspetteremo al bar di sotto. Quando rientra gli dica di scendere a cercarci, altrimenti avrà problemi seri.
– Senta, mio marito non ha fatto niente. Noi siamo gente che lavora...
– Riferisca a suo marito quel che le ho detto, o di problemi seri ne avrà anche lei.
Senza darle il tempo di reagire, infilammo le scale. Sul portone, il viceispettore esitò.
– Davvero le sembra prudente aspettarlo?
– Sarà qui prima di un'ora. È vero che non contiamo niente, ma forse riusciamo ancora a mettere un po' di paura a chi non ha la coscienza a posto.
– E lei crede che gente così ce l'abbia una coscienza?
– La pianti di fare domande. Le offro un whisky, cosa può volere di più?
– Un paninetto, se non le sembra che esageri.
Il Bigotes aveva invaso il marciapiede con i suoi tavolini di plastica rossa. Ci sedemmo al sole. Quando venne a prendere l'ordinazione, il barista ebbe la faccia tosta di chiederci:
– Non era in casa?
– La polizia non concede informazioni su questioni di servizio. Il servizio è sacro – mi presi il gusto di rispondergli.

Garzón ordinò un panino alla frittata e ci disponemmo a lasciar scorrere il tempo. Ma non erano passati cinque minuti quando comparve la figlia degli Hermosilla che si sedette al nostro tavolo senza nemmeno salutare.

– Ho visto io com'è andata – ci disse a bruciapelo.

– Benissimo. E allora racconta. Ma lo sa tua madre che sei qui?

– Quella è una stronza. Che crepi pure. Mio padre non fa così schifo, ma cosa cambia? Sono due deficienti.

Se non altro qualcuno per cui la famiglia non era sacra.

– La zia Eulalia ci aveva chiamato al citofono. Era fuori di testa ma era una brava donna. Mio padre è sceso giù a parlarle, qui al bar. Lei gli ha chiesto di venire a stare da noi due o tre giorni, ma mio padre ha detto che manco morto. Sempre così faceva. Lei ha insistito. Diceva che c'erano due che la cercavano, che la volevano ammazzare, che aveva visto una cosa e quelli la volevano ammazzare... Mio padre stava quasi per convincersi, lei non sembrava neanche tanto fuori. Solo che la stronza di mia madre è scesa giù anche lei e si è messa a gridare che meglio i topi di fogna, in casa, che mia zia... Capito il tipo?

– E poi cos'è successo?

– Niente. Lei, poveraccia, ha continuato a girare da queste parti. Io la vedevo, un po' qui, un po' là. Una volta ha dormito nella cabina del bancomat, un'altra volta in un portone... Le portavo da mangiare, non mi andava che morisse come un cane. Forse sperava ancora che i miei cambiassero idea. Ma quelli, niente. Un giorno non l'ho vista più.

– E ti ha raccontato qualcosa?

– Niente. Solo la storia che la volevano ammazzare. Mi faceva una pena! Aveva paura per davvero. Non la finiva più di ripetere che in paradiso non ci voleva andare, in paradiso no, non ci voleva andare. E lo vedete com'è finita. Quando l'abbiamo saputo dalla tele, mio padre ha pianto. Ma ormai...

– Non hanno nemmeno reclamato il corpo.

– Mia madre diceva che poi dovevamo pagare il funerale. E non voleva storie con la polizia. Ve l'ho detto, è una stronza. Non hanno fatto un bel niente.

Abbassò gli occhi, che per tutto il racconto aveva tenuto fissi su di noi. Aggiunse, quasi sottovoce:

– Nemmeno io ho fatto niente per lei. E nemmeno voi.

– Non siamo stati capaci di salvarla, è vero – ammisi, sinceramente addolorata.

– Nessuno fa niente per nessuno. Io ormai l'ho capito. Se vuoi qualcosa nella vita ti devi sbattere. E se non hai la testa più che a posto, finisce che ti attacchi alla bottiglia e sei fottuto. A mia zia Eulalia è andata così. Ma li troverete quelli che l'hanno ammazzata?

Garzón, che per rispetto a quella tragica testimonianza aveva posato il suo panino, prese la parola:

– Puoi star certa che li troveremo. Con noi non si scherza.

– Fra poco arriva mio padre. La stronza gli ha telefonato appena siete usciti.

– Non saremo più qui. Riceverà una notifica dal giudice.

– Si preoccuperà.

– Te ne importa qualcosa?

Lei alzò le spalle, come per adeguarsi all'indifferenza del mondo. Mi accorsi che continuava a fissarci mentre salivamo in macchina. Chissà cosa pensava di noi. Forse non pensava proprio niente. Tutto è pietra in una vita fatta di durezze.

Intanto il viceispettore protestava perché non aveva potuto finire il suo panino. Non gli risposi. Una stanchezza paralizzante invadeva ogni cellula del mio corpo. Avevo bisogno di dormire, di staccare ogni collegamento con quello squallore.

Non appena mi chiusi la porta alle spalle sentii la voce di Marina cinguettare animatamente nel soggiorno. Mi tolsi il cappotto al buio, felice di essere finalmente atterrata in un'oasi di serenità. Ma quali erano le voci della mia vita? Il tono volgare e risentito di quella ragazza che dava a sua madre della stronza, o il chiacchiericcio pulito di una bambina incantevole ed equilibrata? Difficile dirlo. Erano voci che parevano venire da mondi distanti come le isole della Polinesia. Qual era il mondo che potevo chiamare mio? Quello del mio lavoro o la mia famiglia? Ero un poliziotto che cercava di far luce sulla morte di due esseri umani, o una ciarlatana da due soldi che faceva assoldare uno psichiatra per propinare comunicati fasulli alla stampa? Ero una moglie secondo tutte le regole o mi ero sposata per capriccio con un uomo che non vedevo mai? Certo, non ero una madre, ma potevo almeno definirmi una matrigna accettabile, amata e non solo tollerata dai figli di mio marito? Una crisi d'identità più grave di quella del Dr Jekyll due minuti dopo aver ingerito il suo intruglio mi tagliava in due come una lama. Rimasi nella penombra dell'ingresso ad ascoltare la cantilena allegra di Marina. Con chi stava parlando? Con Marcos? Strano che fosse già rientrato. Aprii piano piano la porta del soggiorno e rimasi paralizzata. Dinanzi a me si svolgeva una scena singolare. Marina stava parlando a un uomo disteso sul tappeto, con le braccia incrociate sul petto, completamente inerte. Non ebbi neppure la forza di lanciare un'esclamazione, mi limitai a rimanere lì, immobile, per cercare di capirci qualcosa. Allora l'uomo si alzò: era altissimo e magro, con le gambe eccezionalmente lunghe, il naso aquilino e i capelli lunghi. Sorrise del mio sbalordimento e disse:

– Stavamo giocando alle mummie.

Marina, vedendo che sul mio volto non balenava il minimo segno di comprensione, mi informò scandalizzata:

– Ma Petra! È Federico! Papà non te l'ha detto che veniva stasera?

Io Federico l'avevo incontrato una sola volta, il giorno del nostro matrimonio.

– Certo che me l'ha detto! Scusami, Federico, ma vedendoti lì sdraiato...

– Non preoccuparti, Petra. Capisco che col mio talento di attore, e nella parte di una mummia...

Mi abbracciò e mi diede due sonori baci sulle guance. Allora riconobbi i suoi occhi vivi, il sopracciglio mobile, il mezzo sorriso che non lo abbandonava mai. Era uno spilungone trasandato, ma di sicuro doveva apparire molto sexy alle ragazze della sua età. Scioltosi dal mio abbraccio, si voltò verso la sorellina e le disse:

– Ma insomma, cosa fai lì impalata? Arriva la nostra matrigna dopo una lunga giornata di fatiche poliziesche e tu non le porti le pantofole, non le servi un whisky? Mi spiace dirtelo, ma come figliastra lasci molto a desiderare.

– Mi accontenterò di un whisky, non preoccuparti. E ho ancora la forza di arrivare al mobile bar. Posso offrirti qualcosa, piuttosto?

– No, la donna di servizio ci ha preparato la merenda.

– A Federico ha fatto una frittata al prosciutto – disse Marina.

– E io me la sono sbafata piangendo di gioia. Lo sai come si mangia a Londra, vero, Petra? Possono farti qualsiasi cosa: *porridge*, *pudding*, *steak and kidney pie*... e tutto sa di cartone.

– Jacinta gli ha dato anche il pane al pomodoro!

– Ah, il pane al pomodoro! La più grande invenzione dei catalani. Ma cosa sono in confronto i cinesi con la loro polvere da sparo?

Marina non la finiva più di ridere alle battute del fratello. Non l'avevo mai vista così felice e adorante. Quando ci accomodammo sul divano lei si accoccolò fra le sue gambe, appoggiando una guancia al suo ossuto ginocchio.

– Devi raccontarci tutto, Federico –. Lo incitai a parlare nella speranza di riprendermi un poco. – Hai visto tuo padre, oggi?

– Abbiamo pranzato insieme. A quanto pare sono venuto a Barcellona solo per mangiare, e in un certo senso...

– Come ti va a Londra? Come vanno gli studi?

– Niente male. Imparo un mucchio di cose e passo gli esami. Non sono l'orgoglio della famiglia, ma neppure la pecora nera.

Fisicamente doveva assomigliare a sua madre, perché nulla in lui mi ricordava Marcos. Mi incuriosiva moltissimo, ma al tempo stesso capivo che non era facile trovare un terreno comune. Non era più un bambino.

– E a te, come va col caso della mummia?

– Questo è quel che si dice andare al sodo! Vedo che sei stato messo al corrente dai miei ammiratori.

– Ma cosa dici, Petra? Non c'era bisogno che venissi fin qui per essere informato. Tutti i giornali inglesi riportano notizie sulle indagini.

– Non dirai sul serio!

– E invece sì. Il caso della mummia è famoso! Una cosa così *tipically Spanish*: fanatici religiosi, santi incorrotti, tombe profanate... Una miniera di luoghi comuni.

Avrei dovuto aspettarmelo. Alle conferenze stampa partecipano anche i corrispondenti delle agenzie internazionali. Un boccone così ghiotto non se l'erano fatto scappare. Quel che più mi seccava non era che il nostro paese desse ancora una volta conferma della sua leggenda nera, ma che la polizia spagnola balzasse agli onori delle cronache proprio quando noi stavamo dando prova di completa inefficienza.

– Non mi fa certo piacere che mezzo mondo ci tenga gli occhi addosso.

– Me lo immagino, dev'essere una grande responsabilità. E come ve la cavate?

– Male. Ci muoviamo lentamente, un passo avanti e due indietro.

– Ma tu scoprirai tutto, Petra, vedrai – intervenne Marina fiduciosa.

– Io non lavoro da sola, ci sono altre persone con me. E poi c'è il viceispettore, non te lo dimenticare.

– Io me lo ricordo sempre il viceispettore.

Federico ci guardò ridendo:

– Questa è la versione politicamente corretta. Ma tu che cosa pensi veramente?

– Vuoi saperlo? E va bene, te lo dirò. Questo è il caso più odioso, contorto e ridicolo che mi sia mai capitato. Ogni volta che penso a quella mummia e al suo piede mozzo mi viene voglia di trovarla solo per farla a pezzettini.

Scoppiarono a ridere tutti e due come matti. Non osavo chiedere a Federico che idea si fossero fatta gli inglesi della vicenda, meglio non sapere. Pregavo solo il cielo che ai miei superiori non giungesse notizia del successo mondiale delle nostre imprese. Sarebbero stati capaci di organizzare una tavola rotonda al giorno con il contributo di Beltrán. Ben lungi dal sentirmi una star, mi parve che il peso di un macigno fosse calato sulle mie spalle. Forse era venuto il momento di rinunciare. Ma così facendo non solo avrei infranto le regole della mia proverbiale testardaggine professionale, ma avrei tradito la cieca fiducia che Marina e i ragazzi riponevano in me. Stranamente era questo il pensiero che più mi frenava. Come mai? Solo per motivi affettivi, o per rispetto nei confronti della sensibilità dei piccoli? No. A essere sincera le ragioni erano altre. Un bambino non è capace di commisurare la sua ammirazione alle effettive virtù della persona che ammira, si crea un mito di infinita grandezza, erige una statua d'oro puro, consacra il proprio dio. E dove va a finire quell'essere favoloso se le sue azioni non confermano le aspettative? Nel più assoluto nulla, negli inferi dei meschini e degli inetti. In realtà non mi andava di rinunciare a essere una dea, sia pure per una bambina di otto anni.

Federico doveva avermi capita:

– Se fossi in te non mi preoccuperei troppo di quel che scrivono i giornalisti. Quel che voi non dite, loro se lo inventano.

Gli sorrisi, e fui grata di sentire dei rumori nell'ingresso. Marcos era arrivato nel momento giusto, perché francamente non avrei saputo cosa rispondere. Con lui c'erano i gemelli, la casa si riempì subito di vita e non si parlò più di mummie né di assassini. Nella confusione generale Federico si trasformò, quasi per magia, in un bambino come gli altri. Quello era il suo ruolo in famiglia, pensai, mentre con me si comportava da adulto già consapevole della realtà.

Uscimmo a cena in un ristorante catalano dove la serata proseguì all'insegna della massima allegria. Mi divertii a osservare come ciascuno adeguasse al gruppo la propria personalità, tutti tranne Marcos, che rimase fedele alla sua abituale pacatezza. Io non ero come lui. Oppressa dalle ansie delle indagini, troppo abituata a una vita di solitudine, provavo un desiderio matto di evadere da me stessa, di entrare sempre più a far parte di quella famigliastra, non come madre ma come una specie di sorella maggiore. Mi scolai due birre, dissi un mucchio di sciocchezze e partecipai agli strampalati discorsi dei ragazzi con la massima naturalezza. In un certo senso Federico faceva da *trait d'union* con i piccoli offrendomi la possibilità di abbandonare il mio ruolo troppo rigido di adulta. Marcos mi guardava, divertito, forse comprendendo come fosse difficile fare la madre per me che non lo ero mai stata.

A letto, quella notte, mi domandò:

– Come ti è parso Federico?

– Fantastico. Credi che io gli sia piaciuta?

– Ne sono convinto.

– Mi è molto più facile avere a che fare con lui che con i bambini. Ma forse è sempre così: ci rilassiamo con chi non si aspetta nulla da noi. Trovi che sia immaturo pensarla così?

– Non saprei. Può darsi che l'immaturità consista nell'aspettarsi qualcosa dagli altri.

Rimasi pensierosa.

– Secondo te, io mi aspetto qualcosa dagli altri?

– Non lo so. Ti aspetti qualcosa da me?

– Ehi, non barare! Non stavamo parlando di noi due.

– Quando nella coppia bisogna usare pesi e misure diversi... è già un brutto segno.

– Marcos, posso chiederti un favore?

– Ma certo.

– Basta con la filosofia e dormiamo.

Lui rise e mi abbracciò, come se tutto non fosse che uno scherzo. Ma io un po' me l'ero presa. Non volevo pensare a niente di serio quella notte. Per qualche ora ero riuscita a comportarmi con vera incoscienza e non mi garbava affatto rovinare quella sensazione. Mi addormentai. Sognai che avevo quindici anni e che tutto mi divertiva, senza domande.

11

La visita a don Heribert Piñol i Riudepera non poteva essere rinviata. Se davvero i nostri detective in abito talare avevano trovato una pista che valeva la pena di percorrere, era necessario capire al più presto dove portasse. Naturalmente non mi attirava molto l'idea di dover incontrare un notabile catalano di quella fatta. Immaginavo che attorno a lui si erigesse una barriera protettiva impenetrabile. Per disgrazia, non solo non mi sbagliavo, ma le mie intuizioni si videro largamente superate dai fatti.

Garzón ed io ci presentammo negli uffici dei Piñol alle undici del mattino. Erano poco fuori città, nel poligono industriale di Montcada i Reixac. Le nostre credenziali di poliziotti ci aprirono svariate porte fino a condurci davanti alla scrivania del nipote trentenne di don Heribert, Joan Piñol i Riudepera. Com'era da prevedersi, lui era già informato delle «difficoltà», così le definì, che preoccupavano le sorelle del Cuore Immacolato. Tuttavia, la nostra pretesa di parlare con suo nonno gli parve pura fantascienza.

– Ma è impossibile – ci disse fin da subito.

– E potremmo sapere perché?

– Perché mio nonno non è più in attività e soffre di una forma di demenza senile. Perciò non vedo come possa esservi utile un incontro con lui. Ricorda molto poco e fa spesso confusione.

– Si dice che gli anziani con questo genere di disturbi ricordino molto bene i fatti del passato, anche se non saprebbero dire che cosa hanno mangiato a pranzo. Se non ha nulla in contrario, desidereremmo parlargli ugualmente.

Era evidente la profonda repulsione di quel rampollo di famiglia bene all'idea che gli sbirri comparissero nella casa avita.

– Capisco, ispettore. Mi permetta almeno di conoscere il motivo di tanta insistenza, visto che sono all'oscuro di tutto.

Esporre a Piñol nipote le congetture dei nostri detective dilettanti mi parve francamente ridicolo, e così tentai una sintesi molto concisa, che però non riuscì a risparmiarmi una risata di scherno. Feci di tutto per apparire tranquilla e proseguii:

– Forse suo nonno ricorda qualche particolare che potrebbe servire per confermare o escludere definitivamente l'ipotesi di una vendetta.

Una smorfia che voleva essere ironica senza riuscirci deformò le sue labbra sottili.

– E se le ripetessi che non potete vederlo?

– Suo nonno verrà chiamato a testimoniare dal giudice.

– Dubito molto, ispettore, che una notifica potrebbe avere effetto se il nostro medico di famiglia dovesse opporsi per motivi di salute.

– In questo caso faremo sapere alla stampa che la famiglia Piñol i Riudepera rifiuta di collaborare alle indagini sul caso della mummia. Senza altre spiegazioni. Può star sicuro che la notizia verrà pubblicata. C'è fame di novità.

La faccia dell'erede dei Piñol si contrasse in un'espressione d'odio che mal si conciliava con la sua compostezza da manager laureato presso un'università privata. Mangiandosi le parole dalla rabbia, mi assalì:

– Maledetta...

Garzón tuonò:

– Stia bene attento a quello che dice, sta parlando con un pubblico ufficiale! Le assicuro che passare una notte in camera di sicurezza è molto più facile di quanto lei non creda.

Congestionato, con gli occhi che gli lacrimavano dalla rabbia, Joan Piñol i Riudepera si alzò in piedi e ci indicò la porta.

– Ne parlerò con mio padre. Questo pomeriggio vi farò sapere. Ora, se non vi dispiace, ho altre cose di cui occuparmi.

Posai sulla scrivania un biglietto da visita e mi voltai senza salutare. Ma prima che avessimo varcato la soglia Garzón disse ancora:

– Contro lo stress, le raccomando di giocare a golf, signor Piñol. Funziona molto bene.

Lo schianto della porta che Piñol sbatté alle nostre spalle fece scattare in piedi l'impiegata della reception che ci venne incontro con sguardo allarmato. Nel parcheggio, la reazione del viceispettore non si fece attendere:

– Ma che razza di idiota! Ha visto come ci ha trattati? Come se parlare con noi fosse già un disonore. Uno come lui non si abbassa al livello dei questurini!

– Gliel'ho detto, Fermín, questo è un paese di privilegiati. Qui la legge è solo per i poveracci, per gli ignoranti, per i servi della gleba.

– Lasciamo stare. Adesso sarà meglio che ci prendiamo una birretta per lavar via il malumore. D'altronde, bisogna pur mettersi nei panni degli altri, no? Se venissero a dirle che nell'anno che Berta filava i suoi antenati se la sono presa con uno che aveva profanato una mummia, lei come reagirebbe?

– Stramaledirei mille volte l'arretratezza di questo paese, ma non me la prenderei con chi viene a dirmelo. Ambasciator non porta pena, non crede?

– Ma se quello è cretino dalla nascita, non può mica farci niente, poveretto.

– Mi può spiegare da dove le viene tanta comprensione per i cretini?

– Beatriz mi dice sempre che prima di criticare bisogna saper fare autocritica.

– Non che lei ne abbia fatta tanta, di autocritica, quando gli ha tirato fuori la storia del golf.

– Non mi faccia girare le palle, ispettore.

– E questo cosa sarebbe, un atto di autocritica?

– Con lei è meglio star zitti, è un pezzo che lo so. Peccato che ogni volta me lo dimentichi. Cosa vuol farci.

Vuotammo due boccali di birra nel primo bar. La sensazione di fallimento era desolante.

– E le nostre ragazze, cosa combinano? – domandai.

– Sono agli ordini di Beltrán, se l'era già scordato?
– A far finta di dar la caccia ai matti. Ovvero a sprecare i soldi del contribuente.
– Scriva anche lei alla posta dei lettori, Petra.
– Il fatto è che sono stanca, Fermín. L'altro giorno era lei a domandarmi: rinunciamo? E adesso sono io a dirle che non sarebbe una cattiva idea. Ci converrebbe lasciar perdere, e che ci provino altri a sistemare le magagne della Spagna profonda.
– Ah, no! Non se ne parla nemmeno! Proprio adesso che siamo sulla buona strada...
– Sulla buona strada per il precipizio. Dalla pista della mendicante, che sembrava l'unica logica, non abbiamo ricavato un bel niente. E questa storia delle indagini storiche mi fa venire la pelle d'oca solo a pensarci. Se lo immagina se salta fuori che il colpevole è il discendente di un tizio che ha passato la vita in galera perché aveva profanato una mummia? Ma per carità! Quello avrebbe soltanto ragione...
– Le ricordo che ci sono di mezzo due morti: un monaco che non aveva mai fatto niente di male in vita sua e una povera donna la cui unica colpa è stata vedere quel che non doveva.
– Mi scusi Fermín, non so più quello che dico.
– Perché non si prende un pomeriggio libero e se ne va con suo marito al cinema, o a far compere?
– Mi piacerebbe più di ogni altra cosa al mondo, mi creda.
– A volte penso che ci viene voglia di mandare al diavolo il lavoro perché a casa abbiamo una vita felice. Ci

domandiamo: «Ma cosa ci faccio io in un mondo di pazzi criminali quando ho un'alternativa stupenda a portata di mano?». Potremmo chiedere un incarico amministrativo e tanti saluti.

– Ma questo vorrebbe dire ammettere che chi ha una vita privata felice non può far bene un lavoro come il nostro. E io in quanto donna mi oppongo. È l'argomento che ha sempre impedito alle donne sposate di far carriera. Senza contare che è una sonora bestialità. Secondo lei i bravi poliziotti dovrebbero essere tutti lupi solitari pieni di frustrazioni e conflitti interiori?

– Ma certo, Petra, come i detective dei romanzi americani! Lo capisce adesso perché non possiamo permetterci il lusso di cedere? Chi ha mai detto che questo caso è superiore alle nostre forze? In realtà possiamo farcela benissimo. Tanto più che stavolta contiamo sull'aiuto di Dio!

– Ha proprio ragione, Fermín, stavolta pure il beato Asercio intercede per noi presso l'Altissimo.

– Non mi riferivo a questo. Mi riferivo al dottor Beltrán, un uomo toccato dalla grazia, se non proprio Cristo sceso in terra, certo un parente prossimo del Signore.

Ancora una volta era riuscito a farmi ridere. Per dimostrargli la mia gratitudine gli offrii un'altra birra.

La risposta dei Piñol i Riudepera non si fece attendere. Ventiquattr'ore dopo la nostra visita all'*erede*, il loro avvocato ci contattò. Le condizioni per poter conferire con il patriarca non erano poche. In primo luogo avremmo dovuto raggiungerlo noi nella villa di famiglia a Cardedeu. Inoltre avremmo dovuto presentare con sufficiente anticipo una lista delle domande che intendevamo porre. E come se non bastasse avrebbero presenziato al colloquio un familiare, l'avvocato e il medico personale di don Heribert, che avrebbe avuto la facoltà di interrompere la visita qualora le condizioni fisiche del paziente lo richiedessero.

– Mi viene voglia di mandarli tutti a quel paese e di fargli spedire una bella notifica dal giudice – fu il commento di Garzón.

– Sarebbe solo una perdita di tempo. E poi il giudice non otterrebbe molto di più trattandosi di un uomo di quell'età in precario stato di salute. Chiami l'avvocato e gli dica che il solo punto su cui non possiamo accontentarlo è la lista delle domande. Sorvoleremo su tutto il resto.

Dopo un breve tira e molla sul questionario scritto, che si concluse a nostro favore, prendemmo appuntamento per il giorno stesso alle quattro del pomeriggio, ora in cui don Heribert avrebbe già concluso la sua siesta.

Quando salimmo in macchina Garzón era piuttosto nervoso.

– Comunque, chi dice che la legge non è uguale per tutti, ha perfettamente ragione. Vorrei vedere quale delinquente viene trattato con tanti riguardi.

– Le ricordo che Piñol non parla con noi in qualità di indagato.

– Me ne frego! Nemmeno il papa fa tutte queste difficoltà per concedere udienza.

Il povero Garzón doveva ancora subire l'ultimo affronto, e anche la strabiliante sorpresa che ci colse tutti quanti quando la nutrita comitiva medico-legale ci accompagnò al cospetto del vecchio sovrano e questi esplose in un'incazzatura furibonda che si espresse in questi termini:

– Ma cos'è 'sta roba, *collons*? Una delegazione ufficiale? Una festa di compleanno? Dovrete aspettare qualche anno prima che io arrivi ai cento! Fuori, fuori di qui!

Sedeva su una poltrona di vimini che occupava gran parte di un gazebo nel giardino soleggiato. Aveva i capelli bianchi e fini, il volto incavato, ma non si coglieva nel tono della sua voce né nella limpidezza del suo sguardo alcun accenno di demenza senile. Il figlio maggiore tentò di calmarlo, ma con un'altra raffica di invettive lui dettò le sue condizioni:

– Tutti fuori, e che resti solo la donna!

La donna ero io. Fu stupefacente vedere tutti quegli accoliti, che in teoria avrebbero dovuto supplire alla mancanza di giudizio del vecchio, obbedire senza una protesta. Garzón mi guardò, restio a unirsi al gruppo degli espulsi. Gli feci segno, alzando un sopracciglio, di adeguarsi. Quando fummo soli, Heribert Piñol i Riudepera mi invitò ad accomodarmi con stanca severità.

Mi presentai:

– Sono Petra Delicado, ispettore della polizia nazionale.

– So perfettamente chi è. Quegli imbecilli le avranno detto che sono rincretinito, ma le assicuro che la mia testa funziona meglio di quelle di tutti loro messi insieme.

– Non ne dubito.

– E lo sa perché ho voluto che rimanesse solo lei? Perché gli uomini non rispettano la vecchiaia! Per loro esiste solo la forza, e quando vedono che uno non ce l'ha più pensano di poterlo fregare. Ha capito?

– Ho capito benissimo. Ed è informato anche del motivo per cui sono qui?

– Non ci vuole molto: guardo la televisione, e quando la vista non mi tradisce, leggo anche i giornali. Mai avevo sentito tante sciocchezze come quelle che si dicono su questa storia.

– Condivido la sua impressione.

– Un fanatico religioso, un criminale psicopatico... neanche fossimo in America! Qui tutti i fanatici religiosi stanno nella Conferenza Episcopale, e per il momento non hanno ancora ammazzato nessuno, anche se la cosa non mi stupirebbe affatto.

Risi di gusto. Lui, sorpreso, osservò:

– Lei sa ridere, ispettore, e anche in questo batte tutti quelli che sono rimasti là fuori.

Stava cercando di sedurmi? Gli uomini non smettono mai di darsi alle conquiste, neanche dopo la morte, come El Cid Campeador.

– Lei ha una sua teoria sull'accaduto, signor Piñol?

– Per potergliene parlare dovrei prima farmi un'idea di quello che sa lei. Sia sintetica ma non mi nasconda niente.

– La Settimana Tragica. La profanazione del convento. La denuncia di uno dei suoi antenati che avrebbe condotto alla condanna di uno dei rivoltosi. Questo è tutto.

La sua mente, lucida ma rallentata, ci mise un po' a elaborare i dati. Poi la sua testa mi fece segno di sì.

– Esatto. Sapete già qualcosa di Caldaña?

Cercai subito il mio quadernetto. Mentre rovistavo nella borsa, spuntò l'arma d'ordinanza. Piñol ne fu colpito.

– Cos'ha lì, la pistola? Può farmela vedere?

La tirai fuori e gliela mostrai. Lui la osservò come un bambino, poi fece una smorfia disgustata.

– Non mi sono mai piaciute le armi, e nemmeno le guerre. In questo paese abbiamo avuto troppe guerre.

Temendo che si deconcentrasse, lo riportai sull'argomento:

– Chi sarebbe Caldaña?

– L'uomo che mio nonno denunciò per la profanazione al convento del Cuore Immacolato si chiamava Diego Caldaña. Si fece anni di galera per quella denuncia. Una pena sproporzionata che ricordammo sempre con grande vergogna. Era un operaio tessile con ben sette figli a carico. Pensi che la seconda moglie di mio nonno, donna molto generosa, cercò di risarcire quei disgraziati, ma la sua offerta non venne mai accettata. I Caldaña erano poveri, ma orgogliosi. Nessuno ha mai tenuto nascosta questa storia, in famiglia. Mi è stata raccontata quand'ero ragazzo, e io l'ho raccontata ai miei figli. Solo così, forse, possiamo fare ammenda degli errori commessi in passato.

A quel punto non sapevo davvero cosa dire, ma prima che potessi fare domande, lui continuò:

– Ai tempi della Guerra Civile io ero ancora molto giovane. Come catalanista convinto ero dalla parte della Repubblica, ma non sono andato al fronte, lavoravo in ufficio ai comandi. Uno dei miei compiti era guidare un'auto di servizio dietro incarico dei miei superiori. Un giorno, nell'estate del '38, l'auto è saltata in aria appena ci sono salito. Ero solo, e mi sono salvato per miracolo. Me la sono cavata con un paio di giorni d'ospedale. Ma prima che mi dimettessero, qualcuno mi fece avere una lettera anonima. «Le canaglie non si dimenticano» c'era scritto. Ho sempre pensato che in quel tentativo di togliermi di mezzo ci fosse lo zampino dei Caldaña.

Di colpo, tacque.

– E che cosa fece?

– Niente. Distrussi la lettera e non ne parlai con nessuno.

– Perché?

– Lei penserà che temessi una nuova aggressione, o che non volessi rendere pubbliche le colpe della mia famiglia, ma le assicuro che non fu per questo. Fu per senso di giustizia. Le sembrerà strano, ma mi sentivo libero. Come se finalmente il vergognoso debito dei Piñol con i Caldaña fosse stato saldato. Non dovevamo più niente, eravamo a posto.

– E poi?

– E poi... basta.

– Non ebbe mai notizia dell'autore della lettera? Non cercò mai di capire chi fosse?

– No, non me ne preoccupai. E non ci fu alcun'indagine su quell'attentato. Dati i tempi, lo si considerò un fatto normale. Ormai per me l'incidente era chiuso e non ho voluto più pensarci.

– Capisco.

– Quindi se ora dovesse venirle in mente di passare queste informazioni alla stampa, le dico subito che non me ne importa un fico secco.

– Signor Piñol, lei pensa che il delitto possa essere stato una sorta di vendetta tardiva ai danni della sua reputazione?

– Ma cosa diavolo vuole che ne sappia! Può darsi che ogni generazione si scelga una vendetta al passo coi tempi. Ai tempi della Guerra Civile, attentati dinamitardi; e adesso... corsa dei giornalisti alla ricerca della mummia perduta finché non si scopre che i Piñol i Riudepera sono stati dei delatori. Guardi, ispettore, io ogni volta lo capisco meno questo mondo! È da queste cose che ci si rende conto di essere diventati vecchi.

Gli sorrisi:

– Lei del vecchio non ha proprio niente, signor Piñol. Se non fosse per la sua posizione, la assolderei come aiutante in queste indagini.

Lui rise, con piccole scosse di tutto il suo fragile corpo.

– Lo dica al mio figlio maggiore, vedrà cosa le risponde.

– Signor Piñol, se lei si sente... mi consenta l'espressione, e la prenda come una metafora, ma se lei si sente un po' sequestrato dalla sua famiglia, e crede che io possa fare qualcosa per lei dal punto di vista legale, la prego di...

Sorrise tristemente, alzò una mano ossuta e percorsa da vene in rilievo:
– Va tutto bene così com'è, ispettore. La sua impressione potrà essere diversa, ma le assicuro che se fossi rimasto a capo delle società di famiglia ormai saremmo in rovina già da un pezzo. Il tempo non perdona, un giorno se ne accorgerà anche lei. Ad ogni modo, trovo magnifico che una donna voglia venire a liberarmi su un cavallo bianco. Una volta era il contrario. Lei è molto affascinante, Petra. Se avessi trent'anni di meno le farei la corte. Le pare ridicolo?
– No.
– Mi accontento di questo. Posso chiederle un favore prima che se ne vada? Mi piacerebbe farmi fotografare accanto a lei. Mentre impugna la pistola.
– Ma si immagini.
Chiamò i suoi lacchè e si fece portare una macchinetta digitale. La faccia che fecero tutti, compreso Garzón, quando ci videro assumere varie pose da 007, fu un vero poema. Poi ci salutammo scambiandoci baci e abbracci che lasciarono tutti di sasso.
Quando ci accompagnò alla porta, Piñol figlio era molto più teso che al nostro arrivo. Mi minacciò, e neppure troppo velatamente:
– Faccia molta attenzione a quel che dirà su questa faccenda, perché le assicuro che sono pronto a scomodare tutte le mie conoscenze pur di farvi restare senza lavoro.
Lo guardai e gli dissi:

– Io, al suo posto sarei più gentile. Quando meno se lo aspetta potrei diventare la sua matrigna.

Il viceispettore rideva come un matto mentre varcavamo il cancello.

– Non ci posso credere, ispettore! Il vecchio si è innamorato di lei?

– Non meno di tanti altri.

– Farò la spia a suo marito.

– E io a Beatriz. Le dirò che non la smette di mangiare fuori pasto.

– Io la odio.

– Dall'amore all'odio non c'è che un passo, Fermín.

– Può darsi, ma dall'odio all'amore...

Ero euforica, più per aver dato una mano al vecchio Davide contro il giovane Golia che per le informazioni ottenute. La storia dei Caldaña e delle loro successive reincarnazioni mi lasciava perplessa. Che senso aveva un simile pastrocchio? Ma quando ne parlai al viceispettore mi accorsi che lui riponeva grandi speranze nei nuovi elementi rivelatimi dal patriarca:

– Era il pezzo che mancava per completare il rompicapo!

– Mi permetta di correggerla: per completare un rompicapo. Ma è questo il rompicapo che a noi interessa?

– Ispettore, cercheremo quei Caldaña. Sono sicuro che salteranno fuori e che qualcuno canterà.

– Mi scusi, Garzón. Ammettiamo pure che un discendente di Diego Caldaña, particolarmente vendicativo e attaccabrighe, decida di riaprire un'antica faida familiare, si cerchi un complice e rubi nottetempo il corpo incorrotto del beato Asercio per portare alla ribalta delle cronache l'antico sopruso e infangare il nome dei Piñol i Riudepera. Con un po' di fantasia, possiamo anche supporre che detto discendente sia un giovane annoiato che non avendo nulla di meglio da fare si cerca un amichetto che gli faccia da complice nella bravata. E che i due, trovandosi fra i piedi frate Cristóbal, gli abbiano dato una mazzata e accidentalmente l'abbiano ucciso. Fin qui tutto bene. Solo che i due lasciano un biglietto. Dopo avere involontariamente ucciso hanno ancora voglia di giocare? La faccenda per me non quadra, tanto più che, non contenti, continuano sulla stessa linea e mozzano un piede al beato. Io mi domando: che senso ha fare a pezzi il corpo se non per darci delle piste? Cosa vuole quel tipo? Finire in galera per duplice omicidio? Mancherò d'immaginazione, ma le assicuro che ho difficoltà a crederci.

Garzón si grattò la testa con insistenza, segno che il suo intelletto lavorava a pieno regime. Poi mi rispose tutto compiaciuto:

– Al contrario, la sua immaginazione la porta troppo lontano, ispettore. Cosa ne sa della personalità del colpevole? Perché mai Caldaña dovrebbe essere un giovanotto annoiato che si mette a rubare reliquie per divertimento? Io direi piuttosto che è un poveretto, fissato su un'ingiustizia di quasi cent'anni fa di cui ha sentito parlare da piccolo. E che nel suo squilibrio mentale non misura le conseguenze di quello che fa. Per questo continua a giocare.

– E il complice?

– Diciamo che il complice l'ha aiutato a rubare la mummia, e basta.

– E l'assassinio di Eulalia? Secondo i testimoni la vittima parlava sempre di due uomini.

– Forse il complice l'ha aiutato anche in questo, per paura, o sotto minaccia. Dello spezzettamento della mummia e del giochetto per metterci sulla pista non sapeva nulla e adesso vive nel terrore. Sa cosa penso? Penso che dovremmo informare il dottor Beltrán. Così la smetterà di sparare cazzate a beneficio delle masse e ci farà il favore di elaborare un profilo serio.

– Mi secca ammetterlo, ma questa volta ha ragione lei. Chiami lo psichiatra e lo metta al corrente. E dica a Sonia e Yolanda di sospendere la loro caccia ai matti. Voglio vederle tutte e due al più presto.

Non mi facevo troppe illusioni. Che ci fossimo fatti un'idea del possibile assassino non significava ancora averlo preso. Perché se quel pazzo di Caldaña esisteva ed era lui il colpevole, era ben difficile che se ne stesse ad aspettarci chiuso in casa.

Comunicai ai nostri detective in sottana il risultato del mio colloquio con don Heribert. Suor Domitila se ne rallegrò:

– Bene! – esclamò. – Siamo nella direzione giusta! – Fu tale il suo entusiasmo che volle giustificarsi:

– Lei capisce che mi sento come una scienziata di fronte a un esperimento andato a segno. In questo caso le conseguenze negative che tutto questo potrà avere per la famiglia Piñol è la mia ultima preoccupazione.

– La capisco, sorella. È così che si sente un poliziotto quando trova conferma a un'intuizione.

– Le ricordo però che l'idea di indagare sulla Settimana Tragica e sui suoi strascichi è stata di frate Magí, non mia – aggiunse con umiltà.

Tuttavia frate Magí non sembrava affatto contento.

– Qualcosa non va? – gli domandai.

Lui rispose in modo evasivo:

– Ispettore, non so se si rende conto, ma ormai sono giorni che vengo a Barcellona. Pensa che dobbiamo continuare le ricerche?

– Vi pregherei di farlo. Sarebbe necessario rintracciare gli atti giudiziari del processo ai danni di Caldaña, o qualche articolo di giornale dell'epoca che fornisca ulteriori informazioni.

– Certo non in questa biblioteca!

– E dove potreste trovarli?

– Ecco... – Magí guardò la sua collega di indagini storico-criminali. – All'archivio nazionale, o in emeroteca.

– All'archivio diocesano! – esclamò lei, prossima al giubilo. – È probabile che vi sia notizia di quei processi negli annali ecclesiastici. A quei tempi la distanza fra Chiesa e Stato non era grande come oggi. E poi credo che la diocesi conservasse copia di tutti gli atti giudiziari riguardanti i beni ecclesiastici.

– È una buona idea – ammise il frate, – solo che io...

– Abbiamo mandato all'aria la sua vita monastica, fratello, me ne rendo conto. Ma la prego di collaborare ancora per qualche giorno – gli dissi. – Sa cosa possiamo fare? Telefonerò all'abate e lo pregherò di concederle licenza di trattenersi qui per una settimana. Le cercheremo un albergo e la polizia si farà carico di tutte le spese.

Esitò, combattuto. Suor Domitila lo incoraggiò:

– Ma andiamo, fratello, lasci che l'ispettore sistemi la cosa. Sono sicura che da sola non riuscirei a venire a capo di nulla.

Alla fine lui si strinse nelle spalle. Lo vidi stanco, forse per via dell'età. Tentai di presentargli diversamente la mia richiesta:

– Lei ha tutto il diritto di abbandonare le indagini. So che abbiamo approfittato fin troppo della sua amabilità. La prego però di riflettere sul motivo per cui stiamo facendo tutto questo. E di domandarsi se frate Cristóbal, che dal piano trascendente dove ora si trova di sicuro può vederci, non desideri che alla fine la giustizia trionfi.

Lui annuì più volte e disse, quasi sottovoce ma con piena convinzione:

– Faccia pure questa telefonata al mio superiore. Ritengo più rispettoso che sia lei a informarlo.

– In questo caso – intervenne suor Domitila, – potrebbe intercedere anche presso la madre superiora? Anch'io mi vedrò costretta a uscire dal convento.

– Non preoccupatevi, mi occuperò io di tutto.

La porta del convento non si era ancora richiusa alle nostre spalle quando sentii la voce di Garzón che mi faceva il verso:

– «Dal piano trascendente dove ora si trova»... Che faccia tosta, ispettore! Già che c'era, poteva dire: «Il povero frate Cristóbal che ci vede dal cielo in mezzo agli angioletti», se non altro sarebbe stata più chiara.
– Lei è uno zoticone, Garzón, e non capisce un cavolo di teologia.
– Mi scusi, ma a me questa storia del «piano trascendente» sembra un po' strana.
– La smetta di comportarsi come un somaro!
– Sì, sì, io sarò un somaro ma lei dice delle bestialità.
Lui se la rideva beato e io dovevo fare sforzi per conservare un'aria offesa.
– Lo sa cosa le costeranno questi suoi bei commenti, Fermín?
– Me lo immagino. Un'avemaria e tre padrenostro?
– No, dovrà chiamare lei l'abate e la madre superiora.
– Ispettore, non lo dica neanche per scherzo, che io non mi ci trovo a parlare con quella gente lì.
– Se la caverà benissimo invece. Racconti una di quelle barzellette anticlericali che le piacciono tanto.
– Ma lei è vendicativa fino alla morte!
Immusonito, entrò in commissariato. Lo sentivo ancora brontolare mentre si dirigeva verso il suo ufficio. Perfetto. Ecco dimostrato che la sua energia lavorativa era tornata quella di un tempo. Chiamai Sonia e Yolanda e diedi ordine che si presentassero subito da me. Era ovvio che non stavano combinando niente perché venti minuti dopo erano già lì. Mi fece piacere rivederle, erano giorni che non lavoravo con loro, e mi accorsi che

in qualche modo la nostra piccola squadra aveva bisogno della loro gioventù. Non sembravano contente, però, Yolanda meno che mai.

– E allora, quanti matti da legare avete individuato?

Sonia apparve sconcertata, ma Yolanda s'inalberò:

– Ispettore, posso parlarle sinceramente?

– Se pensi di tirarmi fuori qualche impertinenza, preferirei di no.

– Con tutto il rispetto, ispettore, che ci abbia tenute fuori dalle indagini per tutto questo tempo, a non combinare niente, mi sembra davvero ingiusto.

– Avevate la vostra missione.

– Sì, girare inutilmente per i reparti psichiatrici, a morire di noia e di pena.

– Erano ordini superiori.

– Solo che io a lei la conosco, e so che quando gli ordini non le garbano un modo per farla franca lo trova sempre.

– Adesso basta, Yolanda. In ogni caso questo lavoro non serve più. Ho bisogno di voi per un'altra cosa.

Non la rimproverai, perché il suo tono era più quello della bambina delusa che della sottoposta in piena crisi di nervi. Ma Sonia intervenne con la sua vocetta flautata:

– Veramente io gliel'avevo detto a Yolanda di non preoccuparsi, perché ero sicura che prima o poi lei ci avrebbe dato da fare qualcosa di più utile. E già che siamo in confidenza, le dirò che i giri per gli ospedali non sono stati niente in confronto alle lezioni del dottor Beltrán.

Ogni volta che apriva bocca quella poveretta riusciva a mandarmi fuori dai gangheri.

– Come hai detto? Che siamo in confidenza? Qui nessuno ti autorizza a fare commenti poco rispettosi nei confronti di un nostro collaboratore. È chiaro?

– Sì, ispettore – disse lei terrorizzata.

– E adesso passiamo a cose più serie.

Spiegai loro la storia dei Caldaña e diedi istruzioni su come rintracciarli. Ero già pentita di aver trattato male Sonia, ma proprio non me la sentivo di rimediare. Era più forte di me. Vederla lì, inutilmente sull'attenti, con la faccia sconsolata di un pesce preso all'amo, mi dava terribilmente sui nervi. Detestavo gli inetti, gli inopportuni, i pusillanimi... o forse detestavo solo me stessa e la mia maledetta incapacità di essere imparziale. Yolanda si ribellava e io le davo una pacca sulla spalla, Sonia si permetteva un'osservazione innocua e le lanciavo contro la cavalleria. Cercai di calmarmi e impartii loro le ultime raccomandazioni in tono troppo pacato per essere sincero:

– Dovrete essere particolarmente perspicaci e attente alle reazioni di chi interrogherete. È necessario non allarmare nessuno, ma badare a ogni minimo particolare. Prudenza e discrezione sono indispensabili. Alla prima avvisaglia di qualcosa di sospetto, la procedura da seguire è ringraziare e andarsene come se niente fosse, tenere d'occhio la casa e chiamare subito me o il viceispettore Garzón. Qualche dubbio?

– No, – rispose Yolanda.

– E tu, Sonia? – domandai con la massima gentilezza.

– No! – si precipitò a rispondere l'interpellata quasi strillando.

– Molto bene. Cominciate pure. E rimanete sempre insieme, naturalmente.

Poiché nei nostri archivi non era schedato alcun Caldaña, la via più diretta era sbarrata. Ci rimaneva il banale sistema di cercare sulla guida telefonica e all'anagrafe. Presto le ragazze mi fecero sapere che risultavano solo tredici persone con quel cognome domiciliate a Barcellona, numero modesto e per ciò stesso tranquillizzante. Meno tranquillizzante era la possibilità, non trascurabile, che il nostro Caldaña vivesse nei comuni limitrofi. Mi sforzai di essere ottimista e non volli prendere in considerazione, per il momento, questa eventualità. Diedi quindi ordine alle ragazze di entrare in azione.

Ormai ero entrata nella fase in cui l'impegno richiesto dalle indagini cancellava qualunque altra necessità, perfino quella di nutrirmi. Di colpo, ritrovandomi sola in ufficio, mi accorsi di essere esausta. Mi accesi una sigaretta che mi riempì la bocca di un saporaccio amaro e mi domandai se fosse il caso di ordinare qualcosa al bar. La sola idea di un panino unto mi diede la nausea. Spensi il computer e chiamai Garzón. Anche lui aveva bisogno di un po' di respiro, bastava vederlo. Sembrava addirittura dimagrito, e i suoi occhi da cagnone buono erano gonfi e arrossati.

– Cosa ne dice se ce ne andiamo, Fermín?

– Se ce ne andiamo dove?

– A casa, dove vuole andare?

– Non posso. Sono due ore che chiamo l'abate di Poblet e mi dicono che non può perché è in preghiera.

– Lasci detto di richiamare.

– Preferisco insistere. Ho paura che a furia di pregare quello se ne dimentichi. Mi chiedo cos'abbiano da pregare tanto lì dentro.

– Parlano col Signore.

– Ma ormai il Signore sarà stufo marcio di starli a sentire. Forse è per questo che non risponde.

– Ma lei cosa ne sa se risponde o no?

– Lo direbbero sui giornali.

Risi senza nascondere la stanchezza.

– Io me ne vado. Sarà una settimana che non prego il mio, di signore.

– A dire il vero nemmeno io prego molto la mia santa. E dire che mi concede tutto quel che le chiedo!

Risi di nuovo e lo fissai.

– Ma lei non perde mai il buonumore?

– Il buonumore è l'unica cosa che rimane quando tutto è perduto. Per questo chi non ce l'ha è fregato in partenza.

Rimasi a guardarlo mentre mi voltava la schiena ampia e carnosa per uscire. Di colpo si girò per aggiungere a mo' di conclusione:

– Quando tutto questo sarà finito, giuro che il primo frate che incontro per la strada, se solo lo riconosco, perché adesso vanno vestiti come gli pare, gli stacco giù due Madonne che se le ricorda. Ne ho le palle piene di tutta questa sacralità del cavolo.

Se ne andò, e lo spostamento d'aria creato dal suo

corpaccione spazzò via ogni sentore di tragedia che poteva aleggiare nella stanza.

Infilando la chiave nella serratura mi domandai chi mai avrei potuto trovare in casa quella sera. Non riuscivo ad abituarmi alla nuova situazione: prima non c'era mai nessuno, e adesso... Ma non mi dispiaceva, quell'incertezza dava ai miei rientri un sapore di sorpresa e di avventura. E infatti quella sera fu Federico ad accogliermi. Stava leggendo un libro sdraiato sul divano con le cuffiette di un iPod infilate nelle orecchie.

– Petra, amata matrigna! – esclamò alzandosi in tutta la sua statura.

– Sono mezza morta, figliastro adorato! Sei solo?

– Solissimo. A quanto pare mio padre non arriverà fino all'ora di cena.

– Che disastro di famiglia, vero?

– Figurati! Sono io, piuttosto, che non dovrei importunarti. Solo che oggi mia madre ha deciso di fare la personcina adulta che mi dà consigli per il mio bene e io ho tagliato la corda. Ho detto che ero a cena da voi. Per fortuna ho trovato Jacinta. Ce lo facciamo un whisky? Tu ne hai certamente bisogno, e io sono così cavaliere che non ti lascio bere da sola.

Crollai su una poltrona, mi tolsi le scarpe, sospirai.

– E va bene, un whisky. Mi piace fare la corruttrice della gioventù.

Lo osservai mentre preparava da bere con gesti poco ortodossi. La sua figura filiforme si muoveva nervosa intorno al mobile bar. Poi venne a porgermi il mio bicchiere e tornò a sedersi.

– Non aver paura, non ti chiederò della mummia. Sono più civilizzato dei miei fratelli.

– I tuoi fratelli sono carinissimi. L'unico problema è che forse avere una matrigna poliziotta li spiazza un po'. Non c'è da stupirsene, tutti i divorzi e i matrimoni di tuo padre devono averli frastornati.

– Non credere. Voi adulti sottovalutate le capacità dei bambini. Io, che ci sono ancora vicino, ricordo bene come mi sentivo quando i miei si stavano separando. Mi rendevo conto di tutto, sapevo com'era fatto l'uno e com'era fatto l'altro, conoscevo gli aspetti positivi e quelli negativi di entrambi, i loro difetti, le loro manie... tutto quello che gli adulti cercavano inutilmente di nascondermi. Solo che voi grandi ci trattate come animaletti innocenti che vivono in un mondo a parte.

– Sei molto intelligente.

– Sì, mi difendo. E mi ricordo anche del giorno in cui mi sono accorto che essere figlio di genitori separati mi dava un mucchio di possibilità in più.

– E cioè?

– Ero più libero, meno chiuso all'interno della famiglia, più responsabile della mia vita, potevo pensare con la mia testa, fare delle scelte...

– Il brutto è che te ne accorgi quando sei più grande, ma all'inizio forse è diverso.

– All'inizio è un po' dura, è vero. Ti chiedi se non hai per caso colpa di qualcosa, se ti sei sempre comportato bene, se non avresti potuto fare di più perché i tuoi andassero d'accordo. Ma una volta che la tua vita si è riorganizzata, una volta che ritrovi delle abitudini e vedi che tutto è rimasto più o meno come prima, allora la sola cosa che vuoi è passartela bene e non avere problemi. Perché i tuoi genitori sono sempre i tuoi genitori, una cosa molto importante, ma tu sei tu.

Quel ragazzo mi piaceva. Poteva dare l'impressione di prendere poco sul serio la vita, ma era tutt'altro che superficiale e incosciente. Bevve un buon sorso del suo whisky e continuò:

– Sono contento che mio padre abbia sposato te. Di tutte le sue mogli, mi sembri la donna più adatta a lui.

Risi per nascondere l'imbarazzo.

– Posso domandarti perché? Mi interessa sentire la tua opinione. Tuo padre non parla quasi mai del passato.

– È molto riservato, lo so. Ma non credo che saprei elencarti i motivi per cui te lo dico. L'idea che mi sono fatto è che sia mia madre che la sua seconda moglie si aspettassero troppo dal matrimonio. E che mio padre si sentisse un po' soffocare. L'amore è una bella cosa, ma ce ne sono altre, no? Tu invece, con la storia che fai il poliziotto e che hai già divorziato un po' di volte...

– Soltanto due.

– Non importa. Tu hai la tua vita, i tuoi problemi, i tuoi interessi, e non passi tutto il santo giorno a rompergli le scatole con la scusa che lo ami e che non puoi fare a meno di lui. Lui è un tipo indipendente, e anche tu.

Scoppiai a ridere.
– Non so come prenderla una cosa così, te lo giuro.
– Prendila bene. Non sono uno psicologo o uno di quelli che rispondono alla posta del cuore, ma mi piace osservare la gente e ne traggo le mie conclusioni.
– Hai una ragazza?
– A volte sì, ma non mi vanno le storie serie. In ogni caso non ho intenzione di sposarmi. La gente della vostra generazione è sempre lì, a sposarsi e risposarsi, e io non ho voglia di incasinarmi la vita.
– Mi pare un atteggiamento saggio.
– Magari un giorno cambia tutto e mi innamoro. Ma sposarmi no, te lo assicuro. E non avrò mai figli.
– Hai ragione, è una responsabilità eccessiva.
– E una gran rottura di coglioni.
– Anche.
– Mi basta stare un paio di giorni con i miei fratelli e già non ne posso più.
– A me divertono.
– Lo so, tu a loro sei simpatica. Impazziscono per la storia che sei un poliziotto e dai la caccia agli assassini fuori di testa.
– Non sai quanto mi fa piacere sentirtelo dire. Molte volte ho pensato che non mi avrebbero mai accettata.
– Sciocchezze. Rompono le scatole solo per attirare l'attenzione.
Sentimmo entrambi la porta che si apriva. Marcos era arrivato. Gli chiesi ancora, precipitosamente:
– Quando te ne riparti per Londra?
– Domani.

– Se non dovessimo più vederci da soli, voglio che tu sappia che sono molto contenta di avere un figliastro come te.

Non ebbe il tempo di rispondermi. Tanto meglio, detesto l'esibizione dei sentimenti. Marcos si stupì vedendoci lì, semisdraiati sulle poltrone.

– Ehi! Che cosa fate qui al buio? – Accese una lampada. – A ubriacarvi, per di più! State festeggiando qualcosa?

– Volevo portarmi a letto Petra, ma lei ha detto di no.

Marcos prese un cuscino dal sofà e glielo lanciò addosso:

– Taci, figlio snaturato!

Poi si lasciò cadere anche lui su una poltrona.

– Vuoi qualcosa da bere?

Lui scosse la testa, si sfregò gli occhi e sospirò.

– Se bevo un whisky adesso mi addormento come un ghiro. Vi faccio una proposta: andiamo a mangiare qualcosa nella pizzeria qui dietro. Non sarà un gran festeggiamento ma almeno potremo cenare e chiacchierare tranquilli.

– E che cosa dovremmo festeggiare? – chiese Federico.

– Che finalmente te ne vai, caro mio! Non potrebbe esserci motivo migliore.

Marcos era felice, benché fosse mortalmente stanco quanto me, perché aveva capito che il suo figlio maggiore e la sua nuova moglie si erano piaciuti. Non mi disse nulla, come io non dissi nulla a lui. Ci sono cose che è quasi osceno sottolineare.

12

Il dottor Beltrán fece, forse per la prima volta, un ottimo lavoro. Non sarebbe stato neppure giusto accusarlo per l'inutilità del suo precedente contributo, dal momento che non avevamo riposto alcuna fiducia in quel che aveva da dirci. Era di certo un insopportabile pedante, un narcisista più supponente di Sigmund Freud, ma leggendo i suoi scritti e parlando con lui fui costretta ad ammettere che sapeva il fatto suo.

– Veniamo ora al nostro Caldaña. Sono giunto alla conclusione che potrebbe benissimo trattarsi di un giovane disadattato. Tormentato dal romanzo familiare della condanna inflitta al bisnonno profanatore, aveva due vie davanti a sé. Rivoltarsi contro la famiglia e rimuovere quell'umiliante scheletro nell'armadio, oppure fare quello che ha fatto: reagire a una vita già fallimentare, nonostante la giovane età, con una vendetta plateale che gli desse l'illusione di riabilitarsi come persona. Con ogni probabilità un soggetto simile soffre di un pesante disturbo ossessivo-compulsivo. È di livello sociale modesto, oppresso dalla frustrazione e poco inserito. Ma mentre un individuo normale attribuisce i propri insuccessi alle varie circostanze della vita, lui li lega indissolubilmente al sopruso subito dalla sua famiglia, che gli appare come l'origine di tutti i mali e grava su di lui impedendogli di riuscire nella vita.

«Dovremmo trovarci di fronte a un individuo di non più di trent'anni, con difficoltà nello studio e sul lavoro, che fa uso più o meno regolare di sostanze stupefacenti, con uno stile di vita solitario. Potrei scommettere che non ha un diploma, è disoccupato e non frequenta ragazze, solo qualche amico disadattato quanto lui, come quello che ha reclutato per mandare a segno i suoi folli progetti. Secondo l'ipotesi da voi delineata, la morte di frate Cristóbal sarebbe avvenuta accidentalmente, giacché l'intenzione non era quella di uccidere ma solo di mettere fuori combattimento la vittima. Ebbene, su questo punto mi permetto di avanzare dei dubbi, giacché un soggetto con questo profilo psicologico potrebbe benissimo aver pianificato un omicidio. Il furto del corpo del beato e il gioco proposto alla polizia, con il biglietto lasciato sul luogo del delitto e la successiva mutilazione del corpo, dimostra tratti fortemente esibizionistici e il desiderio di prolungare il piacere prodotto da un atto sadico».

– Crede che un ragazzo con queste caratteristiche possa consegnarsi spontaneamente? Intendo dire, se gli facessimo pervenire qualche genere di messaggio attraverso i media, o se si sentisse assediato, potrebbe costituirsi?

– Ne dubito. Più il tempo passa, più lui si compiace della sua impresa e si vede come un eroico antagonista della legge e dell'ordine costituito, da lui considerati ingiusti.

– E perché ritiene che sia un giovane?

– Perché modalità così rabbiose, ma soprattutto così esibizionistiche, sono tipiche dei soggetti giovani. E poi per un ragazzo è più facile trovare un amico disposto a fargli da complice.

Le argomentazioni dello psichiatra erano convincenti, ma come avrebbe fatto un ragazzo inesperto ad assassinare un uomo e rubare un corpo senza lasciare tracce? E il biglietto a caratteri gotici perfettamente tracciati? E il successivo assassinio di Eulalia? Se pure l'amico che l'aveva aiutato si era arrischiato al punto da ritrovarsi un morto sulla coscienza, non si sarebbe spaventato all'idea di liquidare anche la mendicante? Tutto questo non mi era chiaro. Insistei:

– Ammettiamo pure che l'ossessione di questo ragazzo sia così forte da renderlo pericoloso, ma cosa può aver spinto l'amico a seguirlo nei suoi propositi? Dobbiamo ritenerlo altrettanto disturbato?

– Per rispondere alla sua domanda devo invitarla a rileggere il rapporto da me redatto sulla personalità psicopatica. Non possiamo sapere di quale genere di disturbo soffra il soggetto in questione, ma è stato spesso riscontrato che questo genere di patologie si accompagnano a facoltà intellettive per nulla trascurabili e, soprattutto, a una straordinaria capacità di persuasione e manipolazione degli altri. Talvolta questi individui hanno spiccate qualità da leader e riescono facilmente a piegare la volontà di soggetti psicologicamente più deboli.

Annuii come un'alunna diligente e lo ringraziai.

– Se le sue induzioni ci permetteranno di individuare il soggetto, è probabile che richiederemo nuovamente la sua collaborazione per interrogarlo e valutarne la personalità.

– Lei sa quanto io sia interessato a collaborare con voi, sebbene l'attenzione da voi mostrata per il mio apporto sia stata tutt'altro che incoraggiante.

– Le assicuro che siamo ben consapevoli dei suoi meriti e dell'importanza del suo lavoro, dottor Beltrán – risposi, cercando di trarmi d'impaccio. – Da questo momento mi affido a lei e alla sua discrezione. La prego di non concedere nuove dichiarazioni, neppure al nostro addetto stampa.

Era un presuntuoso ma non era uno stupido. Sapeva perfettamente di avere sbaragliato il nostro scetticismo. Alla fine eravamo costretti a ricorrere a lui e questo lo lusingava oltre ogni dire. Aveva elaborato un profilo psicologico davvero interessante, e se il colpevole era un discendente dei Caldaña doveva essere come lo descriveva lui: giovane, esibizionista al punto da architettare una vendetta così assurda, pieno di rabbia e matto da legare. Garzón, ancora più entusiasta e convinto di me, si diede a dissipare ogni mio dubbio non appena lo formulavo:

– Ma se si tratta di un povero disadattato senza risorse, che per di più andava male a scuola, chi gli ha insegnato a scrivere a caratteri gotici?

– Ispettore, lei sottovaluta le possibilità di internet.

– Va bene, però...

– Ma la smetta con i suoi però! Cerchi, una volta tanto, di avere un briciolo di fede nelle piste che stiamo seguendo. È dall'inizio delle indagini che non la vedo scegliere una strada e percorrerla fino in fondo.

– Ha ragione, solo che tutte le strade percorse finora finiscono nella giungla.

– Stavolta potrà attraversarla anche con i tacchi. Mi ci gioco il collo.

– Spero soltanto quello della camicia. Ma dal momento che questa è una faccenda religiosa, vedrò di metterci un po' di fede.

In quel momento Villamagna ci venne incontro esibendo le insegne della sua personalità B: un'oltraggiosa maglietta piena di buchi.

– Non gli dia corda, Fermín – sussurrai al mio collega, – ora meno che mai –. Ma ci fu impossibile sottrarci. Villamagna aprì le braccia in tutta la loro estensione come per placcarci.

– Fermi dove siete! Che nessuno si muova!

– Devi scusarci, Villamagna, ma siamo pieni di lavoro fin sopra i capelli e abbiamo il tempo contato.

– Solo una domanda: com'è che il castigamatti adesso ha la bocca cucita?

– Pensi davvero che i giornalisti si interessino ancora a questa storia?

– Non dirmi che non leggi i giornali, intellettuale come sei.

– Ho cose più importanti da fare, come per esempio chiedere al giudice di imporre il più ferreo silenzio stampa.

– Si può sapere cosa cazzo mi stai nascondendo? Avete stanato la lepre? Perché non me lo dici, in via del tutto confidenziale?

– Piuttosto che fare una cosa del genere metterei in internet la foto di mia nonna in mutande.

– Dài, Petra, non essere stronza, non sto nella pelle.

– Neanche per sogno. Saprai tutto quando sarà il momento.

Gli feci ciao con la mano e lui mi rispose mostrandomi il dito medio alzato.

– Non mi abituerò mai alla volgarità dell'ispettore Villamagna – mi disse Garzón non appena fummo nel mio ufficio.

– Lui non è volgare, è *trendy*, o perlomeno la sua è una volgarità molto attuale. Ma non usciamo dal seminato. Ha sentito quello che ho detto? Vada immediatamente da quel giudice alle prime armi che ci è toccato in sorte e gli dica che...

– Non ce n'è bisogno, ci ha già pensato Coronas. Mi ha chiamato mezz'ora fa perché glielo facessi sapere.

– Non ci capisco niente.

– Be', se lo può immaginare: il cucciolo dei Piñol ha fatto una telefonataccia a Coronas, e il nostro commissario si è sentito in dovere di prendere in mano la faccenda, fregandosene altamente di noi... Così adesso il silenzio è assicurato!

– Ma guarda un po', il novellino! Non era così fiscale e corretto il giudice Manacor?

– Non ha resistito ai ruggiti del nostro amato capo.

– Certo, questa storia sta prendendo una piega che a Coronas non piace affatto. Una famiglia importante coinvolta nelle indagini. Poteva evitare di scavalcarci, però.

– È lui il capitano, e noi i marinai. Così l'ha raccontato a me, perché di lei ha paura.

– Sì, paura. Ma se per colpa di quella mummia del cazzo non mi caga più neanche di striscio!

– Si sta mettendo al livello di Villamagna, ispettore.

– Deve ancora vedere la maglietta che mi metterò domani. Con la scritta: «Anch'io brucio conventi».

– Bella! Mi piace. Ne compri una anche per me.

– Non credo che incontrerebbe il gusto di sua moglie. Chiami le ragazze, piuttosto. Riunione fra un'ora nel mio ufficio.

Sulla scrivania trovai la lista delle telefonate. Mi stupì che suor Domitila mi avesse cercata. Non aveva il mio numero di cellulare? Chiamai subito il convento, ma evidentemente ogni urgenza era destinata a sgonfiarsi non appena varcate quelle mura. Dieci minuti dopo, probabilmente sottratta a qualche preghiera o rosario collettivo, la voce di suor Domitila suonò imperiosa al mio orecchio:

– Dica, ispettore.

– Scusi se la disturbo, ma ho visto che ha lasciato un messaggio per me e non capivo come mai non mi ha chiamata al cellulare.

– Non ho mai avuto il suo numero.

– Ma come? Proprio lei che fa parte della mia squadra speciale!

La sentii ridere compiaciuta. Poi la sua voce energica passò con entusiasmo al motivo della chiamata:

– Ispettore, finalmente sappiamo dove trovare tutte le informazioni che ci occorrono.

– Non capisco.

– La biblioteca di scienze religiose della Fundació Balmesiana, specializzata in storia ecclesiastica, possiede fondi ricchissimi sulla Settimana Tragica. Pensi: il direttore ha accesso nientemeno che all'Archivio Segreto Vaticano!

– Caspita! – esclamai, fingendo di trasecolare.

– Ed è anche archivista maggiore presso l'Archivio dei Cappuccini!

– Incredibile! – esclamai di nuovo, con una certa irritazione. – E questo per noi cosa significa?

– Ispettore, significa che potremo consultare una quantità di documenti sul periodo che ci interessa. Forse ne ricaveremo informazioni precise su quel Diego Caldaña, dove abitava, di dov'era la sua famiglia, che cosa avvenne durante il processo...

– E adesso a che punto siete?

– Abbiamo preso appuntamento per domani, ci riceverà il direttore in persona.

– Magnifico. Quando saprete qualcosa, informatemi.

– Ma certo, ispettore. Agli ordini! – concluse festosamente, e scoppiò a ridere.

Forse noi poliziotti eravamo gli unici a soffrire. I nostri collaboratori si divertivano come bambini: il dottor Beltrán se la spassava un mondo a scrivere romanzi sui suoi psicopatici, e quei due monaci toccavano il cielo con un dito andandosene in giro per biblioteche. Me la vedevo benissimo suor Domitila vestita da Sherlock Holmes. Alla fine la cornice storico folcloristica che circondava la nostra mummia relegava in secondo piano due morti ancora freschi. Il tutto si stava trasformando in una ridicola pantomima.

Garzón rimase impassibile quando gli riferii la splendida notizia che la nostra suora era stata così cortese da trasmetterci.

– E non dice niente, non fa domande?

– Cosa dovrei dire? Loro sanno, loro sono gli esperti. Ma a mio modesto parere, col cavolo che per l'assassinio di un frate e di una barbona ci aprono gli archivi segreti del Vaticano.

– Nessuno dice che debbano farlo. Quello che ci interessa...

In quel momento mi fulminò un'improvvisa crisi di stanchezza, di senso d'impotenza, di disperazione. Smisi di parlare, cercai una sigaretta, la accesi ed esalai una nube di fumo che era come un segnale di soccorso.

– Qualcosa non va? – mi chiese il viceispettore.

– Io non ne posso più di questa storia, Fermín. Meglio, molto meglio un crimine passionale, una rissa di strada con morto ammazzato, un passante travolto da un investitore in fuga, un...

– Vuole che andiamo a prendere qualcosa?

– Dubito che sia una soluzione, soprattutto perché Yolanda e Sonia devono già essere qui fuori.

– Va bene. Però appena abbiamo finito andiamo a ubriacarci, d'accordo? Alla salute della Chiesa, del papa e dei carmelitani scalzi e in ciabatte.

Gli sorrisi. Apprezzavo i suoi gesti d'amicizia, soprattutto quando comportavano un'ingestione d'alcol tale da metterci al tappeto.

– Perché no? – mormorai, e feci entrare le nostre giovani agenti.

Probabilmente si erano messe d'accordo, perché fu sempre Yolanda a parlare. Ormai sapevano che mi prendeva una crisi isterica ogni volta che sentivo la voce di Sonia.

– Vediamo questi Caldaña. Quanti ne avete incontrati? – tentai di sintetizzare.

– Quattro. Tutte famiglie normali. Non sembra abbiano niente da nascondere –. Yolanda tirò fuori un bloc-notes e cominciò a leggere: – Gerardo Caldaña Ortiz, quarant'anni, ambulante: gestisce un banco di pesce fresco al mercato della Concepción. La notte dei fatti...

– Un momento – la fermai. – Ha figli?

– Come? – domandò disorientata.

– Riprendete tutto da capo tenendo conto di questo profilo –. Feci scivolare verso di loro la relazione di Beltrán.

– Di nuovo lo psichiatra? – esalò Yolanda.

– Verificate se queste famiglie hanno figli fra i diciotto e i trent'anni, se vivono in un contesto di emarginazione, se lavorano, che cosa fanno... E se qualcosa vi suona strano fatecelo sapere, a noi e al dottor Beltrán.

Sonia emise un suono quasi impercettibile, forse preludio di una domanda, che Yolanda stroncò sul nascere con uno sguardo. Non approvando quel genere di censura preventiva, dissi:

– Volevi dire qualcosa, Sonia?

– Be', mi domandavo, insomma, volevo chiederle: adesso, quando il dottor Beltrán dirà qualcosa, dovremo prenderlo sul serio?

Yolanda socchiuse gli occhi come in attesa di una frustata, e li riaprì solo quando mi sentì bisbigliare, con il massimo del contegno:

– Sì, cara, sì.

Uscite che furono dal mio ufficio, decretai:

– Possiamo andare, Fermín! Ne ho bisogno.

La Jarra de Oro era piena fino all'inverosimile. Gli avventori, euforici, brindavano e lanciavano grida disumane che solo in Spagna potevano essere interpretate come segno di incontenibile felicità. Al viceispettore bastò uno sguardo al televisore per capire di cosa si trattava:

– Ha vinto il Barça.

– Pensavo fosse scoppiata la rivoluzione. Perché non ce ne andiamo da un'altra parte?

– Abbia un attimo di pazienza, che adesso ritrasmettono i gol. Mi faccia dare un'occhiata.

Si avvicinò munito della sua birra allo schermo e io rimasi al banco a soffiar via la schiuma dalla mia. Possibile che a quegli onesti cittadini ansiosi di vittorie sportive interessasse anche la nostra mummia? Qual era il mondo reale: il nostro o il loro? Non c'era forse fra i due un'insanabile contraddizione? Mentre riflettevo su questo profondo dilemma filosofico, percepii la vibrazione del cellulare. Il frastuono mi costrinse a uscire sul marciapiede. Lì, nel gelo invernale, mi assalì una voce ancor più gelida. Era madre Guillermina:

– Ispettore, devo parlarle di una cosa molto seria. Può venire subito qui?

– No – risposi con una calma che stupì perfino me stessa.

– E posso sapere perché non può o non vuole venire?

– Vede, madre, ha vinto il Barça, e io ho deciso di prendermi una sbronza.

– Come dice?

– Lei non sarà in grado di capirmi ma è così. La gente si interessa a cose vive, concrete, cose che succedono nella realtà, madre Guillermina, come la vittoria di una squadra di calcio. E noi? Noi ci preoccupiamo di morti, assassini fuori di testa e altre cose oscure di cui non frega niente a nessuno, mi creda.

Per un attimo lei tacque, e poi disse con sincera apprensione:

– Si sente bene, ispettore?

– Passo a trovarla domattina, appena prendo servizio, madre, glielo prometto.

Fui di parola, perché poi Garzón ed io non ci ubriacammo. No, quella volta no. Avevamo troppe cose a cui pensare per gettarci a corpo morto in una voragine, e alla fine il buon senso prevalse.

Così, il giorno dopo, sana nel corpo e lucida di mente, arrivai di buon'ora al convento delle sorelle del Cuore Immacolato per incontrare madre Guillermina prima che s'imbarcasse in una delle sue sessioni di preghiera. Sapevo già che cosa mi aspettava: proteste e raccomandazioni, raccomandazioni e proteste. Ma non potevo che essere diplomatica. In fin dei conti una delle sue non numerosissime suore stava lavorando per noi, e come se non bastasse rischiavamo di compromettere la loro principale fonte di reddito: la famiglia Piñol i Riudepera. E poi madre Guillermina mi era simpatica.

Infatti, non mi ero sbagliata. Cominciò con le raccomandazioni, sintetizzabili in una parola: discrezione; e continuò con le proteste, che non mi sorpresero:

– Ho tutto il convento sottosopra con queste indagini. Non parlo solo dell'ansia che si vive qui dentro dal giorno del delitto, ma del fatto che suor Domitila, ormai pienamente calata nel ruolo di detective, vive praticamente fuori da queste mura.

– E che cosa vuole che faccia? Lo sa il peso che reggo sulle spalle in questo periodo? – La sola difesa era il contrattacco. – Pressioni da ogni dove. I miei superiori mi perseguitano, i giornalisti anche, il nipote del signor Piñol è su tutte le furie... Tutti mi chiedono risultati che non dipendono da me! Lei non immagina da quanto tempo non faccio una vita normale con la mia famiglia, non riesco neppure a star dietro alle mie cose personali. Non penso ad altro che all'assassino di frate Cristóbal e di quella donna, al ladro del suo beato, alla storia di Spagna, a... – Mi interruppi, abbassai la voce. – Mi dispiace, non intendevo essere sgradevole.

Quel mio sfogo improvviso la immerse in un silenzio colpevole. Mi guardò preoccupata e fece schioccare la lingua.

– Caspita! Non avevo idea che lei fosse in questa situazione.

– Lo sono.

– Non voglio essere ingiusta con lei. Solo che... vede, suor Domitila sembra aver completamente dimenticato i suoi doveri. Ultimamente ha persino abbandonato a se stessa la povera suor Pilar! Prima la seguiva nei suoi studi, la aiutava a preparare gli esami, si preoccupava dei suoi progressi. Adesso non vive che per quel delitto, non smette di pensarci un solo istante, quando non se ne va di archivio in archivio accompagnata da frate Magí.

– È tutta colpa mia. Non è stata una sua scelta.

– Certo. Quanto al nipote del signor Piñol...

– Stiamo cercando di condurre la cosa con tatto. Ora le indagini proseguono nel più stretto riserbo. Ho paura che alla fine qualcosa trapelerà, è inevitabile, ma cercheremo di fare in modo che nulla possa danneggiarli. Per ora è tutto sotto controllo. A proposito, lei saprà che ho parlato con don Heribert.

– Ma certo che lo so!

– Un vero signore, un uomo intelligente e dall'altissimo senso morale.

– Sono d'accordo con lei.

– Che differenza, no?

– Differenza?

– Rispetto al nipote. Un giovane pieno di spocchia, aggressivo e scortese.

Gli occhi di madre Guillermina mandarono un lampo. Doveva aver avuto una discussione con lui per telefono. Non fece commenti.

– Lasciamo stare, ognuno è com'è. Ce lo prendiamo un caffettino?

Superata la fase delle ostilità, le sorrisi. Tirai fuori un pacchetto di sigarette e gliene offrii una. Lei esitò:

– Così presto la mattina...

– Andiamo, madre. E tenga il pacchetto.

– No, no, neanche per sogno! Anche se... Lo sa cosa mi tocca fare certe volte? Chiedere ai parenti di mandarmi qualche stecca. Mi vergogno di questa mia debolezza con le consorelle, e mi dispiace che il mio vizio debba pesare sul bilancio del convento...

– Ha ragione. Chi detiene il potere non può permettersi di mostrare agli altri i suoi punti deboli.

– Ma non è mica per questo! A me del potere non importa un fico secco. Starei molto meglio senza! Il fatto è che do il cattivo esempio. Le consorelle possono pensare: se la nostra superiora non riesce a rinunciare al fumo, chiunque di noi può permettersi qualche piccola licenza.

– E questo la preoccupa?

– In realtà no. In fondo sono le piccole licenze a darci la forza per andare avanti. Ciascuno ha il diritto di vivere a modo suo, almeno un pochino. Altrimenti saremmo tutti perfetti, e la perfezione è sinonimo di mostruosità.

La guardai. Sotto la cuffia e il velo aveva un cervello che funzionava.

– La prossima volta le porto una stecca di sigarette.

– No, la prego! Comunque, se proprio vuole... Io gliela pago.

– Gliela rivenderò a prezzo di borsa nera.

Rise di gusto.

– Lo sa che lei è un bel tipo, ispettore? Se un giorno risolve questo caso...

– Osa metterlo in dubbio? Non ha fede in me?

– Ho più fede in Dio.

– E allora lo preghi di aiutarci, madre, perché queste indagini cominciano ad andare troppo per le lunghe.

Uscii di ottimo umore, malgrado lo sguardo malefico che mi lanciò la suora portinaia. Forse avrei dovuto farmi suora anch'io, ed entrare proprio in quel convento: avrei avuto una vita senza ansie e senza stress, senza troppi desideri terreni. Una chiacchierata filosofica con madre Guillermina di tanto in tanto, una sigaretta... Ma all'improvviso pensai a Marcos e la mia vocazione, d'incanto, sfumò. C'erano ancora delle cose al mondo che mi interessavano.

Guardai l'orologio e mi stupii dell'ora. Strano che Garzón non avesse ancora chiamato in tutto quel tempo. Dio, avevo dimenticato di accendere il cellulare! Ecco la spiegazione di tutta quella pace. C'erano quattro chiamate senza risposta. Lo chiamai io.

– Viceispettore, cosa c'è?

– Ispettore, l'ho chiamata un mucchio di volte...
– Lo so. È successo qualcosa, Fermín?
– L'altra zampa.
– Ma cosa diavolo dice?
– Sì, hanno trovato l'altra zampa di frate Assenzio o come diavolo si chiama nel portone della Scuola Pia dei padri Scolopi.
– Dio santo! Ma quelli non erano sulla lista! Mi dia l'indirizzo.
– Ronda de Sant Pau, al 73.
– Vengo subito.

Scarno, deforme e ripugnante come l'altro, il piede, sandalo compreso, non pareva deteriorato. Anche questa volta non c'erano messaggi né indizi che potessero dirci qualcosa su quello strano beccamorto.
– E cosa ce ne facciamo? – dissi in malo modo.
– Ce lo mangiamo arrosto con le patate, ispettore. Cosa vuole che le dica? – Era quasi di cattivo umore quanto me.
Gli addetti alle pulizie, marito e moglie, circondati dai nostri colleghi e da alcuni preti, si affannavano a raccontare la storia del ritrovamento. Si erano appena messi al lavoro, quella mattina, quando avevano trovato un sacchetto di carta vicino al portone. Dentro c'era quella strana cosa.
– In un primo momento – spiegava la donna con foga, – stavo per buttarlo nella spazzatura, perché se devo essere sincera mi ha fatto un po' schifo. Poi, a guardar meglio, ho visto qualcosa che somigliava a del-

le dita... Ma non sembravano umane. Lo sa cos'ho pensato, ispettore? A quegli ex voto che c'erano una volta nelle sacrestie. Piedi, mani, cuori di cera. Nella chiesa del mio paese ce n'erano un mucchio, ma poi è venuto un prete nuovo che li ha fatti togliere. Be', è a questo che ho pensato, ma ho anche pensato che era meglio chiamare la polizia, caso mai fosse una minaccia, qualcosa tipo una magia vudu, lei mi ha capita...

Bloccai quella logorrea che cominciavo a non sopportare più.

– Avete notato qualcuno, o magari vi è stato riferito qualcosa di sospetto?

– No, ispettore, niente. Nessuno ha visto niente. Abbiamo chiesto subito all'officina delle moto qui accanto. Ma c'era da immaginarselo, noi siamo i primi a metterci al lavoro nel quartiere. Non hanno visto niente.

– E negli ultimi giorni, avete notato nulla di strano? – domandai a loro e ai religiosi.

– No, niente di strano. Qui viene sempre più o meno la stessa gente. Vede, in genere...

– Grazie, signori. Sarete chiamati a dichiarare.

Prima che la signora mi esponesse le sue opinioni sul riscaldamento globale, mi rivolsi ai tre padri Scolopi presenti:

– Sapete se il convento fu bruciato durante la Settimana Tragica del 1909?

Mi guardarono come se fossi pazza e nessuno seppe che cosa rispondere.

– Posso parlare con il vostro superiore?

– Non c'è. È in viaggio a Città del Vaticano.

Incredibile quanto viaggiassero gli ecclesiastici per i loro affari. Preferii rivolgermi ad altre fonti.

Chiesi ai nostri agenti di andare a caccia di testimoni nei portoni vicini. Garzón osservava il sacchetto con aria perplessa.

– Povero Cristo, questo beato, come lo stanno riducendo!

– Mandi immediatamente il reperto ai colleghi della scientifica. Anche se scommetto quello che vuole che non c'è neppure un'impronta. E indovini su cos'altro scommetto.

– Non è difficile verificarlo.

– Andiamo.

Ci dirigemmo al municipio del quartiere e chiedemmo di parlare con il consigliere all'urbanistica. Non era facile spiegare perché tenessimo tanto a sapere che cosa sorgesse nel 1909 al posto della Scuola Pia dei padri Scolopi. Ci limitammo a dire che eravamo poliziotti e che quell'informazione serviva per un'indagine. Il povero consigliere ci restò di sasso, ma per fortuna era un ragazzo giovane e non fece difficoltà. Se era curioso, non lo diede a vedere.

– Posso consultare il nostro archivio informatizzato. Ma se vi fidate conosco un metodo migliore.

– Certo che ci fidiamo – disse Garzón.

Allora quel ragazzo coscienzioso si alzò e disse in tono carico di sottintesi:

– Venite con me.

Temetti che ci stesse buttando fuori senza tanti complimenti, perché si avviò rapidamente verso l'uscita. Ma subito prima della porta si infilò nel bugigattolo del guardiano, dove un usciere sembrava sonnecchiare con l'orecchio incollato a una radiolina.

– Come andiamo, Demetrio? – lo salutò.

– Si tira avanti – rispose serenamente l'uomo, che non doveva avere meno di settant'anni.

– Guardi, questi signori vorrebbero sapere che cosa c'era una volta al posto della Scuola Pia sulla Ronda de Sant Pau.

– Il palazzo degli Scolopi?

Garzón ed io annuimmo, affascinati da quella manovra. L'uomo attribuì sufficiente importanza alla domanda da sentirsi in dovere di spegnere la radio. Dopo averla deposta sul tavolino accanto a sé, dichiarò, con la sicurezza di un professore emerito:

– Be', lì c'era l'antico convento di Sant Antoni, quello che bruciò, o per meglio dire, che bruciarono durante la Settimana Tragica. Rimase vuoto per un bel pezzo e poi lo comprarono gli Scolopi. La chiesa dev'essere rimasta più o meno com'era, ma il coro è sparito.

Uscimmo di lì convinti che i computer non fossero nulla in confronto al sapere tradizionale, quello che si tramanda di padre in figlio. Garzón era contentissimo, come un cuoco cui è riuscito un piatto complicato.

– Ecco, tutto come previsto. Di che altro abbiamo bisogno per essere sicuri che siamo sulla strada giusta? Io credo, umilmente, ispettore, lei conosce la mia proverbiale umiltà, che dovremmo correre in aiuto delle nostre giovani agenti e metterci alla ricerca di questi Caldaña come chi va in cerca di lumache dopo un temporale estivo. La teoria della Settimana Tragica funziona.

– Bisognerà aspettare che la scientifica abbia analizzato il secondo reperto, non le pare?

– E perché? Tanto lo sa benissimo anche lei che quel piede sarà più pulito di quello di un minatore il sabato sera. Il tipo ormai ne ha accumulata di esperienza. Perché avrebbe dovuto commettere un errore se fino adesso non ha mai sbagliato niente?

In preda a una strana agitazione mi facevo schioccare le nocche, cosa che non rientra nelle mie abitudini.

– Insomma, Fermín, con queste sue belle metafore lei cerca di dirmi che l'assassino si sta autoaccusando in modo sempre più lampante. In pratica questo tizio ci dà degli imbecilli perché non siamo ancora riusciti a prenderlo.

Garzón mi guardò un po' seccato:

– Ispettore, stando a quel che dice lo psichiatra non è difficile capire che ormai l'assassino aspetta solo che lo prendiamo per arrivare al gran finale. Quello che vuole è la massima *audience* per la sua impresa. Non abbiamo a che fare con una persona normale. Le persone normali non vanno a rubare beati, né si mettono a tagliarli a pezzi per lasciare in giro dei ricordi.

– Andiamocene in un bar.

– Quale?

– Il primo che capita. Ho bisogno di bere qualcosa.

– È impressionata dallo zampino del santo?

– Ho solo bisogno di pensare.

Era evidente che a Garzón il mio scetticismo non piaceva. Peggio per lui. Non avevo nessuna voglia di mettermi a risolvere gli indovinelli dell'assassino. Ho sempre detestato che mi indichino la strada da percorrere, soprattutto quando a farlo è un nemico dichiarato. Ma non era solo per spirito di ribellione che diffidavo di quell'ipotesi. C'era in me un'insoddisfazione di cui non riuscivo a liberarmi. Aveva un senso quella storia? Le complicate congetture messe insieme grazie ai nostri esperti ci conducevano forse a qualcosa di logico, tangibile, evidente? Da quando erano cominciate le indagini davamo la caccia a un'ombra che lasciava dietro di sé tracce inverosimili. Non potevo non domandarmi chi mai, nel nostro mondo, pratico, materialista, dominato dall'interesse e dalla fretta, potesse architettare uno sproposito così barocco e surreale. Quella scarpa mi stava stretta, per quanto cercassi di spingerci dentro il piede. In quel momento mi accorsi che il viceispettore, seduto sullo sgabello accanto al mio, mi guardava al di sopra del suo boccale di birra.

– So che non dovrei interrompere le sue affascinanti riflessioni, ma vorrei ricordarle che brindare di tanto in tanto è segno di civiltà.

– Mi scusi, Fermín, sono imperdonabile. Mi ero distratta.

– Mi pareva.

– Ho una curiosità – gli dissi, per non tirare in ballo dubbi che avrebbero solo generato discussioni inutili, – lei riferisce mai a Beatriz i particolari delle nostre indagini?

– Diamine, Petra, i particolari... a essere sincero, le dirò di sì. Stavo per dirle una bugia, ma non credo ce ne sia bisogno. All'inizio parlavo pochissimo delle nostre cose alla mia metà, ma da quando ci siamo ficcati in questa storia della mummia, lei è riuscita a interrogarmi con tale abilità, senza mai darlo a vedere, che alla fine... devo ammettere che ormai sa tutto. Ma ho completa fiducia nella sua discrezione.

– Dovrei sgridarla, ma non ne ho la forza.

– E lei non racconta mai niente all'architetto?

– Ma se non ci vediamo quasi mai!

– È questo il problema, col lavoro. Si sa.

– Certo, si sa, ma io mi illudevo che il matrimonio mi aiutasse a cambiare certi aspetti della mia vita. L'ordine delle priorità, tanto per fare un esempio. E non è stato così.

– Ma perché lei vuole sempre cambiare tutto?

– La vita è un continuo cambiamento, Fermín, e questo cambiamento dovrebbe essere un perfezionamento.

Lui mi guardò con una punta di ironia:

– D'accordo che non lavorare sarebbe un gran bel cambiamento, ma mi dica lei come facciamo.

– Non mi riferisco a smettere di lavorare, ma a fare in modo che fra tutte le cose che dobbiamo fare ogni giorno ci sia un po' di armonia.

– Forse gente come Marcos e Beatriz può permettersi questo lusso, ma noi siamo poliziotti, ispettore, e un poliziotto con un caso difficile per le mani diventa una specie di cane addestrato che tiene a mente una sola cosa: l'ordine che ha ricevuto.

– Caspita, Garzón! E quest'immagine la usa per confortarmi?

– No, perché lei non mi rincretinisca, già che ultimamente è un po' fuori tono. La smetta con le idiozie, Petra, lei è un poliziotto dalla punta dei piedi alla punta dei capelli, proprio come me. Non me la vedo rientrare presto a casa perché suo marito la aspetta per cena, né raccogliere fiorellini in giardino per fargli trovare un bel centrotavola.

– E si può sapere perché no?

– Per molti motivi. Primo: perché anche se le secca riconoscerlo, lei ha un fortissimo senso del dovere. Secondo: perché le piace investigare. E quando la sua mente si mette in moto non la smette mai di cercare una soluzione. Terzo: perché a suo marito lei piace così: concentrata e immersa fino al collo nelle indagini. Se la sua vita fosse più armoniosa, come dice lei, ci sarebbe più spazio per le abitudini e suo marito si annoierebbe a morte.

– Sarà meglio che ce ne andiamo. Se continua a tirarmi fuori argomenti del genere non escludo di suicidarmi appena mi si presenta l'occasione.

Rideva come un satiro soddisfatto di scandalizzare un intero collegio di educande. Forse si vedeva nei panni di mio marito ed era lui quello che con una Petra più equilibrata si sarebbe annoiato a morte. Ad ogni modo, malgrado le parole del mio collega fossero scarsamente consolanti, dovevo ammettere che il suo esempio mi era di grande aiuto. Nessuno come lui era capace di ricondurre tutti i problemi dell'esistenza sul piano della normalità. Non che sapesse spiegarli meglio di me, ma riusciva immediatamente a vederli in una dimensione più realistica. Se il mondo è quello che è, perché crearsi conflitti interiori nello sforzo di mettere in questione tutto? Ah, Fermín Garzón! Uomini come lui possiedono il segreto della felicità.

Ma anche Marcos se la cavava bene quanto a filosofie possibiliste. Quella sera, quando tornai a casa, lo trovai seduto in cucina a mangiarsi uno yogurt. Mi salutò come una vecchia amica che era contento di rivedere.

– Che bellezza che tu sia qui, Petra, credevo arrivassi più tardi!

– Sì, e visto che avrei potuto anche non tornare, è ancora più bello.

Mi diede un bacio sulla bocca pizzicandomi le guance con le dita. Cercai di liberarmi, gli diedi uno schiaffetto.

– Lasciami! Sei matto?

– Sono felice! Finalmente abbiamo tutte le firme per il progetto!

– Fantastico!

– Be', questo significa solo che ora si passa alla direzione dei lavori. Ma dopo tanti problemi, è già un bel passo avanti. Ti andrebbe di andare a cena fuori?

Ero stanca come se avessi scalato l'Everest con Garzón sulle spalle, ma in fondo erano quelli i momenti in cui una moglie innamorata deve dimenticare se stessa a beneficio del marito. E poiché in fondo non mi stava chiedendo di affrontare un plotone di esecuzione, decisi di sostenere l'immane fatica di andare a cena in un ristorante francese.

13

Gli effluvi del magnifico borgogna bevuto la sera prima cullavano ancora i miei pensieri quando il telefono suonò. Guardai la sveglia con la coda dell'occhio. Erano le sette e Marcos non era più nel letto accanto a me. E poiché le disgrazie non vengono mai sole, la voce al ricevitore era quella di Garzón. Risposi con scarso entusiasmo:

– Cosa diavolo succede, Fermín?

– Un casino tremendo, ispettore.

– Chi è stato?

– Il giudice Manacor.

– Su, dica, non mi faccia fare domande ogni volta!

– Quel cretino ha proibito a un giornalista di pubblicare un pezzo sul caso della mummia. C'è da dire che quello se l'era cercata, perché non gli era venuto in mente niente di meglio che chiedergli il permesso.

– E cosa diceva il pezzo?

– Niente, una stronzata, era un'intervista al fratello della povera Eulalia. Gli avranno dato un mucchio di soldi in cambio di niente. Ma il giudice non l'ha capito, e così adesso tutta la stampa lo farà a pezzi.

– E pensa che questo ci riguardi?

– Proprio quando credevamo di poter lavorare tranquilli avremo gli occhi di tutti puntati addosso.

Ci fu una pausa da parte sua, un silenzio da parte mia.

– Ispettore, se non ha altro da chiedermi, io non so più cosa dirle. Che cosa pensa?

– Che si fottano.

– Chi?

– Tutti.

– Questa è una dichiarazione di principio. Ma dal punto di vista pratico?

– Andremo avanti come sempre.

– E se finiamo in prima pagina?

– Andrò dal parrucchiere per rendermi più presentabile.

– Come vuole. A che ora la vedo in commissariato?

– Appena riesco ad alzarmi dal letto.

– Come vuole – ripeté, serissimo. E riattaccò.

Riuscii a mettermi in piedi a fatica. Mi infilai la vestaglia e andai alla ricerca di Marcos. Lui era già perfettamente sbarbato e vestito, pronto per la colazione.

– Come mai ti sei alzato così presto, stamattina?

– È la stessa ora di sempre, solo che tu avevi sonno.

Era vero, mi sentivo come uno zombi. Mi sfregai gli occhi e mi sedetti. Marcos mi mise davanti una tazza di caffè caldo di cui gli fui riconoscente.

– Oggi mi aspetta una giornata movimentata – disse. – Sembra incredibile, ma quando il lavoro di progettazione è finito viene il momento di darci dentro sul serio.

– Perlomeno tu sai cosa ti aspetta. Io no. Se in questo momento mi chiedessero a che punto siamo con le indagini, non saprei cosa rispondere. All'improvviso tutto mi sembra così strano, come se avvenisse a migliaia di chilometri da qui.

Marcos mi prese una mano e mi guardò intensamente con i suoi begli occhi.

– Petra, non trovo mai il coraggio di dirtelo perché temo che tu mi fraintenda. Ma sappi che se mai dovessi stancarti del tuo lavoro, se per qualunque ragione tu dovessi decidere di smettere... be', potresti contare pienamente su di me. Non ci occorre molto per vivere, e io ti sarò sempre accanto, qualunque decisione tu prenda.

Bevvi un sorso di caffè, gli diedi una pacca sulla spalla.

– Ti ringrazio, davvero. È bello sapere che in qualsiasi momento puoi permetterti il lusso di mandare tutto al diavolo, monaci e beati compresi.

Marcos mi sfiorò le labbra con un bacio e corse via. Io rimasi sola nella cucina, comoda, tiepida, confortante. Il caffè cominciava a rinfrancarmi. Sarebbe stata una buona idea lasciare la polizia? Quel discorso di Garzón sull'appartenenza delle nostre anime al Cuerpo Nacional de Policía era un mito bello e buono. Nessuno è nato per svolgere sempre una e una sola funzione. Le circostanze della vita, e il carattere, certo, ci portano a dedicarci a qualcosa con più o meno impegno. In fondo, a fare della professione un impegno assoluto, totalizzante, sono le nostre carenze in altri campi. O no? Tutte teorie, come avrebbe detto Garzón. A cosa servono le teorie se nessuno, dopo averle elaborate, è capace di comportarsi di conseguenza? Volevo davvero lasciare la polizia? Che cosa avrei fatto per il resto dei miei giorni? Mi venivano in mente un mucchio di attività non disprezzabili: leggere, vedere gli amici, passare più tempo con Marcos, prendere il sole, adottare dei cani che avrei portato a passeggio, godermi di più la compagnia dei miei figliastri... Ma non bisogna dimenticare che gli altri hanno la loro vita, le loro cose da fare, il loro lavoro, insomma... Per esempio, in una mattinata come quella... In una mattinata come quella avrei potuto uscire, andare a fare la spesa, pranzare con un'amica, aspettare che tornasse Marcos, aspettare che telefonasse qualcuno... aspettare. Mi alzai, misi del pane a tostare, lo spalmai di burro. Aspettare non era un'attività che mi si confacesse. Anzi, la detestavo proprio. Mi infastidiva perfino dover aspettare in un negozio o alla fermata dell'autobus. No, non avevo nessuna voglia di escogitare attività per riempire il vuoto che mio marito avrebbe creato per me. Volevo essere protagonista della mia vita, e questo significava dedicarmi alla sola cosa che sapevo fare: investigare. Salii in camera da letto. Mi guardai allo specchio e vidi una donna di mezz'età, in vestaglia a righine azzurre, che si domandava cosa fare nel resto della giornata. Entrai con decisione nella doccia e mentre mi strofinavo energicamente mi sentii invadere da una forza quasi demoniaca. Che stesse bene attento quell'assassino squartatore di mummie. L'avremmo preso, ne ero sicura. Dovesse costarmi la vita, la salute mentale, il matrimonio, la pace.

Avevo appena finito di vestirmi quando il telefono suonò. Era di nuovo Garzón.

– Ispettore, a che punto è?

– Sono quasi in commissariato. È successo qualcosa?

– Sì. Ma stavolta faccio fatica a dirglielo.

– Non la capisco.

– Ispettore, adesso frate Ambrosio è monco. È comparsa una mano al circolo di tennis di Horta. La mano sinistra. E, manco a dirlo, lì sorgeva uno degli edifici bruciati durante la Settimana Tragica. Ho già sentito i nostri esperti. Era l'antica chiesa di San Juan, appartenente alla nobile casa di Cortada. I terreni, compreso quello dell'ex cimitero, adesso fanno parte del circolo di tennis, fondato nel 1912. Come vede ho imparato tutta la lezioncina a memoria.

– E dov'è adesso?

– La stavo aspettando, ispettore, però...

– Però cosa?

– Qui c'è un casino che non finisce più! Coronas è isterico, lo psichiatra è stato informato e dice che l'assassino potrebbe tornare a uccidere. Villamagna cerca di tenere a bada i giornalisti, che ormai sono quasi alla rivolta. Io le consiglierei di non venire. Ci vediamo a Horta.

– Mi dia l'indirizzo esatto. E avvisi la scientifica, dica che vengano lì.

La mano del beato era in un sacchetto di carta marrone. L'aveva trovato un tizio, appena uscito per andare a lavorare, davanti al cancello ancora chiuso del circolo. Non la guardai nemmeno. I colleghi della scientifica erano arrivati prima di me e stavano perlustrando il terreno in cerca di indizi. Tutto sembrava essersi svolto in modo asettico come le altre volte. Gli abitanti della zona sostenevano che di notte da quelle parti non passava mai nessuno e che quindi la mano del beato poteva essere lì già da un pezzo.

L'ispettore della scientifica, da me interrogato con lo sguardo, scosse le spalle.

– Stiamo raccogliendo capelli, qualche mozzicone, ma in un luogo così frequentato... non ha molto senso, francamente. Quando avremo visto la mano in laboratorio sapremo qualcosa di più. Non abbiamo nemmeno finito l'esame dell'ultimo piede. A quanto ho potuto vedere, il procedimento è stato quello delle altre volte: un taglio netto con uno strumento affilato, tipo machete. Questo è più o meno tutto.

– Capisco.

– Forse quando ci recapiteranno la testa avremo più superficie da esaminare.

Apprezzai il suo umor nero, così tipicamente spagnolo. Ma ormai il mio telefonino sembrava una macchina da sala giochi, non la smetteva più di emettere trilli e bagliori.

– Non risponde? – mi chiese il viceispettore.

– No. Continuino pure a scrivere le loro imprecazioni, già me le immagino. Anzi, mi presti un attimo il suo, di cellulare, che devo fare una chiamata. Così i miei persecutori continueranno indisturbati.

Feci il numero di frate Magí, che mi rispose con la sua voce tranquilla di intellettuale connesso con Dio.

– Fratello, come vanno le cose?

– Stiamo procedendo, ispettore, ma con una certa lentezza. Abbiamo trovato diversi documenti in cui figura il nome di quel Caldaña. Ma quel che ci serve è un elemento in grado di ricondurci alla famiglia: domicilio, provenienza, cose così. Per questo ci vorrà ancora del tempo, sempre ammesso che questi dati siano stati registrati.

– Andate pure avanti con calma e metteteci tutto il tempo che volete. Tanto hanno già trovato una mano del beato...

Volevo vedere come reagisce uno che non può bestemmiare. Rimasi un po' delusa, perché il monaco fece quel che facciamo tutti in simili circostanze, nominò il nome di Dio invano:

– Dio mio, Dio mio – disse. – Quando finirà quest'incubo?

Io invece ero convinta che il vero incubo fosse già finito. Non credevo affatto che l'assassino si preparasse a uccidere di nuovo. No, quello era solo un gioco che, in teoria, avrebbe dovuto portarci fino a lui. Tanto più che il colpevole, secondo l'ipotesi su cui si fondava la nostra linea investigativa, voleva attirare l'attenzione.

Non intendevo lasciarmi condizionare. Se avevamo fretta era solo per il gran polverone che la vicenda aveva sollevato. Questo dissi al commissario Coronas quando mi presentai nel suo ufficio. Ma la fermezza di quella mia risposta non mi risparmiò una severa strapazzata:

– Petra, non si può andare avanti così. Anche se non ci saranno altri morti, ci bastano questi due. E per di più lei sa che siamo su un campo minato: la Chiesa, una famiglia nota nella società barcellonese...

– Commissario, stiamo facendo tutto l'umanamente possibile.

– Non è questa l'impressione che si ha. Ha letto i giornali? Per colpa del giudice adesso siamo nel mirino peggio di prima. Al punto che gli ho chiesto di rompere il silenzio stampa. Ma di tutto questo a me non me ne importa un corno, ha capito, ispettore? Un corno! Quel che mi preoccupa è come ne usciamo noi. Ormai è chiaro che non stiamo combinando niente. All'inizio, almeno, mi aveva chiesto una squadra speciale. Cos'è quest'immobilismo, adesso?

– Commissario, lei ha letto giornalmente i rapporti e sa perfettamente a che punto siamo.

– Sì, e mi pare un punto morto.

– E invece non lo è. Come dire? Il caso ha richiesto una ricerca storica e per queste cose ci vuole tempo. La storia non si fa in un giorno, ci vogliono anni, decenni, secoli. È logico che ci muoviamo anche noi con una certa lentezza.

– Sta cercando di farmi credere che se fosse stato ucciso un corridore di Formula 1 lei avrebbe scoperto il colpevole a tempo di record?

– No, dico sul serio. Pensi alle lunghissime missioni degli archeologi, agli anni che ci vollero per decifrare la stele di Rosetta...

– Santo cielo, Petra! Vuole che questo diventi «il caso infinito» e che il colpevole venga scoperto fra tre generazioni? Chi finirà davanti al giudice? Un'altra mummia?

Che riuscisse a scherzare sulla situazione mi tranquillizzò abbastanza. Infatti, dopo essersi massaggiato gli occhi più volte, come faceva sempre, il brav'uomo concluse:

– Sa cosa le dico? Che forse non sarebbe una cattiva idea spiegare tutto questo a Villamagna perché lo riferisca ai giornalisti. Se non altro ha un certo sapore romanzesco che sarà di loro gradimento.

– E il giudice?

– Io me ne frego di quel giudice del cavolo! Ci ha già creato abbastanza problemi. Adesso vado da lui e vedo di sistemare la cosa. Lei però faccia quel che le dico.

Ero uscita bene dallo scontro, il che dimostra che la vecchia massima «la pazienza è la virtù dei forti» racchiude una grande saggezza.

A Villamagna la faccenda suonò come una canzone demenziale.

– Cazzo, Petra, certo che ne avete di faccia tosta! Ti giuro che se fossi un giornalista e venisse l'addetto stampa della questura a smenarmela con la stele di Rosetta, lo manderei a...

– Non dirmi dove lo manderesti, Villamagna. Questi sono ordini del commissario, quindi arrangiati.

– Ma qui ci siamo bevuti il cervello! Dopo la pappardella psichiatrica, adesso viene quella storica. Mi vedo già in conferenza stampa a parlare di oceanografia o di cibernetica, prossimamente.

– In fondo quello che fai è cultura di massa. Perché il lettore di cronaca nera dovrebbe sorbirsi solo storie sordide?

Se ne andò, assai poco convinto, sostenendo che non sarebbe finita lì. Tirai un sospiro di sollievo e chiamai Garzón.

– Vada alla Biblioteca Balmesiana e veda un po' cosa stanno combinando i nostri due religiosi. Non vorrei che perdessero troppo tempo in questioni che non ci interessano.

– E lei?

– Io vado a dare una mano a Sonia e Yolanda. Voglio vedere a che punto sono con i Caldaña.

– Non potremmo scambiarci le parti? Lei se la cava meglio di me con la cultura, e io con la chiacchiera vado forte.

– Può darsi, ma con il nervoso che mi ha messo addosso il commissario non ce la farei a chiudermi in una biblioteca.

– Agli ordini, ispettore.

Le ragazze erano nel quartiere del Carmelo. Lì era domiciliato un Caldaña José, di professione muratore. Diedi loro appuntamento alla Teixonera e le portai in un bar.

– Come va?

– Non ha letto i verbali?

– Ho dato una scorsa.

– Ormai i Caldaña li abbiamo già visti quasi tutti, ma non è saltato fuori niente.

Yolanda posò il computer portatile accanto al suo bicchiere di coca-cola. Sonia tirò fuori un taccuino piuttosto malridotto e disse:

– Non c'è bisogno di perdere tempo ad accenderlo, è tutto segnato qui. Sprechi solo la batteria.

Per la prima volta fui d'accordo con lei. Cominciò a sfogliare decine di pagine fitte di appunti. Le mie due giovani collaboratrici dovevano essersi alzate presto. Avevano un'aria sciupata e non si erano nemmeno truccate. Mi fecero tenerezza, così giovani, così carine, con i problemi della loro età, eppure preoccupate per una mummia rinsecchita, per rancori e vendette risalenti a un'epoca di cui fino ad allora non avevano neppure sentito parlare. Yolanda espose le sue conclusioni:

– In fondo non c'è bisogno di consultare niente, mi ricordo tutto. Niente di sospetto, finora. Ci sono tre famiglie Caldaña che hanno figli sui vent'anni. Gli indirizzi sono questi, se vuole interrogarli. Per arrivare in fondo alla lista ne mancano altri quattro. Ci dica lei come vuole che ci organizziamo.

– Possiamo fare così: io e Sonia andremo a conoscere i figli di queste tre. E tu vai a trovare gli ultimi quattro della lista.

– Agli ordini, ispettore – disse Yolanda, pienamente identificata nel suo ruolo.

Non potei fare a meno di domandare:

– Siete un po' stanche, vero?

Loro mi guardarono perplesse. Trovavano incredibile che il mostro lasciasse intravedere un suo volto umano. E così presero le loro precauzioni. Vidi benissimo come Yolanda faceva segno a Sonia come per dire: «Meglio che tu stia zitta».

– Ispettore, non è mica facile. Lavoriamo senza sapere bene dove stiamo andando. Le altre volte, anche se ci toccava la parte più noiosa delle indagini, avevamo ben chiaro a cosa serviva il nostro lavoro, che cosa stavamo cercando, e invece qui... Non so, questa storia della mummia fatta a pezzi, uno qui, uno là, e del serial killer, e della faida familiare... Sinceramente non ci abbiamo capito molto. Lo so che non dobbiamo per forza capire, ma così abbiamo l'impressione di non arrivare mai a niente.

– Forse ti consolerà sapere che io ho esattamente la stessa impressione.

– Sì, ma almeno lei sa qualcosa di più. Per esempio, sarà pure successo qualcosa se tutt'a un tratto cominciano a saltar fuori pezzi di mummia in giro per la città, o no?

Quella domanda mi diede da pensare. La nostra poliziotta in erba mi tirava fuori un problema che noi non ci eravamo posti. Ma certo: qual era il motivo di quell'improvviso proliferare di arti amputati? Qualcosa in effetti doveva essere successo, ma la dispersione dei nostri sforzi era giunta a un punto tale che non riuscivo a individuare un disegno entro cui collocare quel fatto.

– Non è che io ne sappia molto più di voi. Ma capisco che può essere frustrante impegnarsi senza avere sott'occhio l'intero quadro delle indagini. Prometto che per stasera vi faccio avere una copia di tutti i rapporti stesi finora, così potrete dare un'occhiata anche voi. Va bene?

– Grazie, ispettore Delicado! Lei si sbatte sempre tantissimo per tutti – disse Yolanda ritrovando il suo stile giovanilistico. Da parte sua, Sonia non faceva che annuire con grande energia, il che corroborò la mia supposizione: era stata pregata di non rivolgermi la parola. Bene, come misura preventiva non era male. Non sarei certo stata io a infrangere il patto chiedendo simpaticamente: «E tu Sonia, cosa ne pensi?». No, un sorriso sarebbe bastato. Qualunque dialogo fra noi poteva finir male.

E così partimmo, la mia silente collaboratrice ed io, alla ricerca dei figli ribelli e vendicatori di tutti i Caldaña di Barcellona. Sonia prendeva talmente sul serio le raccomandazioni della collega che non apriva bocca se non interrogata. Quando le chiedevo indicazioni si limitava a scandirle, senza intonazione, come un nastro registrato. Mio Dio! pensai, è inutile tentare di sfuggire al destino. Questa ragazza è capace di alterare il mio sistema nervoso sia che parli sia che stia zitta. Respirai profondamente e mi imposi di comportarmi da persona matura e controllata. In quel silenzio teso come lo chignon di una ballerina di flamenco, arrivammo al primo indirizzo della lista. Cercai di essere il più telegrafica possibile:

– È qui?

Sonia fece di sì con la testa. Non eravamo lontani dal convento delle sorelle del Cuore Immacolato. Parcheggiammo dall'altra parte della strada e scendemmo dall'auto.

– Quanti figli maschi hanno questi Caldaña?

Lei alzò l'indice per dire uno.

– E sai se attualmente il ragazzo studia o lavora?

Si strinse nelle spalle. Dinanzi a quel sistema di segni convenzionali non mi bastò respirare profondamente, dovetti iperventilare come per un'immersione in apnea. Funzionò. Con un accenno di sorriso che avrebbe potuto guadagnarmi il Nobel per la pace, dissi:

– Ora vediamo.

Giurerei che essere arrivata fin lì senza incorrere nelle mie ire fu per Sonia una vittoria tale da portare alle stelle la sua autostima. Proprio davanti al portone dei Caldaña, un furgone di frutta e verdura ci bloccava la visuale. Un uomo alto e robusto uscì da un ristorante, aprì i portelloni posteriori, lanciò dentro due cassette di plastica vuote e salì al posto di guida. Rimasi per un attimo pensierosa, tanto che dimenticai di non avere accanto Garzón.

– Senta, Fermín, ma lei non l'ha già visto quel furgone?

La fiancata del veicolo era profusamente decorata con immagini stilizzate di mele, pere, banane e grappoli d'uva. In mezzo a quel trionfo vegetale campeggiava la scritta: «Frutta e verdura "Il Paradiso"». Fu come una folgorazione. Afferrai il braccio di Sonia e le dissi:

– Sonia, corri dietro a quel tipo, che non ci scappi!

Come in sogno sentii la voce della ragazza che diceva:

– Ma dietro a chi, ispettore, a chi?

– Il furgone, il furgone – riuscii ad articolare, mettendomi a correre anch'io. Il guidatore si accorse della nostra presenza e ingranò la marcia, sgommando. Allungai il più possibile la falcata, ma era inutile, non l'avrei mai raggiunto. Mi fermai, ansimante e piena di rabbia. Invece Sonia, più giovane e in forma di me, correva quasi all'altezza del finestrino.

– Polizia, si fermi, polizia!

In uno slancio afferrò la maniglia della portiera e si issò sul predellino. Il conducente non solo non rallentò, ma premette l'acceleratore al massimo. Dai marciapiedi la gente assisteva estasiata a quella scena da telefilm. Io correvo come una pazza dietro al furgone mentre Sonia faceva ogni sforzo per non cadere. Allora quel disgraziato al volante cominciò a premere e a mollare il freno perché lei si staccasse. Qualche passante gridò terrorizzato. Quando ormai li avevo quasi raggiunti vidi spuntare da dentro l'abitacolo un robusto pugno che con un tubo, o una spranga, sferrava un colpo brutale in faccia a Sonia. Lei rimase aggrappata ancora un attimo, poi cadde e rimase stesa sul selciato. Estrassi la pistola gridando: «Alt! Polizia!» e sparai in aria, perché tentare di colpire le ruote del veicolo sarebbe stato pericoloso in mezzo alla gente. Fu inutile. Quel maledetto, con un rombo assordante, prese velocità e sparì nelle vie laterali. Disperata, mi guardai intorno e vidi accorrere un *mosso d'esquadra*.

– Che cosa sta succedendo?

– Ispettore Petra Delicado, polizia nazionale. Avete un'auto di pattuglia qui vicino? – risposi in fretta.

– No, ispettore, sono solo, sono solo.

– Allora chiami un'ambulanza, per l'amor di Dio.

Mi chinai su Sonia. Aveva la faccia coperta di sangue, era irriconoscibile.

– Sonia, stai bene? Rispondimi, stai bene?

– Mi è scappato – disse lei con voce flebile.

– Non preoccuparti per questo. Adesso arriva un'ambulanza, stai calma.

– Ha preso il numero di targa? – mi chiese.

– Non credo ce ne sia bisogno, ci bastano i frutti del paradiso.

Alzando gli occhi mi accorsi di essere circondata di curiosi. Mi tirai su di scatto e tuonai:

– Si può sapere cos'avete da guardare? Circolare, circolare!

Il *mosso d'esquadra* prese in mano la situazione. In modo cortese, allontanò la gente. Nel giro di un minuto arrivarono tre auto: polizia autonoma, polizia nazionale e vigili urbani. Un attimo dopo era lì anche l'ambulanza.

– Dove la portate? – chiesi ai barellieri.

– Hospital Clínico.

Chiamai Yolanda e le diedi ordine di raggiungere Sonia al pronto soccorso. Di aspettare che avesse ricevuto le prime cure prima di avvertire i familiari. Lei non fece una sola domanda né si perse in stupidi commenti. Poi chiamai Garzón, che attaccò a parlare prima ancora che potessi dire qualcosa:

– Ispettore, qui i nostri esperti sono in visibilio. Hanno trovato il fascicolo del processo a carico di quel Caldaña. Risulta che viveva all'Hospitalet, quindi forse...

– Mi vuole ascoltare, Garzón? Vada immediatamente in commissariato e mi aspetti lì. Ah, e avvisi tutte le unità mobili di intercettare un furgone bianco con la scritta «Frutta e verdura "Il Paradiso"». Voglio che fermino il conducente. E che mandino subito degli agenti al negozio, appena scoprono dov'è.

– Cos'è successo?

Chiusi la comunicazione. Tutti i colleghi mi stavano guardando. Il *mosso* che mi aveva aiutata per primo disse:

– Ispettore, i vigili dicono che devono verbalizzare l'incidente, visto che siamo nella loro zona, e anch'io dovrò informare i superiori.

– Adesso non ho tempo, mi spiace. Sento un paio di persone e torno subito, aspettatemi qui.

Partii con passo atletico verso il ristorante da cui avevo visto uscire il ragazzo del furgone. Sulla porta, due camerieri in grembiule assistevano alla scena. Vedendomi arrivare rientrarono. Li seguii, e subito mi venne incontro quello che sembrava il proprietario. Mostrai il distintivo.

– Potrei parlare con tutti quelli che lavorano in questo ristorante?

– Manca il cuoco.

Lo feci chiamare. Era cinese. Si misero tutti in fila come collegiali. Mi guardavano in silenzio.

– Chi di voi è il titolare? – domandai. L'uomo che mi era venuto incontro alzò la mano. Era sbalordito.

– Conosce il ragazzo del furgone?

Lui annuì, sgranando gli occhi.

– Mi dica come si chiama.

– È Juanito, fa le consegne per il fruttivendolo.

– Quindi lo conosce.

– Be', sì. Viene tre volte la settimana.

– Che cosa sa di lui?

La sua perplessità cresceva. Non riusciva a farsi un'idea di cosa potesse essere successo.

– Niente di particolare. Credo sia il figlio del padrone. Viene, posa le cassette, io firmo le bolle, pago, e tutto finisce lì.

Mi rivolsi al gruppetto:

– Qualcuno di voi sa qualcos'altro?

– È un bravo ragazzo – disse uno dei camerieri. E aggiunse, spaventato: – Cioè, io non lo conosco, ma a volte, sa com'è, si scambia qualche parola, le solite cose, tipo se il Barça ha vinto o ha perso, niente di più.

– Ti ha mai raccontato qualcosa della sua vita?

– A me? – disse il ragazzo come se la sua insignificanza lo rendesse indegno di qualunque confidenza. – No, niente, come le dico, le solite cose, tanto per parlare, come tutti.

– Quanto tempo è che vi rifornisce la ditta «Il Paradiso»?

– Saranno quattro anni – rispose il padrone. – Sono puntuali, la qualità è buona, e anche il prezzo.

– E le consegne le fa sempre lui?

– No, a volte viene il fratello. Ma di solito è lui.

Il cuoco cinese ci fissava sorridendo. Forse, chiuso in cucina, non si era nemmeno accorto di quel che succedeva fuori, forse non capiva una parola.

Diedi un biglietto da visita al proprietario.

– Se vi viene in mente qualcosa che non mi avete detto, chiamatemi.

– Che cos'ha fatto quel ragazzo, si può sapere?

– Per ora non lo so nemmeno io – risposi, poi mi girai e uscii.

Il portone accanto era quello dei Caldaña. Salii tre piani a piedi, non c'era l'ascensore. Mi aprì una donna sulla sessantina.

– Sono Petra Delicado, ispettore di polizia – la informai.

– Di nuovo? – esclamò, sinceramente preoccupata. – Sono già venute due colleghe sue, anche se non so per cosa. Ad ogni modo mio marito non c'è.

– Posso parlare con lei. È permesso?

Si fece da parte. Portava un vecchio vestito a fiori. Aveva i capelli in disordine.

– Aspetti che spengo il fornello, avevo messo su il pranzo.

Dal corridoio sbirciai quel che stava facendo in cucina. Girò le manopole del fornello e tornò. Il soggiorno era piccolo, con un televisore troneggiante, una libreria senza libri, un tavolo da pranzo con tovaglia all'uncinetto. Tutto molto pulito e ordinato.

– Si accomodi. Posso offrirle qualcosa? – mi disse rassegnata. Le profonde rughe che le solcavano il volto rendevano la sua espressione particolarmente drammatica. Feci di no con la testa.

– Signora Caldaña, lei ha figli, vero?

– Me l'hanno già chiesto le altre due poliziotte.

– Risponda alla mia domanda, per favore.

– Ho due figlie, tutte e due sposate. La più grande ha già un bambino.

– E maschi?

Il suo volto si contrasse come per un dolore.
– Sì, il mio Julio.
– Quanti anni ha?
– Diciotto. È arrivato un po' tardi. Cose che capitano, ispettore.
Annuii freddamente.
– E dov'è, adesso?
– Al laboratorio.
– Dovrà accompagnarmi fin lì, signora Caldaña. Devo parlargli subito.
Di colpo, lei si mise a piangere. Rimasi a guardarla in silenzio. Quella reazione così improvvisa mi insospettiva.
– È un così bravo ragazzo, non so proprio cosa possiate volere da lui. Qualche sciocchezza l'ha fatta, da ragazzino: un'arancia rubata al mercato, una scena a qualcuno per strada, ma niente di grave, signora, glielo giuro. Dopotutto è il figlio che ci dà più soddisfazioni.
– La capisco – dissi, cercando a caso qualche parola che potesse suonare comprensiva. – Mi dia l'indirizzo di questo laboratorio. Ci andrò per conto mio, con un collega.
– Lo trova in carrer Numancia – disse, asciugandosi le lacrime. – Il numero non lo so. È uno di quei laboratori del comune.
Rimasi confusa.
– E come mai suo figlio lavora lì? Sta scontando qualche pena del tribunale minorile?
Lei mi guardò con gli occhi arrossati.

– Signora, mio figlio è Down, non lo sapeva?

Ci misi almeno dieci secondi a elaborare quell'informazione, poi mi guardai intorno come se solo allora mi rendessi conto di trovarmi in un paesaggio lunare. Cosa ci facevo lì? Cosa stavo cercando? Basta, Petra, basta, mi dissi. Basta con tutti questi errori, basta con le stupidaggini.

– Signora Caldaña, la prego di scusarmi. Sono sicura che c'è stato un equivoco. Non andrò a disturbare suo figlio. Davvero, le chiedo scusa.

Invece di prendersela con me, quella donna sorrise, e disse con infinito sollievo:

– Lo sapevo, ne ero sicura, non può fare niente di male un ragazzo che va da casa al laboratorio e dal laboratorio a casa ogni santo giorno. E poi, è tanto buono!

Scappai come potei, senza riuscire a liberarmi dalla vergogna e dal senso di colpa. Ma a cosa stavamo giocando? Giù in strada vidi il gruppo di colleghi dei vari corpi fermi sull'angolo a discutere fra loro. Mi stavano aspettando. Incollata al muro, confusa fra la gente, riuscii a sgattaiolare via. Non me la sentivo di impegolarmi in una sfilza chilometrica di spiegazioni.

In commissariato trovai Garzón e il commissario Coronas già informati dell'accaduto.

– A quanto pare ha mollato lì i colleghi senza salutare. Bella figura ha fatto!

– Non ci posso credere, commissario! La comunicazione fra le forze dell'ordine lascia sempre a desiderare, ma basta che sia io a saltare una semplice formalità e la notizia arriva volando.

– Non le dico che cosa penso di questa sua risposta perché non abbiamo tempo da perdere. Immagino lei voglia fare subito un salto al magazzino di frutta e verdura «Il Paradiso».

– L'avete trovato?

– Sì. È in Sant Pere més Baix.

– Se sono venuta fin qui era per prendere ordini.

– Non c'è tempo per una riunione. Cominciate a interrogare il proprietario della ditta. Nel frattempo vedremo se gli uomini che abbiamo mandato alla ricerca del furgone riescono a trovarlo. Mi dica solo se pensa che quell'uomo possa essere implicato nel delitto.

– Il «Paradiso» della scritta sulle fiancate non può che essere il paradiso di cui parlava Eulalia Hermosilla. Ne sono sicura, commissario. Ho sempre trovato strano che una donna per nulla religiosa come quella si fosse fissata sull'idea del paradiso. Quello è il furgone da cui ha visto scendere gli uomini che poi l'hanno uccisa. Ed è quello il furgone, forse con le scritte coperte, con cui è stato portato via il corpo del beato la notte del delitto. La fuga del conducente e l'aggressione a Sonia dimostrano che siamo sulla pista giusta.

Il commissario abbassò gli occhi in segno di assenso. Garzón ed io ci alzammo in piedi come una coppia di ballerini ben collaudata. Quando già eravamo sulla porta, aggiunse:

– Signori, avete tutta la mia fiducia. Andate, non perdete tempo.

Sorrisi distrattamente e altrettanto fece Garzón. Prendemmo i nostri posti in macchina senza rivolgerci la parola. Guidavo io, il viceispettore pareva un sonnambulo. A un certo punto parlò, con una voce che sembrava provenire da un corpo celeste.

– Le è bastato leggere la scritta per arrivarci?

– Non poteva essere altrimenti, Fermín. Tanta paura del paradiso non poteva venire che di lì. E poi, come la spiega la reazione del ragazzo?

– Che aspetto aveva?

– Non l'ho visto bene. Ma era abbastanza grosso per essere lui l'assassino.

– L'assassino... – mormorò come in trance.

– A meno che, con la scalogna che abbiamo, non sia scappato perché è un tossico, perché ha conti in sospeso con la giustizia o per qualunque altro motivo. Eppure secondo me quello ci conosceva, sapeva che io e Sonia eravamo poliziotti, magari ci teneva d'occhio da tempo.

– Vorrà dire qualcosa che l'abbiate incontrato proprio davanti al domicilio di quei Caldaña?

– No, questo è escluso.

– E perché?

– Perché il figlio di quei Caldaña è affetto da sindrome di Down e lavora in un laboratorio per disabili.

– E allora?

– Fermín, quel furgone non era la prima volta che lo vedevo. L'ha visto anche lei.

Gettai un'occhiata a Garzón, che mi guardava strabuzzando gli occhi.

– Non ci arrivo.

– È lo stesso che fa le consegne alla cucina del convento. Una volta l'abbiamo trovato fermo davanti alla porta, abbiamo perfino incrociato il ragazzo, non si ricorda?

Garzón si slacciò la cravatta come se fosse d'ostacolo alla sua comprensione.

– Non so se me lo ricordo, ispettore. Il fatto è che non ci capisco un cavolo.

– Non ci capisco niente neanch'io. Ma di colpo mi è balenata davanti agli occhi una freccia luminosa che indicava il convento.

– Il convento?

– Il tizio che consegnava la verdura, e che ha dato un colpo in faccia a Sonia, è lo stesso che ha ucciso Eulalia Hermosilla.

– Quindi?

– Non mi faccia altre domande, Fermín, perché le risponderei sempre la stessa cosa: non lo so.

Lui si immerse nelle sue riflessioni e io smisi di pensare. Fare congetture, a quel punto, non solo era azzardato, era impossibile. Ma per la prima volta avevo il sangue in ebollizione e quel che provavo doveva essere simile a quel che sentono i cani da caccia quando hanno annusato la preda.

«Il Paradiso» era un grande magazzino all'ingrosso dall'aria molto efficiente. Lì tutto era moderno e asettico come nelle sale di una clinica. Due uomini spostavano pile di casse di bellissima verdura. Mentre percorrevo il capannone parlando concitatamente al cellulare, avvistai un uomo anziano in camice bianco che doveva essere il padrone. Lui ci venne incontro senza capire chi fossimo e cosa potessimo volere.

– Mi spiace, signore, ma non vendiamo al pubblico.

– Lei è il titolare di questo esercizio? – chiese Garzón in tono inequivocabilmente poliziesco.

– Sì – rispose l'uomo, perplesso.

– Fermín Garzón, viceispettore di polizia. L'ispettore Petra Delicado...

L'uomo spalancò gli occhi e si portò una mano al petto come se stesse per avere un infarto.

– I miei figli. Cos'è successo? Siete della stradale?

Mi accorsi che le gambe gli cedevano. Uno dei magazzinieri venne in suo soccorso. Lo aiutammo a sorreggerlo e io mi affrettai a rassicurarlo:

– Non si preoccupi, signore, non si preoccupi. Non siamo della stradale, i suoi figli stanno bene.

Entrammo in un piccolo ufficio, l'uomo si sedette, ritrovò il controllo, si rasserenò. Doveva avere almeno settant'anni e pareva di salute malferma. Era il caso di interrogarlo con molto tatto.

– Scusatemi, ma mi avete fatto prendere un bello spavento. È più di un'ora che cerco di rintracciare i miei figli per telefono. Non mi rispondono. E quando mi avete detto che siete della polizia, la prima cosa che ho pensato...

– Uno dei suoi figli si è dato alla fuga quando una delle nostre giovani agenti ha cercato di fermarlo. E non solo: l'ha aggredita. L'ha spedita al pronto soccorso – gli spiattellò il viceispettore mandando all'aria tutti i miei piani diplomatici.

– Come? Come ha detto? Non è possibile! Mio figlio, ma quale?

– Juanito – risposi.

Lui rimase immobile, come se avesse ricevuto un ceffone e cercasse di ricomporsi.

– Ma... di cosa mi sta parlando?

Con uno sfoggio retorico di cui non mi sarei mai creduta capace, cercai di spiegargli l'accaduto nel modo più edulcorato possibile. Certo che per parlare del colpo in faccia a Sonia qualunque eufemismo era di troppo. Mentre parlavo capivo che se il figlio di quell'uomo aveva un lato canagliesco e violento, lui ne era del tutto all'oscuro. Impossibile pensare che stesse fingendo, nemmeno sir John Gielgud sarebbe stato capace di una recitazione così impeccabile. Ad ogni modo, ora che avevamo sventato l'infarto dovevamo riuscire a ottenere qualche informazione. Cominciai col chiedergli il suo nome.

– Lledó, Agustín Lledó.

– Vede, signor Lledó, il fatto è che suo figlio potrebbe essere implicato in una brutta storia.

La domanda non si fece attendere:

– Che genere di storia?

– Non lo sappiamo ancora con assoluta certezza, ma...

Riavutosi dal colpo, il signor Lledó sembrava reagire con estrema lucidità.

– Non sapete con certezza se è implicato in un brutto affare e volete arrestarlo? Ah, no! Sarò io a farvi delle domande, poi le farete voi a me.

– Le ricordo che suo figlio è accusato di aggressione a pubblico ufficiale.

– Voglio chiamare il mio avvocato.

– D'accordo, lo faccia.

Tirò fuori il cellulare, cercò un numero e chiamò. Poi ci diede le spalle e parlò brevemente in catalano.

– Viene subito.

– Lo aspettiamo. Ma nel frattempo, perché non ci dice dove abita suo figlio? Possiamo benissimo accertarlo, ma non vorrà essere accusato di ostacolare le indagini, vero?

– Parlerò solo in presenza del mio avvocato – disse lui, senza nascondere la soddisfazione di essere finalmente riuscito a pronunciare una frase da film. Ci toccò aspettare più di mezz'ora prima che arrivasse l'avvocato, un quarantenne con aria da puttaniere cui dovemmo raccontare tutto dal principio, questa volta senza badare alla sensibilità dell'uditorio. Per fortuna il puttaniere consigliò al suo cliente di rispondere a tutte le nostre domande, e così finalmente riuscimmo a scoprire dove vivesse Juanito.

– Abita con me, proprio qui dietro.

– Sarebbe un problema se mandassimo qualcuno a casa sua a cercarlo?

– No, però non c'è. Al telefono non risponde.

– Verificheremo.

– In casa mia non entra nessuno se io non sono presente.

– Certo che no. Daremo solo un'occhiata allo stabile.

Garzón chiamò in commissariato e diede ordine di

mandare due agenti. Continuammo con le domande, alle quali Lledó rispose in modo perfettamente normale, come se il solo fatto di avere accanto il suo avvocato lo liberasse da ogni diffidenza. Grazie alla sua collaborazione riuscimmo a farci un'idea abbastanza chiara della famiglia. Lledó era vedovo da molto tempo, e i suoi due figli, Juan e Miguel, avevano rispettivamente ventisette e vent'anni. Solo il maggiore viveva ancora con lui, l'altro, sebbene single, aveva un appartamento per conto suo. Entrambi lavoravano nella ditta paterna.

– Miguel sta dietro ai conti. Juanito, che a scuola non andava tanto bene e non ha voluto prendere il diploma, preferisce fare le consegne e tenere i rapporti con i clienti. All'inizio ero un po' deluso, vedendolo così poco ambizioso, ma lui è fatto così.

– Possiede qualche altro magazzino o immobile, magari intestato ai figli?

– No, niente.

– Vorremmo sapere che genere di compagnie frequentano i suoi figli, se sono fidanzati, se hanno hobby o interessi di qualche genere...

– Escono con gli amici, ogni tanto hanno una fidanzata... Cosa posso saperne io, ispettore? Se ci fosse ancora mia moglie, lei saprebbe cosa dirle, ma fra il lavoro e la casa io ho già abbastanza da pensare... Mi sono sposato già avanti con gli anni. E poi, guardi com'è la vita, è stata mia moglie, molto più giovane di me, la prima ad andarsene. Un cancro. Io sono rimasto solo con due ragazzini. Ho fatto quello che ho potuto. Ma una cosa gliela posso assicurare, sono tutti e due brave persone, lavorano e non hanno mai dato da dire a nessuno. Il piccolo esce di più con le ragazze, questo lo so. Ma Juanito la sola cosa che fa è andare alle escursioni in montagna che organizza il parroco. Parli col prete di Santa Madrona, lui saprà dirle qualcosa in più.

Prese la parola l'avvocato:

– Ispettore, devo chiederle di precisare al mio cliente di cosa è accusato suo figlio.

– Per il momento, solo di aver aggredito un poliziotto. Ma abbiamo fondati sospetti che possa essere coinvolto in qualcosa di più grave.

Cercai di pregarlo con lo sguardo di non farmi parlare oltre. Lui capì. Quando già eravamo fuori, ci rincorse. Lo informai:

– Il figlio del suo cliente può essere implicato in un caso di omicidio.

– Impossibile! Mi dica qualcosa di più.

– Potrò farlo quando l'avremo interrogato.

Mettemmo un agente di piantone davanti al magazzino, un altro davanti a casa dei Lledó e uno davanti all'abitazione del fratello più giovane. Ero sicura che nessuno dei due si sarebbe fatto vivo, però avrebbero potuto commettere un errore o avere assoluta necessità di recuperare qualcosa. Il padre ci era parso molto preoccupato, aveva cominciato a prendere sul serio la possibilità che i ragazzi si fossero cacciati nei guai. In ogni caso non era loro complice, né sembrava intenzionato a coprirli.

– Nessuna notizia del furgone? – chiesi a Garzón. Lui scosse la testa. Era di nuovo taciturno, come assente.

– Povero signor Lledó! Mi ha fatto pena, ispettore. A quell'età, vedovo, e adesso questa mazzata del figlio...

– Apprezzo la sua sensibilità, ma invece di compatire il padre di un ricercato farebbe bene a cercare di capire dov'è questa parrocchia escursionistica di Santa Madrona.

– Me ne occuperò domattina. Non so se si è accorta dell'ora, ispettore.

– Non c'è tempo da perdere, Fermín.

– Al contrario, ispettore. Detesto contraddirla, lei lo sa, ma quel che dobbiamo fare adesso è aspettare. Bisogna che ritrovino quel furgone, o che catturino quel disgraziato, e poi abbiamo bisogno di farci una dormita. Io, per di più, che come lei ben sa ho ormai i neuroni rammolliti dal sentimento, ardo dal desiderio di riabbracciare la mia consorte. Quindi, col suo permesso...

– Sono sicura che anche senza il mio permesso sarebbe capacissimo di tagliare la corda. Quindi...

Si allontanò a passo leggero. Gli gridai dietro:

– Garzón, non più tardi delle nove di domattina voglio sapere dov'è quella maledetta parrocchia. E la voglio lì a parlare col prete escursionista!

Lui assentì senza voltarsi. Lo udii brontolare, sempre più lontano:

– Preti, frati, suore, beati... È l'inferno, questo caso, l'inferno in terra!

14

Tornai a casa con la sensazione di venir meno al mio dovere. Marina mi saltò al collo non appena mi vide. La presi in braccio.

– Marina, tesoro! Come stai? È un po' che non ci vediamo!

– Sì, non ci sei mai. Papà dice che in questi giorni hai tanto lavoro.

– È vero, sai? Ultimamente non ci vediamo molto neanche io e lui. Che disastro!

– Be', lui deve fare le case, e tu devi catturare un assassino.

Magnifica sintesi. Le sorrisi.

– Non sei sola, vero?

– No, Jacinta è di là che stira. Ha detto che rimaneva finché non arrivava qualcuno.

– E i tuoi fratelli?

– Loro arrivano con papà verso le dieci.

Dissi a Jacinta che poteva andare. Nel frattempo escogitai un piano per mettere d'accordo affetti e dovere. Non erano neppure le nove, c'era ancora tempo.

– Marina, vuoi accompagnarmi in una missione ufficiale?

– Una cosa della polizia?
– Ma certo! Andiamo all'ospedale a trovare una mia agente che è stata aggredita da un malfattore.
– Aggredita con una pistola?
– Con una botta fortissima sul naso. Forse con il calcio di una pistola. Ancora non lo sappiamo.
– E ci andiamo prima che arrivino Hugo e Teo?
– Sì. Per le dieci saremo di ritorno anche noi.
Sparì di volata. Un attimo dopo era di nuovo lì, infagottata nella sua giacca a vento rosa.
La tenevo per mano quando entrammo nella stanza 22 del reparto di medicina d'urgenza. La povera Sonia aveva un aspetto tremendo: gli zigomi gonfi, due cerchi viola intorno agli occhi, il naso steccato e una benda che le copriva metà della faccia. Con la coda dell'occhio vidi che Marina la divorava con lo sguardo.
– Ispettore! Come sta?
– Bene, Sonia, bene. Tu, piuttosto?
– Io sto bene. Posso riprendere servizio quando vuole.
– Mi sa che per questo dovrai aspettare.
– E questa bambina?
– È Marina, la figlia di mio marito.
– Che carina!
Marina, molto più adulta di Sonia, le porse la mano e disse a voce bassa:
– Molto piacere.
– Che peccato, ispettore, mia madre è appena scesa al bar per mangiare qualcosa. Se avessi saputo che veniva le avrei detto di fermarsi per salutarla! Vuole che la chiami col cellulare?

– No, non disturbarla, fa lo stesso. E poi ce l'avrà un po' con me, no?

– Perché? Per il fatto che mi hanno picchiata? Ma si figuri, è quasi contenta, invece. Certo che io gliel'ho messa giù bene: le ho detto che stavo per catturare un assassino.

– Il che è la pura verità.

– Lei crede? Comunque, ispettore, le giuro che se non fosse stato per il colpo tremendo che mi ha dato, io a quest'ora sarei ancora lì attaccata a quel furgone, anche se fosse andato a mille all'ora...

Marina, che fino ad allora era rimasta prudentemente in silenzio, non resistette più alla curiosità:

– Ti sei aggrappata a un furgone mentre andava?

– Sì, alla maniglia, ma il guidatore ha tirato giù il finestrino e mi ha dato una botta che mi ha buttata giù.

– Figo! – esclamò la bambina, dimenticando la sua buona educazione.

– Hai capito che cosa ha usato per colpirti? – domandai.

– Sembrava il manico di un grosso coltello, ma non ne sono sicura.

– Ti ha fatto tanto male? – si interessò Marina mettendomi in imbarazzo, perché quella domanda avrei dovuto farla io.

– Non così tanto, carina, mi ha fatto più male che mi sia scappato. Veramente ogni tanto ho delle fitte, però mi danno una medicina per far passare il dolore – rispose Sonia, sforzandosi di sorridere.

– Hai notato qualcosa che possiamo mettere a verbale?

– Da mettere a verbale, non saprei... Però, come ho già detto a Yolanda, ho visto subito che era un tipo strano.

– Strano come?

– Non lo so, aveva due occhi da cane bastonato. Anche quando mi ha dato la mazzata... – si interruppe, guardò Marina, pentita di quella parola forte. Cominciavo a spazientirmi, ma cercai di controllarmi.

– Va' avanti, non preoccuparti.

– Anche quando mi ha aggredita mi guardava con due occhi... Non sembrava che mi odiasse, no, sembrava che mi chiedesse scusa. Magari mi sono fatta quest'idea solo perché aveva dei begli occhi, azzurri, ma sul grigio, ha presente?

– Lo riconosceresti se lo rivedessi?

– Sì che lo riconoscerei.

– Va bene, Sonia. Adesso riposati e cerca di riprenderti. Yolanda è rimasta con te?

– Tutto il pomeriggio. Se ne è andata un momento fa. È venuto anche suo marito, l'agente Domínguez. Sono così gentili, mi hanno portato una scatola di cioccolatini! Posso dartene uno, piccolina? – chiese a Marina in un ridicolo tono infantile. Marina scosse la testa e poi rispose, molto cortesemente:

– Ti ringrazio molto ma ho paura che poi non cenerei più.

– Oh, ma com'è educata! – esclamò Sonia. – Ecco cosa ci vorrebbe per Yolanda e me: tre o quattro bambini così e poi lasciare il lavoro. Scherzo, ispettore, tanto non sono nemmeno sposata. E poi a me piace la vita del poliziotto, lei lo sa.

Prima che scivolasse lungo la pericolosa china delle confidenze feci una risatina e le diedi un colpetto sulla spalla. Poi trascinai via Marina lungo i corridoi dell'ospedale.

– Perché andiamo così in fretta? – mi chiese lei.

– L'ultima cosa che voglio è che ci intercetti la madre di Sonia. Ci attaccherebbe un bottone che non finisce più.

– Sì – disse la mia figliastra, non senza aggiungere, con una nota di rimprovero nella voce: – Però lei è molto coraggiosa.

– Certo che lo è – confermai, e lo pensavo davvero.

Marcos e i gemelli ci ricevettero un po' preoccupati.

– Non ti ho cercata perché non volevo disturbarti, ma mi domandavo dove foste finite.

– All'ospedale, a trovare una ragazza che lavora con Petra. Un assassino molto pericoloso le ha rotto tutta la faccia – rispose Marina rivolta ai fratelli sbalorditi.

Riassunsi a mio marito la vicenda, mentre Marina faceva altrettanto, con un linguaggio molto più fiorito, nella camera dei ragazzi.

– Avete cenato? – mi chiese Marcos.

– No, non ho toccato cibo in tutto il giorno.

Lui mi abbracciò e mi sorprese con un bacio.

– Avrei tanta voglia di stare da solo con te, stasera! Però ci sono i bambini.

– Non importa. Quando tutto sarà finito ce ne scapperemo su un'isola deserta.

– Sarà un piacere fuggire con te.

Hugo tossicchiò sulla porta prima di farsi vedere.

– In cucina c'è un biglietto di Jacinta. Dice che in forno ci sono delle lasagne, e nel frigorifero un'insalata già pronta, solo da condire.

– Forza, allora! Preparate la tavola.

In quel momento arrivò Teo che sparì con suo fratello. Tornò dopo un attimo per dirmi:

– Petra, ci porterai anche noi a vedere l'agente con la faccia fracassata? – Capii che era profondamente deluso.

– Ma certo! – risposi con naturalezza. E aggiunsi: – Non credevo che vedere gente con la faccia fracassata fosse la vostra massima aspirazione.

Ci mettemmo a tavola. Marcos cominciò a servire tutti quanti e proprio allora, puntuale, il telefono suonò. Marina scattò in piedi come una molla e corse a portarmelo. Presi la linea. La bestemmia che sentii era senza dubbio di Garzón.

– Hanno trovato il furgone, ispettore!

– E dove?

– In un parcheggio a Montjuïc.

– Vengo subito.

– Porca miseria, proprio nel bel mezzo della cena dovevano chiamarmi.

– Beato lei, Fermín, io non ho neppure cominciato.

Mi alzai da tavola, Marcos mi seguì.

– Non puoi andartene senza mangiare niente, Petra.

– Mangerò un panino da qualche parte. Ad ogni modo non credo di fare tardi. Hanno trovato il furgone, bisognerà che lo veda la scientifica. Sbrigo quattro formalità e torno. Tenetemi da parte una porzione di lasagne.

– Posso venire con te? – mi chiese Marina, speranzosa.

– No cara, adesso no.

Mentre mi infilavo l'impermeabile sentii Teo e Hugo sferrare il loro attacco:

– Ma certo, adesso l'ispettore Marina parte all'inseguimento dell'assassino. E senza pistola, a mani nude!

Del grido di rabbia della bambina non riuscii a decifrare altro che la parola «cretini», ma capii alla perfezione l'appello alla calma di Marcos con l'imperiosa ingiunzione che ben conoscevo.

– E adesso tutti zitti!

Sentii che stavo lasciando un luogo caldo di affetti, malgrado quel parapiglia.

Il furgone di «Frutta e verdura "Il Paradiso"» era stato abbandonato in un'area di sosta prossima alla Fundació Miró. Non era un luogo frequentato, tantomeno a quell'ora, ma i colleghi avevano trovato un ragazzo che l'aveva visto arrivare mentre faceva jogging. Non che avesse visto molto: solo un uomo piuttosto giovane e molto robusto che aveva parcheggiato e poi si era avviato a piedi in direzione della città. L'aveva notato solo perché gli era parso strano che qualcuno lasciasse il furgone di una ditta in un posto simile. Garzón era di umore pessimo.

– Spero solo che quelli della scientifica facciano in

fretta a portarsi via questo rottame. Mi dica lei cosa ci facciamo qui con questo freddo!

– Le ricordo che le indagini sono affidate a noi.

– Sì, ma non ci siamo solo noi in commissariato, o no? Io ho una moglie, dei doveri familiari, ho il diritto di cenare in pace, di riposare.

– Non si faccia venire la sindrome del poliziotto sposato, adesso. Tutti abbiamo altre cose da fare.

Mi guardò con astio. Ma quasi subito se ne pentì e mi disse:

– Senta, Petra, proprio qui sotto, a Poble Sec, c'è un bar che fa dei panini favolosi. Potremmo vedere se è aperto.

– Ma lei ha già cenato e ha fretta di tornare a casa.

– Non è il caso di trascurare le buone maniere – biascicò. – E poi, la minestra di verdure di mia moglie, con tutto il rispetto, è una brodaglia. Mi spiace tanto per Beatriz, ma un paio di *tapas* con una buona birra sono quello che mi ci vuole.

– Mi pare giusto.

– Che cosa le pare giusto?

– Che non trascuri le buone maniere.

Il locale in cui entrammo non si distingueva da mille altri. Era uno di quei posti dove quattro o cinque sopravvissuti a qualche naufragio esistenziale si scolano una birra prima di perdersi nell'anonimato della notte.

– Non era questo il bar, ma non riesco più a ricordare dov'è.

– Non si preoccupi, Fermín. Mi pare il posto ideale.

Guardi, hanno persino una *tortilla de patatas* risalente al Pleistocene che con la fame che ho mi sembrerà divina.

– Io propenderei per quei salamini, nei limiti del possibile non devono essere male.

Mangiammo avidamente e tracannammo birra alla spina. Mi sentii subito meglio con qualcosa nello stomaco. Ma a quel punto il viceispettore mi chiese con molta serietà:

– E adesso, Petra?

– È una domanda filosofica?

– No, meramente professionale. Dove ci porterà il nostro Juanito?

– Le parlerò francamente: non ne ho idea. Se mi permette la volgarità, da quando stiamo lavorando a queste indagini mi sembra sempre di farla fuori dal vaso.

– Io le permetto ogni volgarità, ispettore.

– Bene, e adesso, con questa lepre che balza fuori all'improvviso, sono completamente sconcertata.

– Diciamo piuttosto che secondo lei la lepre non ha niente a che vedere con i Caldaña né con la tragica storia della Settimana Tragica.

– Diciamo che la lepre ci porta dritti dritti al convento, e non so proprio cosa potremo trovare lì. Non è di certo una coincidenza se lo stesso tipo che porta la frutta alle monache mette Sonia K.O. e se ne scappa in questo modo.

– Pensa che ci stesse tenendo d'occhio?

– Forse.

– Intuisco che domani sarà una giornata lunga e faticosa.

– E non sbaglia. Bisognerà vedere che cosa troveranno in quel furgone quelli della scientifica, parlare con le suore, sentire il parroco escursionista di Santa Madrona...

– Passiamo la vita fra preti e suore.

– Siamo spagnoli, in fondo.

– Non la delude un po' che un temibile assassino e ladro di reliquie sia un ragazzo che consegna pomodori di nome Juanito?

– Cosa vuol farci! Come le ho detto, siamo spagnoli.

Non avrei mai creduto di poter sprofondare nel sonno dopo i fatti di quella giornata, così sorprendenti e gravidi di nuovi interrogativi. Ma nemmeno la possibilità che l'assassino si chiamasse Juanito riuscì a impedirmi di dormire come un sasso. Mi svegliai fresca e riposata come un animale che rinasce a nuova vita. Scoprendo Marcos accanto a me, mi avvicinai in cerca del calore del suo corpo, lo abbracciai. Ma a poco a poco la razionalità si insinuò in quel felice mondo edenico e di colpo mi ripiombarono addosso il beato Asercio, il paradiso di frutta e verdura, l'assassino e l'esistenza stessa del male. Prima di cedere alla tentazione, scattai in piedi e corsi nel bagno. Marcos, nel dormiveglia, sospirò di delusione.

Per telefono seppi che nessuno dei due fratelli Lledó era ricomparso, sebbene una squadra appositamente sguinzagliata dal commissario fosse già in giro a cercarli. Decisi di chiamare subito il viceispettore per dirgli che volevo vedere anch'io il prete escursionista, come ormai confidenzialmente lo chiamavamo. Lui mi diede l'indirizzo della parrocchia e ci trovammo lì. Il parroco, affabile e mattiniero, sembrava più che disposto a collaborare. Solo che rimase senza parole quando facemmo il nome di Juanito Lledó.

– Perché? Cosa può aver fatto? È un così bravo ragazzo, mite, lavoratore. Non me lo immagino proprio coinvolto in una brutta storia.

– Potrebbe essere implicato nell'assassinio del monaco cistercense Cristóbal dello Spirito Santo, non so se ne ha sentito parlare.

– Certo, da settimane è su tutti i giornali. Non direte sul serio!

– Dovremo parlare a lungo con lei.

– Prego.

Ci fece accomodare in un ufficio un po' malandato e sedette alla scrivania.

– Dite pure.

– Abbiamo bisogno di sapere che tipo è Juanito Lledó. Qualunque cosa lo riguardi ci interessa: che vita fa, se ha amici, come si comporta, di cosa parla...

– Non mi pare bello raccontare i fatti privati di una persona che ha fiducia in me. Tanto più che non ho idea del perché lo cerchiate.

Stavo per tirargli fuori i soliti luoghi comuni sul dovere del cittadino, ma il viceispettore fu più svelto di me:

– Senta, fratello...

– Padre.

– Padre o quello che è. Stiamo indagando su un duplice omicidio, e il Lledó potrebbe essere il colpevole. Quindi la smetta di fare il prete amico dei giovani o verrà accusato di intralcio alla giustizia. Questo non è un film americano sui bravi ragazzi del Bronx, ha capito?

Rimasi stupefatta, e il prete anche. Come intervento non mi parve male, in fondo non era il caso di perdersi in digressioni diplomatiche. L'interpellato si schiarì la gola, fece una faccia da agnello sacrificale e cominciò a parlare con voce ispirata:

– Juanito è un ragazzo un po' speciale: solitario, sensibile, un po' troppo timido per farsi facilmente degli amici. Ha perso la madre troppo presto, ma mentre il fratello minore è riuscito superare meglio il trauma, lui, un po' più grande, ne ha sofferto molto. Eppure nessuno potrebbe dire che non sia un ragazzo normale. Lo è. Solo che appare un po' immaturo per la sua età: lavora con il padre senza assumersi grandi responsabilità, viene qui tutti i sabati per aiutarmi con i ragazzi dell'oratorio e la domenica partecipa alle gite in montagna.

– In che cosa la aiuta?

– Ecco, noi lavoriamo soprattutto con adolescenti che provengono da famiglie disagiate. Organizziamo piccoli tornei di calcio, cineforum, festicciole... attività che impegnino questi ragazzi in qualcosa di sano e li tengano lontani dai brutti ambienti, dalla tentazione della droga. Juanito mi dà una mano in tutto questo e devo dire che è bravo.

– Quindi non ha amici?

– Ci sono altri giovani che vengono ad aiutarmi. Lui con loro va d'accordo, ma dubito che abbia amici al di fuori della parrocchia.

– E nemmeno una fidanzata, quindi.

– Sono abbastanza sicuro di no. Se uscisse con una ragazza me ne avrebbe parlato. Ha molta fiducia in me. Ma non perdo la speranza che proprio qui possa incontrare la persona giusta, una brava giovane che lo faccia felice.

– Visto che con lei Juanito si confida, le ha mai detto di essere preoccupato?

– No. Ci sono periodi in cui lo vedo più taciturno, più chiuso, ma ultimamente non ho notato niente di strano.

– Che rapporti ha Juanito con il convento del Cuore Immacolato?

– Mi scusi, non capisco la domanda.

– Da tempo la ditta di suo padre rifornisce il convento e lui consegna la merce. Non le ha mai parlato di questo?

– No, le assicuro di no.

– Da quando i giornali hanno dato la notizia del delitto, e del furto del corpo del beato, avete mai commentato insieme questi fatti?

– No, ispettore, mai. Come può immaginare le nostre conversazioni sono sempre improntate alla massima positività. E poi non avevo idea che Juanito servisse il convento dove è stato commesso il delitto.

– Però è curioso, trattandosi di una notizia di cronaca sulle bocche di tutti, che Juanito non le abbia mai fatto cenno di questa coincidenza, no?

– Che fra noi ci sia reciproca fiducia non significa che lui sia un chiacchierone. Si parlava, certo, ma sempre delle attività della parrocchia.

– Che cosa sa di suo fratello Miguel?

– Non lo conosco bene. So che sono molto diversi. Miguel è più inserito di lui, più dinamico. Forse è un po' meno bravo ragazzo del fratello maggiore.

– Frequenta cattive compagnie?

– Non credo. Ma Juanito spesso ne ride perché dice che è uno sciupafemmine.

– Vanno d'accordo?

– Juanito lo ammira. E il fratello gli vuole bene. A volte lo accompagna fin qui in moto, oppure lo viene a prendere.

– Padre, mi ascolti attentamente: se per qualunque ragione uno dei due dovesse mettersi in contatto con lei...

Lui abbassò gli occhi, poi disse in un sussurro:

– Lo so, vi avviserò, so che è mio dovere farlo.

Un vero e proprio *nerd* parrocchiale, il nostro Juanito, una specie in via di estinzione. Un malavitoso ha un mucchio di caratteristiche in comune con chiunque appartenga al suo stesso ambiente. Anche un cittadino normale è spinto da passioni e interessi che lo accomunano al resto degli esseri umani. Ma cosa può esserci nella mente di un giovane taciturno, che frequenta solo un prete e si dedica unicamente ad attività da oratorio? Nulla che potessimo capire. Urgeva un nuovo intervento del dottor Beltrán. Chiesi a Garzón di incontrarlo e di spiegargli quel che sapevamo. L'idea non lo entusiasmò:

– Mi scusi, ispettore, ma così tiriamo le cose per le lunghe. Ormai non c'è più tempo, bisogna agire.

– Agire, agire! E come? Dove? In che direzione?

– Lo diceva lei che la comparsa di Juanito era una freccia puntata in direzione del convento. Dobbiamo tornare lì.

– Sì, perfetto. Ma mi dica: una volta lì, come ci muoviamo? Chi interroghiamo? Che domande facciamo? Bisognerà pensarci.

– E va bene, ispettore, io vado alla ricerca del castigamatti, come lo chiama Villamagna, ma intanto lei cosa fa?

– Io devo pensare, Fermín, pensare. Attività insolita ma necessaria.

– Ci vediamo fra un'ora. Va bene in commissariato?

– Mi troverà lì.

Non appena fui sola entrai in un bar, mi sedetti a un tavolo e ordinai un caffè. E mi misi a pensare. Lledó poteva essere caduto vittima di un'ossessione tale da spingerlo a rubare il corpo del beato? E per quale ragione? Da dove poteva essere nata una simile fissazione? Ha senso cercare una logica dietro fatti del genere? Un'ossessione insana può nascere solo in una mente disturbata, senza un motivo razionalmente comprensibile. Forse il parroco gli riempiva la testa di idee sulla santità, forse si era immaginato che quella reliquia potesse racchiudere qualcosa di importante per lui, un potere nascosto. Ma in questo caso, come aveva fatto a convincere suo fratello ad aiutarlo in un'impresa del genere? Non solo avevano portato via il corpo del beato, avevano dato la caccia alla povera Eulalia e l'avevano ammazzata. La prima volta doveva essere inorridito scoprendo che frate Cristóbal era morto. La disperazione l'aveva spinto a chiedere aiuto. Ma se suo fratello era un tipo con la testa sul collo, perché non si era spaventato dinanzi a una simile follia, perché non l'aveva dissuaso, non l'aveva spinto a costituirsi? E le suore sapevano di quell'ossessione del ragazzo? Possibile che nessuna se ne fosse accorta? E il biglietto scritto in gotico? Possibile che un ragazzo ignorante e sprovveduto avesse ideato qualcosa di così contorto, di così difficile? E se il complice non era suo fratello, allora chi era? Un ragazzo dell'oratorio ignorante quanto lui? Ma perché avrebbero dovuto complicarsi così la vita? E ammettendo l'ipotesi più assurda: se un pazzo collezionista di mummie avesse commissionato il furto, perché poi il bottino sarebbe stato fatto a pezzi? Mio Dio, quello era senza dubbio il caso più astruso e incredibile in cui mi fossi imbattuta in tutta la mia carriera di poliziotto! Ma non era tanto il fatto che fosse così contorto a darmi sui nervi, quanto la sua gratuita stupidità, la sua surreale assurdità. Qualunque movente riuscissi a immaginare era di natura così fantasmatica, così lontana dalla vita quotidiana che non potevo fare a meno di escluderlo un attimo dopo. E quell'indagine storica, studiata con tanta cura, fondata sugli scarsissimi indizi di cui disponevamo, era stata solo un'allucinazione, una grandiosa forzatura? Certo, non si poteva negare che i pezzi del povero beato erano stati rinvenuti nei luoghi dove erano stati incendiati dei conventi. Qualcuno doveva averli portati lì. Ma chi? Juanito Lledó? Era Juanito Lledó il vendicatore che avevamo cercato nella fantomatica figura di un discendente di Diego Caldaña? L'accavallarsi di tutti quei pensieri, insieme alla frustrazione di non trovare una risposta logica a nessuna delle domande che mi assillavano, cominciava a farmi venire il mal di testa. Per fortuna una telefonata di Garzón giunse a liberarmi.

– Ispettore, sta ancora pensando?

– Ho pensato così tanto che per un mese non ne avrò più bisogno.

– Qualche risultato?

– Un mal di testa incipiente. Più ci penso, meno spiegazioni trovo per quel che è successo.

– Gliel'avrò detto mille volte, pensare fa male. Perché non viene in commissariato? È arrivata la prima perizia della scientifica sul furgone del «Paradiso». Abbiamo le impronte di Lledó.

– Arrivo subito.

Forse il viceispettore aveva ragione, forse di fronte alle complicazioni bisogna agire, e soltanto dopo trarne le debite conseguenze.

Quando arrivai in commissariato era già in corso una riunione nell'ufficio di Coronas. Era presente anche l'ispettore capo. Mi ero fermata a pensare ed ecco che qualcun altro era passato all'azione.

– Petra, sul pianale del furgone sono state trovate tracce dei tessuti della mummia. E le impronte digitali coincidono con quelle rilevate all'interno dei guanti di lattice rinvenuti in prossimità della seconda vittima – disse il commissario a mo' di saluto. – Quindi è ormai dimostrato che Juan Lledó è, come minimo, il ladro della mummia, e ha preso parte all'occultamento del secondo cadavere. Resta da stabilire se è l'autore del duplice omicidio.

– Da quando ha colpito Sonia non ne ho mai dubitato, commissario. Il mistero è perché abbia fatto tutto questo.

– I misteri lasciamoli agli sceneggiatori del cinema. Noi dobbiamo solo seguire un filo, e presto sbroglieremo la matassa.

– Ma bisogna capire com'è arrivato questo filo a formare un groviglio simile...

– Lasci perdere, passiamo agli aspetti pratici.

L'ispettore capo mi sorrise:

– Ho riletto i rapporti elaborati finora e devo lodare la vostra precisione. Ho un solo appunto da farvi: l'impostazione è stata forse un po' troppo intellettualistica e teorica... Non nego che in un caso come questo sia necessario ricorrere a metodi inconsueti...

– Ispettore, noi abbiamo seguito tutti i fili, come dice il commissario, e alla fine sembra che un gatto si sia divertito ad aggrovigliare la matassa. Per di più ora salta fuori questo ragazzo che non sappiamo come inquadrare.

Coronas mi interruppe:

– Petra, veniamo al sodo. Come pensa di muoversi adesso?

– Ordine di cattura a tutte le forze dell'ordine in tutto il paese.

– Esatto, ma di questo mi sono già occupato io. Che altro?

– Sopralluogo e perquisizione nel domicilio dei Lledó e al magazzino di frutta e verdura.

– Perfetto, e allora se ne occupi subito. Mai ragionare troppo prima di dare gli ordini. Non esiste ricetta migliore nelle indagini giudiziarie.

Uscimmo dall'ufficio di Coronas carichi di lavoro. Garzón poteva essere soddisfatto, dal momento che i capi confermavano e benedivano la sua strategia dell'azione prima di tutto. Io ero furibonda.

– Ecco, tutti in movimento, tutti a lavorare, forza, ragazzi, diamoci dentro! C'è ancora qualcuno che fa funzionare il cervello? Sì, gli sceneggiatori del cinema. Agli sbirri la logica e il ragionamento non servono. E questo sarebbe il commissario che ci ha costretti a prendere uno psichiatra nella squadra? Quello che incoraggiava le ricerche negli archivi storici?

– Non faccia l'insubordinata, Petra. Se riusciamo a mettere le mani su uno dei due Lledó siamo a cavallo.

– Ma la caccia può durare mesi, se ne rende conto, Fermín? Chissà dove si sono ficcati quei due. Quel che dovremmo fare è trovare un sistema per stanarli.

– Per esempio?

– Non lo so. Bisognerebbe chiamare Villamagna, dirgli di convocare stampa e televisioni. Far sapere che siamo sulle tracce dell'assassino. Così, senza spiegazioni.

– È possibile che questo li spinga a costituirsi.

– Chiami anche Yolanda. Le ordini di mettersi in contatto con suor Domitila e frate Magí. Ormai possono lasciar perdere le ricerche alla Balmesiana.

– Molto bene. E noi?

– Lei esegua, intanto. Organizzi i sopralluoghi.

– E lei?

– Io me ne vado al convento.

– A far cosa?

– A farmi suora. In questo pandemonio mi sono accorta che ho una vocazione religiosa della Madonna.

– Senta, ispettore, perché non mi aspetta così ci andiamo insieme?

– Quello è un convento femminile. Lei si faccia frate dove le pare, poi ci vediamo qui.

Non presi la macchina. Speravo che camminando di buon passo le idee mi venissero da sole. Il vecchio metodo della scuola peripatetica mi aveva sempre aiutato. E chissà che la filosofia non mi soccorresse là dove la storia e la psichiatria avevano fallito. Era assolutamente necessario che mettessi ordine nella mia testa prima di arrivare al convento. Sapevo che dovevo agire subito ma non sapevo da dove cominciare.

Quando giunsi in vista dell'antico portale, decisi di chiamare il dottor Beltrán. Lui rispose immediatamente.

– Il profilo del suo indiziato? Sì, ormai ho tutto più o meno chiaro, sto stendendo la relazione.
– Mi faccia una sintesi d'urgenza, la prego.
– Dunque, il soggetto che mi è stato descritto non sembra affetto da una patologia precisa. Perché un profano possa capirmi direi che non è un pazzo. Tuttavia ha una personalità conflittuale. È abbastanza comune, quando manca la madre come figura di riferimento. Certi soggetti sperimentano carenze che poi non sono in grado di elaborare. Alcuni sono aggressivi, altri, regressivi. Il suo indiziato appartiene al secondo gruppo.
– Mi scusi, dottore, so che non può rispondermi così su due piedi, ma questo soggetto regressivo e non aggressivo, sarebbe capace di uccidere?
– Come lei è in grado di capire da sé, non esiste una risposta certa a questa domanda. Si può azzardare, con le riserve del caso, che potrebbe arrivare a uccidere spinto da una ragione emotivamente molto forte.
– Per esempio?
– Non so che dirle: un amore passionale, un odio insanabile, il desiderio di proteggere qualcuno che ama, l'idealizzazione di una figura per lui molto importante... o, al contrario, l'impulso a vendicare un'offesa gravissima. Tenga conto, ispettore, che una personalità di questo tipo può scivolare facilmente nel patologico. In tal caso, motivi che a me o a lei possono apparire di poco conto, basterebbero per spingerlo a commettere un'azione violenta. Dipende da quanto ne è ossessionato.

– Capisco.

– Ma la prego di non servirsi di quanto le ho detto in modo avventato... Ci tengo a sottoporle un profilo circostanziato ed esauriente, che meriti di portare la mia firma.

– Non ho mai fatto niente di avventato in vita mia, dottore. Non è nella mia natura.

Di sicuro lo sconcertò il tono tranquillo e cortese in cui lo dissi, perché dopo una pausa rise scioccamente. In circostanze normali, dopo aver chiuso la comunicazione mi sarei messa a inveire contro la vanità di un simile idiota, ma in quel momento avevo la mente così immersa nei meandri delle indagini che dimenticai subito il nostro dottor Narciso. Allo stesso modo, mi ero già dimenticata della visita che stavo per fare, al punto che la porta del convento mi si parò davanti come un'entità minacciosa. Che cosa avrei detto alle suore? Non avevo una strategia, un ordine di priorità, una lista di persone sospette, non sapevo neppure che cosa legasse Lledó alle sorelle del Cuore Immacolato. Respirai profondamente e suonai il campanello. Se era vero quello che i miei scaltriti colleghi ripetevano, l'azione avrebbe dato luogo a una spiegazione. E poi c'era un fatto molto semplice che poteva aiutarmi: la suora portinaia era quella che più spesso aveva a che fare con Juanito Lledó, e sarebbe stata lei la prima a rivolgermi la parola.

Ma il destino volle negarmi questo facile primo passo. Una volta che mi fui presentata attraverso il citofono, fu un'altra suora, che non conoscevo, ad aprirmi la porta.

– Dov'è la sorella portinaia? – domandai.
– In cappella, è la sua ora di preghiera.
– Aspetterò – risposi, molto convinta. La suora, più giovane e anche meno brutta della portinaia, mi fece accomodare nel solito parlatorio. Qualche minuto dopo, inutile dirlo, comparve madre Guillermina.
– Ispettore! Perché non mi ha detto che era qui?
– Sapevo che non ce ne sarebbe stato bisogno, madre, come la sua presenza mi dimostra.
– Ah, certo, le mie figlie spirituali mi informano di tutto! Ma mi creda, questo a volte è un peso anche per me. Non in questo caso, naturalmente. Sono felice di vederla.
– Anch'io.
– Vuole che andiamo nel mio ufficio?
– Il fatto è che non intendevo parlare con lei, madre.
– Sì, lo so, lei desidera vedere la suora portinaia. Ma se non le dispiace possiamo lasciarle finire le sue orazioni. Quando sarà il momento la manderò a chiamare.
– Credo di doverle parlare a quattr'occhi.
Sul suo volto affabile e franco balenò un lampo di sorpresa.
– Con la suora portinaia? Cos'è successo?
Per un attimo fui combattuta. Potevo fidarmi di quella donna? In fondo ormai le cose stavano come stavano, prima o poi avrebbe saputo del Lledó, e al convento non avrei mai potuto muovere un passo senza la sua approvazione. Quindi le raccontai tutto. Lei mi guardò come se non avesse capito.

– Mi scusi, ma non ho la minima idea di cosa mi stia dicendo. Chi è Juanito Lledó?

– Il ragazzo che fa le consegne di frutta e verdura qui al convento. Non lo conosce?

– Io? No di certo. Non conosco nessuno dei nostri fornitori. Mi limito ad autorizzare il pagamento delle fatture. Ma non ho mai visto scaricare un camion. Non è compito mio.

– Evidentemente. Ma, mi dica, madre, quante delle suore qui dentro sono a contatto con i fornitori?

– Perché non mi spiega che cosa vuole sapere?

Sospirai e mi armai di santa pazienza.

– Madre Guillermina, non possiamo sempre girare intorno allo stesso punto. Lei è la regina del convento, ma io sono un poliziotto e sto svolgendo un'indagine...

– Ma se è lei che gira sempre intorno allo stesso punto! Questa storia della regina me l'avrà ripetuta cento volte. Mi ascolti bene: se le faccio delle domande è solo per aiutarla, per capire che cosa sta cercando e metterla sulla strada giusta, nei limiti delle mie possibilità. Nessuno più di me sa che cosa succede qui dentro.

– Però...

Mi guardò, attonita e offesa.

– Il fatto è che lei non si fida di me, vero?

– In questo momento non posso fidarmi di nessuno, madre, neppure di me stessa.

A testa alta come un generale sconfitto sul campo di battaglia, madre Guillermina si irrigidì e disse:

– Le faccio mandare subito la sorella portinaia –. Si girò e si avviò a passo altero. Poi si fermò e sentenziò, in tono estatico:

– E sappia che non solo qui, ma ovunque nel mondo, c'è una sola regina: la santa Vergine Maria e nessun'altra. Sostenere il contrario è blasfemo.

Uscì con la maestosità di un'attrice dilettante nel ruolo di Maria Stuarda, facendomi capire di aver commesso un errore, un gravissimo errore. Perché la Vergine Maria poteva essere regina finché si voleva, ma lì, fra quelle pareti, a tenere il bastone del comando era lei, la madre superiora, e basta. Quindi se volevo interrogare una suora dovevo avere il suo consenso. Anzi, se volevo che una suora fosse nelle condizioni di spirito adatte per rispondere alle mie domande, lei doveva essere presente, altrimenti nessuna si sarebbe mai decisa a dirmi quel che sapeva. Per questo le corsi dietro, rinunciando a ogni dignità:

– Madre Guillermina, per favore!

Lei si voltò con il sorriso di chi già si sente pienamente risarcito dalla capitolazione psicologica del nemico.

– Mi dica, ispettore.

– Non se ne abbia a male. In realtà ritengo utile che lei assista al colloquio. Volevo solo evitare che la suora portinaia potesse sentirsi a disagio in sua presenza.

– Essere madre superiora non significa essere una specie di Führer.

– Lo so e chiedo scusa. Può farmi il favore di chiamare la sorella e di rimanere presente all'interrogatorio?

– Con piacere. E non si preoccupi, non intendo indagare sul motivo delle sue domande.

Si allontanò, e io cominciai a rodermi per quel cedimento. E se madre Guillermina fosse stata implicata nel delitto? In ogni caso, avendocela davanti sarebbe stato più facile capire se avesse qualcosa da nascondere oppure no. Qualcosa da nascondere? Ma cosa diavolo stavo pensando? Lei, colpevole o mandante di un paio di omicidi? Ero più che sicura che fosse impossibile.

Finalmente la spaventosa suora portinaia entrò in compagnia di madre Guillermina. Fra lo strabismo, gli occhiali e la caratteristica durezza del volto non era possibile intuire nulla del suo stato d'animo. Fece un gesto che poteva somigliare a un saluto e incrociò sul petto le mani rugose.

– Sta bene, sorella? – le chiesi con la massima cortesia. Credetti di percepire un grugnito affermativo.

– La sorella è pronta a rispondere alle sue domande, ispettore – disse la madre superiora invitandomi a saltare i convenevoli.

– Mi dica, sorella, la ditta «Frutta e verdura "Il Paradiso"» vi rifornisce da tempo?

– Sì – rispose, e rimase a fissare il vuoto come se lo trovasse affascinante.

– E il ragazzo che fa le consegne si chiama Juanito, non è vero?

– Sì, ma da un po' non lo vediamo. Adesso viene uno di Frutta Garrido, se vuole l'indirizzo...

– No, grazie, non è necessario.

– Chi aveva a che fare abitualmente con Juanito?
– Io.
– E nessun'altra?
– A volte faceva i conti con suor Asunción.
– Chi è suor Asunción?
– La nostra economa – intervenne madre Guillermina.
– Credevo fosse lei a occuparsi della contabilità.
– No, io firmo i libri e gestisco il bilancio. Suor Asunción si occupa dell'amministrazione.
– E chi altri incontrava quel ragazzo?
La sorella portinaia rispose con indolenza:
– Nessuno.
– Che impressione le faceva Juanito?
– Nessuna.
Dopo questa ennesima dimostrazione di funebre laconismo, la madre superiora si spazientì.
– Sorella, per amor del cielo, va bene non eccedere con parole superflue, ma all'ispettore servono informazioni complete su questa persona, non delle risposte da questionario.
– Solo che io, madre, non so cosa dire. Juanito mi sembrava normale, un ragazzo che portava la verdura e basta.
Madre Guillermina mi guardò come per esortarmi a uno sforzo di pazienza di cui lei era incapace. Di nuovo, alzando la voce, si sostituì a me nel ruolo di inquirente e specificò:
– Ma sarà pur stato simpatico, antipatico, chiacchierone, gentile, sgarbato, volenteroso... Sarà pur stato in qualche modo, no?

– A me non risulta, madre. Ne vedo tanti di fornitori, che non posso mica sapere i fatti di ciascuno.

Presi di nuovo la parola:

– E dove le portava le cassette di frutta?

– In cucina.

– Quindi in cucina avrà parlato con qualcuno! – sbottò madre Guillermina già parecchio alterata.

– Con la suora cuciniera, forse, e le aiutanti.

– Le faccia venire subito qui, e anche l'economa, e tutte le sorelle di questa comunità che possono aver visto anche una sola volta quel ragazzo! – ordinò la superiora.

Poi, quando la suora portinaia fu uscita, mi disse in tono di scusa:

– Bisogna capirla, poveretta. Sono tanti anni che apre la porta che ha perso la cognizione di tutto il resto.

– Guardi che a me non dà nessun disturbo – dissi malignamente.

– Ma a me sì! Il che dimostra scarsa carità da parte mia. Ma lei, ispettore, deve rendersi conto che non sapere che cosa va cercando nella mia comunità non mi fa certo piacere.

Sorrisi, cedetti. Se l'era guadagnato.

– Contro Juanito Lledó è stato spiccato un mandato di cattura. Una delle mie giovani agenti ha cercato di fermarlo e lui l'ha aggredita. Abbiamo motivo di ritenerlo coinvolto nel crimine. È probabile che sia stato lui a uccidere Eulalia Hermosilla, che diceva di essere perseguitata da due uomini.

– Due?

– Il secondo può essere Miguel Lledó, il fratello.

Beveva le mie parole come acqua fresca e cercava di sistemare ogni cosa in uno schema che le permettesse di capire. Era rapida, precisa.

– Come l'ha saputo?

– La mendicante, nella sua confusione, avrebbe detto più volte che sarebbe finita in paradiso. All'inizio pensavamo che in questo modo esprimesse la sua paura di morire, ma l'altro giorno, quando ho visto un furgone con la scritta «Il Paradiso», ho dato ordine a una delle mie agenti di fermarlo. Il ragazzo le ha spaccato la faccia ed è fuggito.

– E come sta adesso la sua agente?

– Adesso bene.

La superiora socchiuse gli occhi per concentrarsi. Poi mi espresse i suoi dubbi:

– E voi credete che il ragazzo abbia a che fare col delitto. Ma non potrebbe essere una coincidenza?

– Che tipo di coincidenza?

– Magari il motivo per cui è fuggito non ha niente a che vedere con la morte di frate Cristóbal, voi l'avete fermato, lui si è spaventato...

– No, madre, no. L'esperienza ci insegna che le coincidenze bisogna dimenticarsele quando si ha a che fare con un crimine. E poi ci sono le impronte di quel ragazzo nei guanti di lattice usati per trasportare il corpo della mendicante. E sappiamo che il furgone è servito per trasportare il corpo del beato. Ne sono state trovate le tracce. Sono coincidenze, queste, secondo lei? Purtroppo non c'è niente di casuale in questo. I motivi per cui ha ucciso hanno a che fare con questa comunità.

– Intende dire con le mie suore?

– Non lo escludo. Per questo voglio parlare con tutte quelle che l'hanno conosciuto.

– Ma non si rende conto che non ha senso? È assurdo, ispettore, assurdo! Mi esponga una sola ipotesi su quel che potrebbe essere successo, una sola.

– Non ne ho.

– E allora?

– Indagare serve appunto per formulare delle ipotesi. Raramente le cose funzionano al contrario. Ma forse lei non desidera che io indaghi nel mondo delle sue consorelle.

– Sciocchezze, ispettore, sciocchezze. Lei può fare tutto quel che ritiene necessario. Io la aiuterò. A proposito, che cosa mi dice del lavoro di suor Domitila e di frate Magí? Sarà tutta fatica inutile?

– Per ora li abbiamo pregati di sospendere le ricerche. Ma i risultati raggiunti meritano di essere tenuti in considerazione.

– Se penso alla pubblicità negativa che si è creata intorno a don Heribert, il nostro benefattore! E adesso...

– Vuole smetterla di darmi addosso? Lei è peggio del mio commissario!

Lei rimase un po' interdetta, arrossì:

– Mi scusi, ma non riesco più a capire niente in questo imbroglio.

– Nemmeno io! Se ci capissi qualcosa, a quest'ora il

colpevole sarebbe già davanti al giudice. La domanda è: vuole aiutarmi o no?

– Ma certo che voglio aiutarla, gliel'ho già detto dieci volte! Parli pure con tutte le suore che vuole, le sottoponga a interrogatori estenuanti, le torturi! Faccia quel che le pare, lei ha carta bianca. Ma la avverto che perderà il suo tempo. Cercare un colpevole fra le consorelle è come cercare acqua in mezzo al deserto, glielo assicuro.

La guardai, scoraggiata. Avevo esaurito le forze. Se pensava di aiutarmi con quel piglio bellicoso preferivo mille volte averla contro. E tuttavia, quadruplicai la pazienza e dissi:

– Vorrebbe essere così gentile da farmi chiamare le sorelle che lavorano in cucina, per favore?

Annuì e se ne andò. Forse quel caso sarebbe rimasto irrisolto per sempre, ma tutto sembrava indicare che se non altro avevo intrapreso il mio personale cammino di perfezione. Inspirai, espirai, mi alzai da quello scomodo divano e feci una passeggiatina per la stanza. Non potevo neanche fumare per placare i nervi. Come avrei dovuto comportarmi di lì in poi? Dovevo pregare la madre superiora di rimanere presente a tutte le mie chiacchierate con le suore? L'idea non mi solleticava, ma sapevo che se non l'avessi fatto il laconismo delle monache mi avrebbe reso impossibile il lavoro. Ero costretta a cedere. Ma l'avrei avvertita che nessun commento da parte sua sarebbe stato ben accetto.

Non ricordavo di aver visto prima la suora cuciniera e la sua sguattera. In realtà, il giorno dell'interrogatorio collettivo le suore mi erano parse tutte uguali. Le salutai e loro risposero con un sorriso. La presenza della madre superiora sembrava sortire un effetto positivo, perché entrambe erano abbastanza tranquille. Una era una donna di una certa età, rotonda e rossa in faccia. Indubbiamente la cuoca. L'altra non doveva essere un'aquila. Se ne stava lì a sorridere come se non capisse nulla.

– Vi capitava spesso di vedere Juanito?

La cuoca guardò la superiora in attesa del permesso per parlare. Un piccolo cenno del mento glielo concesse.

– Veniva a portare le cassette della frutta. Saranno tre anni o anche di più.

– Che tipo era?

– Un ragazzo educato, ma non parlava molto.

– Com'è diventato vostro fornitore? Ve l'aveva consigliato qualcuno?

– Prima veniva un signore che poi è andato in pensione. È stato lui a darci l'indirizzo di «Frutta e verdura "Il Paradiso"». Diceva che erano seri e i prezzi erano convenienti.

– E a parte voi, il ragazzo vedeva qualcun altro al convento?

– La suora economa, che lo pagava.

– E non è mai capitato, secondo lei, che parlasse con altre suore?

– Non credo. Forse qualcuna di noi l'avrà incrociato nel corridoio. Ormai era una persona di fiducia e non facevamo troppo caso alle regole. Ma di lì a parlare con qualcuna di loro... francamente non credo.

– Ed è possibile che abbia avuto occasione di incontrare frate Cristóbal? Ci pensi bene, non abbia fretta.

Lei alzò lo sguardo bonario al soffitto, si sforzò di ricordare. Poi disse, un po' intimorita:

– Non so come risponderle. Io, da parte mia, non li ho mai visti insieme, ma nemmeno io ho mai incontrato molte volte il povero monaco. All'inizio si è presentato in cucina per chiedermi di non dargli mai del baccalà per pranzo, nemmeno di venerdì. Diceva che proprio non lo poteva sopportare, gli faceva senso. A parte questo...

– Non gli piacevano nemmeno le sardine fritte – osò aggiungere la sua aiutante, come se quello fosse un fatto decisivo per le indagini.

– Molto bene, potete andare.

Dopo un ultimo sguardo alla madre superiora per chiedere la sua approvazione, uscirono tutte e due, felici, si sarebbe detto, di essere state protagoniste di un avvenimento insolito. Madre Guillermina cercò i miei occhi:

– Come le sono parse?

Mi divertì il suo tono professionale, assolutamente immedesimato nell'attività inquirente.

– Niente di speciale.

– No, certo. Come le dicevo, ispettore, fra le suore di questo convento non troverà un solo indizio. Viviamo così fuori dal mondo! Ciascuna impegnata nelle incombenze quotidiane, nella preghiera. Cosa vuole che sappiamo noi?

– Non è necessario che sappiate qualcosa. A volte un particolare a prima vista insignificante può servire a molto. Faccia venire l'economa, per favore.

Uscì spedita. Qualcosa nel suo atteggiamento mi faceva pensare che in realtà si stesse divertendo un mondo, malgrado tutto il disturbo che le davo. Tornò nel giro di due minuti, accompagnata da una suora sulla settantina. La nuova venuta mi sorprese con una proposta pratica:

– Se ha da farmi delle domande sulla contabilità, posso stamparle un foglio Excel relativo al periodo che le interessa.

– Vedo che si serve dei sistemi più moderni.

– Fino a pochi anni fa usavo ancora i libri a partita doppia, ma la madre superiora ha voluto che mi aggiornassi...

– C'è molta gente che non ci riesce.

– Con molta umiltà posso dire che con il computer me la sono sempre cavata bene.

– Complimenti, sorella. Ma non è questo che ora ci interessa. Vorrei che mi parlasse di Juanito Lledó.

– Il ragazzo del «Paradiso?».

– Mi risulta che lei lo vedesse regolarmente.

– Saldavo il conto tutte le settimane.

– Voglio che mi dica quello che sa di quel ragazzo.

Sembrava interdetta, probabilmente cercava solo di non dare a vedere la sua curiosità. Doveva essere l'effetto della presenza di madre Guillermina. La curiosità passava per una grave mancanza, al convento.

– A me pareva un ragazzo normale, piuttosto timido, riservato. Mi andava bene perché non era di quelli che si perdono in chiacchiere e fanno domande su tutto. Ma c'è modo e modo. Il pachistano che viene adesso non apre bocca, non sorride nemmeno. Juanito sì, Juanito sorrideva. Diceva che gli piaceva venire qui da noi.

– Ha mai detto o fatto qualcosa che le sia parso strano?

– No, non credo. Me ne ricorderei. Sono vecchia ma ho ancora una buona memoria, grazie al cielo.

– Ricorda se qualche sua consorella l'abbia mai portato a vedere il corpo del beato?

– Che io sappia, no. A meno che non sia venuto per conto suo di domenica, come tanti visitatori.

– Sono contenta che lei abbia buona memoria, sorella, perché la domanda che devo farle ora richiede una certa concentrazione. Potrebbe avere bisogno di tempo per rispondermi. Crede che Juanito abbia avuto a che fare con qualche altra suora al convento?

– Che cosa intende per «avere a che fare»?

– Non so, qualunque tipo di scambio, conversazioni, semplici convenevoli, perfino un alterco.

– Non ho certo bisogno di pensare a lungo per risponderle. Conversazioni ripetute, no, questo è escluso. Qualche volta lo lasciavo aspettare qualche minuto in corridoio, e dal momento che quella non è zona di clausura, può essere passata di lì qualche sorella e averlo salutato, nient'altro. Quanto ad alterchi... non riesco neppure a immaginarlo.

– Quindi può avere incontrato qualche suora.

– Sì, ma...

– Mi risponda, per favore.

– Le rispondo con piacere, ma voglio dire che anche nel caso avesse incontrato qualche sorella nel corridoio, di sicuro non poteva avere il tempo di parlarle a lungo. Non lo facevo mai aspettare per più di due minuti.

Le dissi che poteva andare, e anche lei, prima di salutarmi, aspettò il permesso di madre Guillermina. La quale mi domandò, dopo averla congedata:

– E adesso non mi dirà che vuole interrogare di nuovo tutte le consorelle?

– Non glielo dico perché l'ha già detto lei. Infatti, voglio interrogarle in blocco.

– Suvvia, ispettore! Per due parole al massimo che quel ragazzo avrà scambiato con una di loro, vuole ricominciare tutto da capo? Ma cos'è che cerca in questo convento? Lo dica.

– Cerco solo la verità.

– Le sue verità, che poi non lo sono mai, forse ci sono già costate le donazioni della famiglia Piñol i Riudepera per tutti gli anni a venire. Che cosa vuole ancora? Accusare di omicidio una delle mie suore?

– Ma due morti, per lei, significano meno di queste quattro maledette pareti? – sbottai, indignata.

– Ritiri quella bestemmia!

– E come vuole che le chiami, sacre mura dell'omertà?

Rimanemmo in silenzio, spompate, stanche di combattere, stanche della rigidità dei ruoli che ci imponeva di scornarci come arieti. La guardai negli occhi senza la minima intenzione minacciosa, non era necessario. La forza era dalla mia parte, lei non poteva farci niente.

– Tornerò domani, madre Guillermina. Alle nove del mattino voglio vedere tutta la comunità riunita.

– Alle nove staranno pregando. Venga alle dieci. E da sola, per favore, senza il suo amico poliziotto.

Le permisi quell'ultimo colpo di coda. Non avevo più voglia di parlare, volevo solo uscire di lì, respirare aria fresca.

Quando uscii in strada mi parve non solo di riemergere alla vita normale, ma di ritrovare la contemporaneità. Avevo una voglia pazza di entrare in un bar, di prendermi una birra, di fumarmi una sigaretta. Di colpo mi ricordai che ero sposata, e che un marito amorevole mi stava aspettando nel calore della mia casa. Non che me ne fossi dimenticata, no, ma lo sforzo di concentrazione mi aveva portata fino all'annullamento di me stessa. Corsi a casa e mi lanciai fra le braccia di Marcos non appena lo vidi.

– Stasera non voglio parlare – gli dissi. Speravo tanto che mi portasse di volata fino al letto, dove mi sarei finalmente liberata dalle tensioni grazie alla sua valida collaborazione coniugale. Ma invece di eseguire la semplice manovra che il mio silenzio gli chiedeva, lui mi guardò e mi disse:

– Ma ti sei vista, Petra?

– No, saranno dodici ore che non mi guardo in uno specchio. Perché?

– Sei pallida, hai due occhiaie da far spavento... Ti senti male?

– No, da un pezzo non mi sentivo così bene.
– Hai mangiato qualcosa, almeno? Ti sei fermata un attimo?
– Cos'è, sei diventato mio padre?
– Mi preoccupo per la tua salute.
– Mi preoccupo forse io della tua?
– No, infatti, per nulla. Non ti preoccupi mai di quello che mi riguarda.
– Prima di venire a casa non sapevo se cacciarmi in un bar a ubriacarmi o venire qui da te. E sai cosa ti dico? Che mi sono sbagliata. Ciao!
– Questo caso infernale ti sta facendo ammattire. Perché non rinunci una buona volta?
– Stasera non ho voglia di parlare, né di rinunciare, né di discutere. Quindi adesso me ne vado a prendermi una birra in uno di quei bar solitari che sono sempre stati la mia vera casa.

Prima che lui potesse rispondere aprii la porta e me la tirai dietro. Di tutti i conflitti che possono scoppiare nel mondo, la lite coniugale è forse il più immediato, ma anche il più cretino.

15

Sonia uscì dall'ospedale abbastanza in forma ma tristissima. Ero nel mio ufficio a stendere verbali quando Yolanda entrò per darmi la notizia. Fui sbrigativa:

– Che Sonia sia triste o no, in questo momento è l'ultima delle mie preoccupazioni. Tu, piuttosto, cosa fai qui? Non dovresti essere a caccia dei Lledó?

– Ho fatto il turno di notte, e prima di andare a casa volevo dirle di Sonia, ma se non le interessa...

Alzai gli occhi dallo schermo, la guardai.

– Mi interessa, invece, e sono contenta che stia meglio. Ma si può sapere il motivo di questa terribile tristezza?

– È che Sonia vorrebbe riprendere servizio.

– Ma è ancora in malattia, no?

– Questo è il problema. Si sente in colpa per aver lasciato scappare l'indiziato, e vuole che lei la autorizzi a rientrare.

– Ho sempre ritenuto che i sensi di colpa sbandierati ai quattro venti non siano altro che desiderio di protagonismo.

– Lei è troppo dura, ispettore Delicado.

– Se ti può consolare, ti dirò che lo sono anche con me stessa.

Yolanda strinse le labbra e fece per andarsene. Era stanchissima. La richiamai indietro.

– Comunque, se questo può farla felice, dille di tornare al lavoro.

Lei sorrise. Stava per ringraziarmi, ma la bloccai.

– Le daremo occasione di farselo scappare di nuovo, l'indiziato.

Il sorriso le si congelò sulla faccia. Mi guardò con odio e dichiarò molto seriamente:

– Lei non ha pietà.

Non mi pentii di aver parlato così. Mi sembrava indispensabile che ciascuno fosse in stato di massima allerta. Il clima cameratesco fra colleghi non fa che rammollire il cervello, affondandolo in una pozza di buoni sentimenti. Un minuto dopo entrò Garzón.

– Per la miseria, ispettore! Queste ricerche non vanno da nessuna parte! I Lledó non sono delinquenti abituali, non possiamo fare il solito giro dei postacci malfamati.

– Buongiorno, viceispettore.

– Mi scusi, ma non sono dell'umore per salutare.

– L'umore non c'entra con l'educazione.

– Dobbiamo fare qualcosa, ispettore. Come diceva lei: bisogna trovare il modo di stanarli. Non aveva parlato di una manovra con la stampa?

– Stavo lasciando passare un po' di tempo, ma forse adesso è ora. Comunque avremo bisogno del nulla osta del commissario, dell'ispettore capo e probabilmente del questore. Veda di occuparsene lei.

– Un nulla osta per cosa?

– Perché quel cretino di Villamagna possa dire ai giornalisti che abbiamo le prove per mettere dentro i fratelli Lledó, tutti e due. Sperando che il più giovane sia solo un complice e si decida a lasciare Juanito al suo destino, o addirittura a denunciarlo.

– Il giudice Manacor s'incazzerà da morire.

– Per questo le dico che abbiamo bisogno di un nulla osta anche del papa.

– E lei intanto cosa farà?

– Me ne starò qui, a falsificare rapporti, fin verso le dieci. Poi me ne andrò al convento a continuare con i miei interrogatori. Con tutte le suore in batteria, questa volta. Ieri ero così a pezzi che sono scappata senza concludere niente.

– È stato così allucinante?

– Perché crede che mi tocchi raccontare un mucchio di frottole?

– Ci vediamo dopo, ispettore. E che vinca il più forte.

Decisi di ignorare la battuta, senza dubbio riferita al mio continuo braccio di ferro con la madre superiora. Le capacità deduttive di Garzón erano tali che non c'era bisogno di spiegargli nulla.

Alle dieci in punto venne ad aprirmi madre Guillermina in persona. Il duello sarebbe cominciato presto, e trovarmi subito davanti l'avversario mi mise nello stato d'animo giusto. Questa volta il rispetto non mi avrebbe impedito di affilare le mie armi migliori: cinismo e sarcasmo.

– Caspita! Si è democratizzato parecchio il suo convento. O forse la sorella portinaia è fuggita durante la notte lasciando una scia di morti dietro di sé?

– Non capisco questo tono, ispettore. La sorella portinaia non è al suo posto perché era troppo agitata per riceverla. In realtà tutte le suore sono un po' scombussolate.

– Sul serio? E che cosa ho mai fatto per metterle in questo stato?

– Ha detto la verità: che sospetta di qualcuna di noi.

– Questa è una sua congettura.

– Lei ha detto che fra quel ragazzo, presunto colpevole, e il convento, c'è di sicuro un nesso!

– Mi spiace di aver ferito la sua sensibilità. Dove sono le sue figliole?

– Nel refettorio, come l'altra volta.

– Andiamo, allora. Mi scorti fin lì, come sempre. Ormai ho imparato che qui dentro la libertà di movimento è un optional.

– Forse io entro a casa sua e mi muovo liberamente fra le sue cose?

– Oggi non voglio discutere con lei, madre. Nemmeno con la mia, di madre, ho mai discusso tanto finché è vissuta!

– Non stento a immaginare quel che deve aver subito sua madre.

Era come un mastino che non molla mai la presa, come un inquisitore che ha sempre l'ultima parola, come Cassius Clay deciso a mandare al tappeto l'avversario. Nel refettorio mi trovai di fronte una scena già vista: tutte le monache in piedi, l'una accanto all'altra, allineate lungo il tavolo da pranzo. Occhi bassi, silenzio. Mi schiarii la gola e alzai la voce:

– Volete avere l'amabilità di guardarmi tutte in faccia, per favore?

Ci fu qualche furtiva alzata di palpebre. Madre Guillermina si precipitò a prendere le redini della situazione:

– Sorelle, voglio che facciate esattamente quel che l'ispettore vi chiederà. E voglio che rispondiate a tutte le sue domande con la più assoluta sincerità e precisione. Se c'è qualcosa che non capite, chiedete. È necessario che l'ispettore possa trarre conclusioni chiare e definitive da tutto quanto direte.

Mi guardarono. Era difficile interpretare le loro espressioni. L'abito e il velo le uniformavano al punto da rendere indistinguibili i loro volti.

– Siete tutte presenti?

– Manca suor Pilar – mi disse madre Guillermina, in un a parte che tutte ebbero modo di sentire. – Oggi aveva un esame e mi è parso un peccato che lo perdesse. Comunque, quando veniva quel ragazzo lei era quasi sempre a lezione...

La scrutai cercando un doppio fondo in quelle parole. Lei se ne accorse, e aggiunse:

– Ma se le pare il caso, possiamo sempre farla chiamare.

– No, no, va bene così – dissi. Non mi era parso di individuare nulla di strano. Poi la forza dell'abitudine mi tradì ed esordii dicendo:

– Signore... – mi corressi subito: – Volevo dire, sorelle. Non intendo condurre un lungo interrogatorio.

Anzi, intendo farvi una sola domanda. Ma se vogliamo che la risposta possa servire a qualcosa, prima di rispondere dovrete pensarci molto bene, con la massima calma e attenzione.

La più assoluta impassibilità fu la sola e unanime reazione alle mie parole. Colsi soltanto, in suor Domitila, un impercettibile su e giù della testa.

– La sola cosa che voglio sapere è chi, e in quali circostanze, abbia parlato o incontrato, anche un'unica volta, il ragazzo che faceva le consegne di frutta e verdura al convento, un giovane di nome Juanito Lledó.

Se avessi avuto davanti gli inquilini di uno stabile, in quel momento sarebbero saltati su a parlare tutti insieme, ma le sorelle del Cuore Immacolato erano allenate a tacere, e tacquero. Madre Guillermina si spazientì:

– Sorelle, l'avrete pur visto qualche volta, no?

Una alzò un dito e disse:

– Io l'ho incontrato una volta in corridoio.

– E gli ha parlato?

– Noooo! – esclamò la suora, scandalizzata, come se le avesse chiesto se gli avesse praticato una fellatio.

– Ha notato qualcosa di particolare nel ragazzo? – domandai io, riprendendo in mano l'interrogatorio.

– Non l'ho guardato.

– E allora come ha fatto a vederlo?

– L'ho visto da lontano, ma poi ho abbassato gli occhi, com'è decoroso che faccia una suora.

– Capisco.

– E qualcun'altra l'ha visto allo stesso modo? Vale a dire solo passandogli accanto senza parlargli?

Diverse monache, compresa madre Guillermina, alzarono timidamente la mano.

– Qualcuna ha mai scambiato qualche parola con lui, anche solo un'osservazione sul tempo?

Neppure una mano spiccò fra gli abiti neri.

– Qualcuno l'ha mai visto fare o dire qualcosa di insolito?

Silenzio e immobilità nel gruppo. Capii che era inutile insistere. Guardai la madre superiora e le sussurrai:

– Dica pure che possono ritirarsi.

Uscendo nel corridoio le vidi tornare svelte nelle loro celle senza parlarsi. Rimasi sola con la superiora.

– Madre Guillermina – cominciai, ma subito lei mi interruppe.

– Qualunque cosa, ma nel mio ufficio.

Fu così tassativa che la seguii senza fiatare, domandandomi se nel suo ufficio avesse qualcosa di interessante da dirmi. E invece no. La sua fretta di raggiungere la tana era dovuta solo a un'enorme voglia di fumare. Appena varcata la soglia tirò fuori da una piega riposta dell'abito un pacchetto di sigarette.

– Mi scusi... – riuscì a dire, mentre faceva scattare l'accendino con l'ansia di una drogata, – ma la nostra conversazione di poco fa è stata così tesa che avevo un assoluto bisogno di distendermi.

La trovai di nuovo simpatica, come ogni volta che mi mostrava la sua umana debolezza. Anch'io cercai le sigarette nella borsa.

– Mi dispiace, madre, glielo assicuro. Non è mai stata mia intenzione litigare con lei, ma deve capire che queste indagini si stanno protraendo anche troppo, e la tensione generale cresce. Abbiamo commesso molti errori e vorrei essere certa che non ne commetteremo altri.

Lei annuì, soffiò fuori il fumo, chiuse gli occhi.

– Anch'io le chiedo scusa. È davvero mia intenzione aiutarla, fare in modo che il mistero di questi crimini orrendi venga risolto e che in questo convento possa tornare la pace. Anch'io sono molto stanca, ispettore. È stato tutto eccessivo, è stato... come una maledizione. Lei crede che riuscirete a trovare presto il colpevole?

– Senza alcun dubbio. Non siamo mai stati così vicini alla soluzione.

– Pregherò intensamente affinché ci arriviate.

– La ringrazio.

Lasciai l'ufficio in silenzio e, per la prima volta dall'inizio di quelle disgraziate indagini, mi accorsi di percorrere i corridoi del convento completamente sola, senza nessuno a farmi da scorta. Quell'assenza di sorveglianza mi diede una sensazione stranissima. A una cerchia così ermeticamente chiusa sarebbe stato difficile strappare un segreto, ammesso che un segreto ci fosse.

Solo all'ora di pranzo trovai la forza e la serenità necessarie per telefonare a Marcos. Lui mi rispose molto freddamente.

– Sei ancora arrabbiato con me?

– Sei stata ingiusta ieri sera.

– Sì, lo so – risposi, ancora pervasa dallo spirito di

santa convivenza trasmessomi dalla superiora poche ore prima.

– Che tu lo sappia non cambia molto le cose.

– Lo so e ti chiedo scusa.

– Bene – disse in un sussurro.

– Se vuoi posso sottopormi a una dura penitenza.

– Come per esempio?

– Come per esempio pranzare con te in un sushi bar. Lo sai che mi fa malissimo.

Lui scoppiò a ridere.

– Passo a prenderti in commissariato fra venti minuti.

Pranzammo felici e contenti in un ristorantino giapponese pieno di barcellonesi devoti al culto del pesce crudo. L'amore è una pianta delicata che richiede continue cure, contrariamente a quanto ci è sempre stato fatto credere. «L'amore vero resiste a tutte le tempeste» diciamo noi spagnoli. Può darsi, eppure rischia di seccarsi se nessuno lo annaffia un pochino tutti i giorni.

– Vedrai che stasera non farò tardi – fu la mia promessa da marinaio al momento del dolce.

– Speriamo, perché ci saranno i ragazzi. Non la finiscono più di chiedermi di te.

– Sei sicuro che chiedano di me e non della mummia, oppure di quel pazzo criminale?

– Be', anche di loro.

– Allora sarà meglio che non torni proprio. Ho poche notizie fresche, mi faranno a pezzi.

– È un rischio che devi correre.

Quel pranzo mi aveva rimessa in pace con il mondo.

Bellissimo sentimento che sfumò non appena mi ritrovai davanti Garzón.

– Alla buon'ora, ispettore! Mi domandavo dove fosse finita.

– Bene, continui pure a domandarselo perché non glielo dirò di certo. C'è qualche novità interessante?

– Lo stato maggiore ha dato via libera alla conferenza stampa di Villamagna. Sarà qui fra mezz'ora davanti alle telecamere.

– E il giudice ne sa qualcosa?

– Non credo proprio. I capi sono di parola.

– Saranno di parola finché vuole, ma se poi Manacor se la prende, nessuno di loro si assumerà la responsabilità. La colpa ricadrà sempre e solo su di noi. Se ne rende conto?

– Non sono nato ieri. Mi vede forse un pannolino fra le gambe?

– No, fra le sue gambe non vedo nulla di significativo, francamente.

– Apprezzo il suo senso dell'umorismo, peccato che il suo senso del dovere sia un po' giù di forma.

– Quante storie per un ritardo di mezz'ora!

– È sicura che Villamagna sappia quello che deve dire?

Come in una scena da vaudeville, in quell'istante comparve Villamagna, fasciato nell'impeccabile uniforme nera delle grandi occasioni, che di sicuro si addiceva al suo fisico ma un po' meno al suo stato d'animo, perché entrò imprecando disinvoltamente come suo solito:

– Puttana la miseria! Lo stronzo che ha disegnato quest'uniforme meriterebbe vent'anni senza la condizionale!

– Ma se sei bellissimo, Villamagna!
– Bello? Guardami il collo: rosso come il culo di un babbuino! Colpa di questa camicia del cazzo!
– I capi ti hanno detto di presentarti in divisa?
– Sì, per dare maggiore ufficialità alla notizia. Si tratta di premere il pedale sulla colpevolezza dei latitanti, vero?
– Soprattutto di uno. Vogliamo che l'altro si spaventi a morte e venga a consegnarsi.
– Ma almeno ha qualche fondamento quel che devo dire?
– Le prove ci sono.
– Cercherò di crederci. Comunque con me potete essere onesti: vero o falso?
– Tu non ci pensare. Fai il nome dei due fratelli, carica le tinte e non rispondere a nessuna domanda.
– Merda, come mi sta sulle palle fare l'addetto stampa!
– Si vede lontano un miglio che ti piace. Sembri nato per la televisione!
– Un giorno me la pagherai, Petra Delicado, te lo giuro.

Alle otto in punto spensi il computer e andai a casa. Intendevo mantenere la promessa. Ci voleva coraggio a vegliare sull'armonia familiare mentre l'intera città pullulava di poliziotti alla ricerca del mio indiziato. Ma non avrei combinato granché restandomene impantanata per metà della notte fra i rapporti ancora da scrivere, sempre più astrusi, più ambigui, più lontani dal definire un obiettivo.

I ragazzi mi accolsero con immensa gioia. Marina mi corse incontro e mi abbracciò, i due gemelli mi sbaciucchiarono su tutte e due le guance. Terminate le effusioni di benvenuto, passarono rapidamente alle domande:

– Petra, come vanno le indagini?

– Tutti ne parlano di nuovo!

– Una bambina della mia classe dice che lei sa già chi è l'assassino. Se vuoi te lo dirà.

Sopraffatta da quella valanga, sorrisi, li guardai con occhi di matrigna intenerita e dissi:

– Calma, tesori, ogni cosa a suo tempo. Perché non mi raccontate voi come vi è andata in questi giorni?

– A me, malissimo – rispose Marina.

– Perché?

– Perché non mi hanno scelta per il saggio di danza.

– E come mai?

– La maestra dice che sono brava, ma che un giorno sarò più brava e allora mi sceglierà.

– Sì, ti sceglierà quando faranno *Il lago dei cigni morti* – intervenne Teo, malevolo. Marina s'inalberò:

– Scemo, rospo morto, morto e stramorto!

La risposta suscitò un'irresistibile crisi di ilarità nei due gemelli. Teo si piegò in due dal ridere. Marina, furibonda, cominciò a prenderlo a pugni facendolo ridere ancora più forte. Hugo, ben lontano dal voler mettere pace fra i due, sembrava uno spettatore a un incontro di catch. Gridava:

– Dagliele, su, dagliele! Forza, stendilo!

Sopraffatta da tutto quel chiasso, stanca, con i nervi a fior di pelle, urlai a squarciagola:

– Basta! Basta, adesso!

Il risultato fu immediato, perché di colpo quegli scalmanati si fermarono e mi guardarono sgomenti:

– Vi informo che ho lasciato il mio lavoro prima del tempo per venire qui e stare con voi. E cosa trovo al mio arrivo? Tre bambini viziati che danno spettacolo senza lasciarmi un attimo di tregua. Potreste essere riconoscenti, no? Potreste rendervi conto degli sforzi che gli altri fanno per voi!

Sui loro volti comparve un'espressione spaventata. Prima che osassero dire una parola, mi girai, decisa a lasciarli. Allora il cellulare squillò. Era madre Guillermina, non potevo non rispondere. La sua voce vibrava d'angoscia.

– Che cosa c'è, madre?

– Si tratta di suor Pilar, è scomparsa.

– Come, scomparsa?

– Avrebbe dovuto rientrare per le quattro e non si è vista. Sono le otto e mezza.

– Questo non è scomparire, madre Guillermina. Sarà stata trattenuta, avrà avuto qualche imprevisto, una prova d'esame più lunga.

– Lei non sa di chi sta parlando. Suor Pilar non ritarderebbe mai senza avvertire. Non è mai capitato in tutti i suoi anni di studio. E poi ha un cellulare. L'abbiamo chiamata più volte ma non risponde.

– E cosa vuole che faccia, io?

– Come, cosa voglio che faccia? Quando qualcuno scompare si chiama la polizia, e io ho chiamato lei. Non pensa che l'assassino...? Oh, santo cielo, non voglio neanche pensarci!

– Madre, non agitiamoci. Le probabilità che suor Pilar sia davvero scomparsa sono minime. Nessuno può ritenersi scomparso prima che siano passate ventiquattro ore dall'ultima volta che se ne è avuta notizia. Inoltre le probabilità che l'assenza, e sottolineo assenza, di suor Pilar abbia qualcosa a che fare con il caso sono minime. Quindi la prego di non preoccuparsi.

La udii mugugnare qualcosa prima di interrompere la comunicazione. Feci girare lo sguardo sul campo di battaglia in cui si era trasformato il soggiorno. I miei figliastri mi fissavano senza battere ciglio.

– Non è stata colpa mia – proruppe Marina, sull'orlo del pianto.

– A suon di pugni non si risolve niente, dovresti già saperlo.

– È scomparsa una suora? – domandò Teo con grandissima faccia tosta.

– E tu dovresti sapere che i ragazzini della tua età non devono ficcare il naso nel lavoro dei grandi. Io non sto giocando, hai capito?

Non avevo ancora finito di pronunciare l'ultima sillaba della mia ramanzina quando si aprì la porta e comparve Marcos.

– Bene, vedo che stasera ci siamo tutti!

Un solo sguardo ai suoi figli gli spense il sorriso sulla faccia.

– È successo qualcosa?

Ma io ero pronta a tutto per salvare la situazione. Gridai:

– Figurati! Stavamo discutendo sul da farsi. E sai a

quale conclusione siamo arrivati? Che ci piacerebbe tanto uscire a cena. Vero, ragazzi?

Gli interpellati, colti di sorpresa, risposero affermativamente. Marcos tornò a sorridere.

– Stupendo. Anch'io ho una voglia matta di uscire. Conosco un ristorante cinese aperto da poco. Sono sicuro che vi piacerà.

La spedizione si preparò come se niente fosse. In macchina, pensando di poter vincere più facilmente la mia resistenza, Teo ripartì all'attacco:

– Petra, quanto tempo ci vuole prima che la polizia si metta a cercare una persona scomparsa?

Lo guardai con occhi omicidi.

– Lo vuoi sapere per qualche ragione particolare?

– No, niente, una cosa che ho letto.

– Ti consiglio di leggere i classici. Un po' di Quevedo e Lope de Vega ti farebbero benissimo.

Marcos rise, ben lontano dal sospettare la verità.

Ordinammo involtini primavera, *chop suey* di pollo, maiale in agrodolce e una montagna di riso cantonese. Marina era taciturna. Suo padre volle sapere perché.

– Niente, ho solo un po' di mal di testa.

– Forse hai fatto a pugni con qualcuno – insinuò Hugo.

– Non credo. Marina non fa di queste cose, vero, tesorino? – rispose suo padre colmo di tenerezza per la piccola. I gemelli cercarono di soffocare uno sghignazzo. Perfino io dovetti fare qualche sforzo per non mettermi a ridere. Mi avevano contagiata. La complicità del silenzio sul nostro incidente aveva in qualche modo sciolto il gelo fra noi. Ma non ebbi il tempo di godermi quel momento di grazia perché il mio cellulare squillò. Era Coronas. Coronas a quell'ora? Il lavoro fuori orario lo metteva sempre fuori di sé.

– Ispettore Delicado, lei ricorderà le raccomandazioni che le ho fatto quando le sono state affidate queste indagini!

Mi lasciò completamente interdetta.

– Non so proprio a che cosa lei si riferisca, commissario.

– E invece io sono certo di averle raccomandato di tener tranquille le suore. Non è così?

– Continuo a non capire – risposi, già un po' seccata.

– Poco fa la madre superiora ha chiamato il questore dicendo che una delle sue monache è scomparsa e che lei se ne disinteressa.

Un'ondata d'indignazione mi annebbiò la vista.

– Maledetta suora del cavolo! La sua novizia ritarda di tre o quattro ore e lei subito si mette in allarme. In circostanze normali...

– Ma quali circostanze normali! Da quando un delitto commesso in un convento è una circostanza normale? Qui abbiamo a che fare con la circostanza più anormale che si possa verificare al mondo! Lo capisce?

– Mi scusi, ma credo che qui il delitto non c'entri affatto. Comunque non si preoccupi, andrò a trovare madre Guillermina e vedrò di tranquillizzarla.

– Faccia quel che le pare, Petra. Tranquillizzi quella suora, la anestetizzi, la tramortisca se necessario. Ma allontani da me le sorelle del Cuore Immacolato, i Cistercensi di Poblet, i frati Trappisti, le Carmelitane Scalze e le palle di fra' Giulio, intesi?

– Va bene, commissario, agli ordini.

Guardai Marcos negli occhi e lui capì al volo la situazione. Non solo non accennò a esprimere fastidio o delusione, ma venne immediatamente in mio soccorso.

– Devi andare, vero? Non preoccuparti cara, sapremo cavarcela benissimo da soli. Mi dispiace che non ti lascino mai cenare in pace. Spero che dopo queste indagini ti diano quindici giorni di vacanze extra.

Sorrisi, piuttosto mestamente, ma dentro di me lo adorai. I ragazzi si mostrarono dispiaciuti, sebbene morissero dalla curiosità. Mi alzai da tavola come un automa. Distribuii baci a tutti e uscii dal ristorante declinando l'offerta di mio marito di accompagnarmi con la macchina o chiamare un taxi. Solo quando fui in strada la mia rabbia poté assumere le sue vere dimensioni. Non avendo nessuno con cui sfogarmi, mi scatenai in pensieri contro madre Guillermina che assunsero una netta colorazione sacrilega. Cominciavo a spaventarmi io stessa della virulenza della mia immaginazione quando mi ritrovai come per magia davanti alla porta del convento. Erano le dieci e mezza di sera. Suonai il campanello sperando che nessuno mi aprisse. E invece no, venne ad aprirmi lei personalmente.

– Le sorelle dormono – disse a mo' di benvenuto. Di colpo mi venne la perversa idea di vedere quale tenuta si fossero imposte per dormire: una lunga camicia da notte bianca come il vecchio Scrooge? Una reticella in testa? Un cilicio? Poi mi ricordai del motivo per cui ero lì.

– Madre Guillermina, le avevo detto molto chiaramente...

Lei mi intimò a gesti di abbassare la voce.

– Non se la prenda, ispettore. Lo so, lo so quel che mi ha detto, ma muoio dalla preoccupazione. Mi era venuto in mente che magari il questore potesse fare qualcosa e, in preda al panico, l'ho chiamato.

– Mi rincresce dover constatare che anche lei ricorre alla menzogna, madre. Lei il questore l'ha chiamato perché sapeva che avrebbe disturbato il commissario e che il commissario mi avrebbe costretta a venire fin qui.

– Il Signore, che conosce i miei motivi, saprà perdonarmi.

– Può darsi che Dio la perdoni, ma io...

– Non discutiamo inutilmente. Venga nel mio ufficio, per favore.

Cominciò il rito della sigaretta. La mano le tremava nell'accenderla. Non l'avevo mai vista così agitata, nemmeno il giorno del ritrovamento del cadavere. Decisi di prendere sul serio quel che aveva da dirmi. Da quando la conoscevo avevo scoperto in lei molti difetti, ma non quello di allarmarsi senza motivo.

– Mi racconti che cos'è successo, madre.

– Niente, niente di anormale. Suor Pilar è uscita stamattina per dare il suo esame. Nel pomeriggio, verso le cinque, suor Domitila è venuta a dirmi che non era ancora rientrata.

– A che ora avrebbe dovuto essere qui?

– Non oltre le quattro, come già le ho detto. A partire da quell'ora suor Domitila l'ha cercata più volte al cellulare trovandolo sempre spento. A un certo punto ha cominciato a spaventarsi.

– Si è ritirata anche suor Domitila?

– Le ho detto di rimanere sveglia nel caso lei avesse voluto parlarle. Comunque era così agitata che dubito stia dormendo.

Suor Domitila comparve un attimo dopo, quasi irriconoscibile. Il suo volto, di solito tranquillo e rilassato, era teso e segnato al punto da renderla quasi vecchia. Aveva gli occhi rossi di pianto.

– Ero nella cappella, a pregare – mormorò. Madre Guillermina cercò di tirarla su col suo piglio militaresco.

– Insomma, suor Domitila, vogliamo smetterla di comportarci come se suor Pilar fosse defunta? Non vedo perché debba prenderla così! Manteniamo la calma!

– Ho tanta paura che... – suor Domitila non riuscì a finire la frase. Cavò dalla manica un fazzolettino sgualcito e se lo premette sugli occhi.

– Come ha trovato la sorella stamattina? Era tranquilla? – le domandai.

– Stamattina non l'ho vista, ispettore. Quand'è uscita stavo pregando.

– Come la trovava negli ultimi giorni? Le è parsa preoccupata, inquieta, diversa dal solito?

– Per nulla. Proprio l'altro ieri l'ho aiutata a ripassare il programma d'esame. Le ho indicato varie opere di consultazione che potevano esserle utili. Era attenta, motivata, serena come sempre.

– Eppure... – intervenne la madre superiora, – questa sera ho chiesto in cucina e mi hanno detto che da qualche giorno restituiva il piatto quasi intatto. La sorella cuciniera stava per consigliarmi di parlarne col medico.

– Sarà stato un malessere passeggero – rispose Domitila. – Il suo umore era perfetto.

– L'esperienza mi dice che quando una suora giovane non mangia c'è qualcosa che la tormenta.

– Questo sarà un criterio d'ordine generale, non una regola assoluta – osò dire Domitila.

– Sentite, a quest'ora è impossibile avviare una ricerca. Dagli ospedali non sono giunte segnalazioni, quindi potete andarvene a letto tranquille e aspettare domani. È probabile che suor Pilar ritorni sana e salva. Nessuno si volatilizza nell'aria, qualche spiegazione ci sarà. Vi prometto che se per le nove di domattina non avremo ancora sue notizie, andrò io stessa all'università per ricostruire ogni passo della vostra consorella.

– Ma io ho paura...

– Di che cosa ha paura, sorella?

– E se Pilar fosse finita fra le grinfie di quel Lledó che potrebbe essere l'assassino?

– Non c'è nessuna ragione per supporlo.

– Sì, ispettore. Dicono che quel ragazzo non è a posto con la testa, può aver seguito suor Pilar quando andava a lezione. Lei è l'unica a uscire sola da queste mura.

– Perfino i pazzi hanno dei motivi per fare quello che fanno, sorella. Perché avrebbe dovuto prendersela con suor Pilar? E poi i dintorni del convento sono sorvegliati dalla polizia.

– Potrebbe averla seguita fino alla facoltà.

– Sinceramente, non credo. Perché mai avrebbe dovuto fare una cosa simile?

– Ora vada, ispettore. Quello che dice è perfettamente sensato. Ci tenga informate, però – sentenziò la madre superiora.

– Domani posso venire con lei in facoltà? – azzardò suor Domitila.

– Non penso sia una buona idea, sorella.

– Ma io l'ho sempre aiutata, ispettore.

La superiora la guardò severamente.

– Suor Domitila, se l'ispettore non ritiene necessaria la sua presenza, sarà meglio che rimanga qui. Forse nel suo stato di agitazione non farebbe che essere d'impiccio.

– Ma...

– Vada nella sua cella e cerchi di dormire. Confidiamo nel Signore e nella sua infinita saggezza –. Le parole di madre Guillermina, per quanto colme di fede, suonarono come un ordine perentorio. Ne approfittai per andarmene anch'io.

A casa trovai Marcos al letto, sveglio. Facemmo l'amore senza parlare. Ebbe la delicatezza di non chiedermi nulla. Ma nemmeno così riuscii a togliermi dalla testa l'accaduto. L'immagine delle due suore nella penombra, le loro parole, le loro espressioni, mi impedivano di prendere sonno. Qualunque cosa avessi detto loro per rasserenarle, l'assenza di Pilar non era certo tranquillizzante, anche se non avesse avuto nulla a che vedere col delitto. Suor Domitila era distrutta. Stranamente, fra le poche cose che sapevo degli ordini conventuali, mi parve di ricordare che i vincoli affettivi fra membri di una stessa comunità non fossero visti di buon occhio, tanto che monaci e suore venivano trasferiti da un convento all'altro per evitare che costruissero legami stabili. L'amicizia, così come l'attaccamento alla famiglia d'origine, non doveva interferire con l'amore divino, con il raccoglimento e con la totale concentrazione sulle cose dell'anima. Così, almeno, avevo sempre creduto. E invece suor Domitila dimostrava chiaramente le sue premure per la giovane protetta. Forse mi sbagliavo, forse quelle regole appartenevano al passato, o erano una delle tante leggende che circolano intorno al mondo oscuro della religione.

Il mattino dopo Yolanda mi accompagnò alla sede della facoltà di storia. Suor Domitila ci aveva fornito il nome del docente con cui Pilar doveva sostenere l'esame il giorno prima e un elenco di tutti i corsi che seguiva. Andammo a chiedere se la giovane suora si fosse presentata all'appello e se fosse stata vista a lezione. Il nostro giro non destò curiosità. Yolanda passava facilmente per una studentessa e io mi guardai bene dal tirare fuori il distintivo. La risposta unanime era che il giorno prima suor Pilar non si era vista. Nessuno aveva dubbi, perché l'abito la rendeva molto riconoscibile. E poi mi accorsi che i docenti conoscevano abbastanza bene i loro allievi, cosa impensabile ai miei tempi, quando la recente massificazione impediva ogni contatto personale.

Mentre io visitavo gli uffici dei vari dipartimenti, Yolanda fece il giro delle aule, avvicinando i compagni di corso di Pilar. Ebbe fortuna, o forse dimostrò, come sempre, la sua bravura. Quando ci ritrovammo al termine del mio giro era in compagnia di una ragazza all'incirca della sua età con una kefiah al collo. La ragazza mi ripeté quel che già aveva detto a Yolanda. Il giorno prima, nell'atrio, aveva visto Pilar allontanarsi in compagnia di un ragazzo. Il cuore cominciò a battermi forte.

– Com'era quel ragazzo?

– Be', più grande di noi di qualche anno. Molto alto e molto robusto, con un'aria un po' rozza. Mi sono stupita di vedere Pilar con uno così. Un po' la conosco, qualche volta avevamo parlato, e mi sembrava convinta, molto suora, insomma. Non dava confidenza a nessuno e non l'avevo mai vista guardare un ragazzo. Così ho anche pensato che fosse suo fratello. Era strano che se ne andasse proprio il giorno dell'esame. Non aveva mai perso una lezione ed è una che studia.

– Che atteggiamento avevano?

– Non lo so, normale.

– Il ragazzo l'aveva aspettata?

– Non lo so, io li ho solo visti uscire verso il piazzale.

– E lui la teneva per un braccio? La minacciava?

– Camminavano vicini, senza toccarsi, tranquilli. L'unica cosa che ho notato è che erano molto seri.

– Vuoi dire preoccupati?

– Voglio dire che non ridevano. Trovavo strano che si vedesse con un tipo, e allora ho voluto capire se almeno si divertisse. Ma non mi è sembrato. Non sorridevano, non si parlavano nemmeno.

La studentessa ci seguì in commissariato. Volevamo capire se il ragazzo fosse Juanito Lledó. Le mostrammo una foto che ci aveva dato suo padre. Lei la guardò e scosse la testa.

– Non lo so, non posso esserne sicura. Li ho visti da lontano, e la cosa che mi ha colpita di più di quel ragazzo non è stata la faccia, ma il fisico. Era una specie di gigante.

– Distogli un attimo gli occhi dalla foto e poi guardala di nuovo – le dissi.

Lei guardò il soffitto e poi riabbassò gli occhi sul volto di Juanito. La sua espressione cambiò:

– Sì, è lui. Potrei sbagliarmi, eppure no, è proprio lui. È questo il ragazzo che ho visto con Pilar.

A quel punto il corso delle indagini cambiava completamente. O forse no. Juanito Lledó aveva preso in ostaggio suor Pilar per cautelarsi nel caso lo prendessimo? Impossibile, insensato. Juanito Lledó e suor Pilar si conoscevano? Nessuno al convento lo riteneva possibile, anche per via degli orari. Mio Dio, quello era un vero rebus! Dovevo parlarne immediatamente a Coronas. Quel sequestro, o qualunque cosa fosse, non doveva assolutamente finire in pasto alla stampa. Nemmeno le suore del Cuore Immacolato dovevano saperlo.

– Impossibile, Petra, impossibile – ripeté il commissario. – Le suore non possono essere tenute all'oscuro di un fatto del genere. In mancanza di familiari, sono loro a dover essere informate.

Garzón, presente all'incontro, cercò di venire in mio soccorso:

– L'ispettore ritiene che al convento ci sia puzza di bruciato.

– Niente da fare, non vi seguo. Se non volete comunicare il fatto alle suore, lo farò io.

Naturalmente mi toccò tornare al convento. Chiesi a Garzón di accompagnarmi, se non altro per evitare che madre Guillermina mi trattenesse più del necessario. Varcare quella porta cominciava a sembrarmi un tale incubo che preferivo farlo accompagnata. Lungo il tragitto Garzón si diede a elaborare i dati:

– Insomma, Petra, cerchiamo di essere logici una volta tanto. Facciamoci un paio di domande. Frate Cristóbal sapeva qualcosa che le suore volevano nascondere? Suor Pilar poteva esservi in qualche modo coinvolta? Juanito Lledó e suo fratello hanno ucciso entrambe le vittime? Che cosa c'entra il furto della mummia in quest'imbroglio? L'hanno portata via solo per confonderci le idee sul movente? E i Caldaña c'entrano qualcosa? E la famiglia Piñol?

– La smetta, Fermín, che mi fa saltare i nervi. Con tutte queste domande riesce solo a dimostrarmi che fino adesso abbiamo saltato di palo in frasca senza combinare niente.

– Infatti, gli interrogativi sono rimasti gli stessi. Che cosa abbiamo fatto finora? Seguire piste a casaccio che ci hanno portati fuori dal seminato. Psichiatri, esperti di storia ecclesiastica, esame dei libri contabili... Tutto inutile. Anzi, fra fanatici religiosi, vendette della Settimana Tragica, famiglie di benefattori... niente, non ne abbiamo azzeccata una. Si direbbe che ogni volta qualcuno ci abbia messi di proposito sulla strada sbagliata.

– Ma quelle ricerche le abbiamo richieste noi.

– È vero, ma sempre guidati da supposizioni. Il biglietto a caratteri gotici ci ha spinti sulla via della storia. E i rapporti della famiglia benefattrice con una vittima della repressione sono stati la ciliegina sulla torta. Sembrava una bella teoria. Quadrava.

– Tutto quadra, se lo si tira bene per i capelli, Fermín. Ma non dimentichi che le teorie devono essere confermate dai fatti, altrimenti rimangono semplici supposizioni. Chi cerca trova, dice la saggezza popolare, solo che quel che hanno trovato i nostri esperti non c'entra assolutamente niente con i fatti.

– La colpa è soltanto nostra, ispettore. Toccava a noi scartare tutto quel che non c'entrava.

– Ancora una parola e la faccio scendere dalla macchina.

– Sarebbe una misura ingiusta e irragionevole.

– Lo so, ma devo proteggere la mia integrità psichica.

– In questo caso, starò zitto.

A madre Guillermina non piacque che ci fosse anche Garzón. Come se le indagini fossero una specie di gioco di società che le permetteva di farsi delle amicizie al di fuori del convento. E aveva scelto me. Ma io fui categorica e perfino un po' brutale.

– Madre, non è affatto necessario che ci accolga nel suo ufficio né che ci offra il tè. Il parlatorio andrà benissimo. Ci tratterremo brevemente. Ci duole dirle che i timori di suor Domitila hanno trovato conferma: suor Pilar è stata vista uscire dalla facoltà di storia in compagnia dell'indiziato.

Lo dissi subito, per vedere la sua reazione. Arrossì e si portò una mano al petto come se non riuscisse a respirare.

– Signore Iddio! – esclamò a voce bassissima.

– Non sappiamo se sia stata costretta a seguirlo oppure... Ma lei è sicura che non si conoscessero?

Capii che non riusciva a parlare. Aveva gli occhi pieni di lacrime.

– Ma perché il Signore ci castiga così? Che cos'abbiamo fatto di male in questo convento? Ditemelo voi, che cosa?

– Lasci stare le domande retoriche, madre, la prego.

Lei si riprese immediatamente e replicò con fermezza:

– Quale retorica, ispettore! Il Signore è una realtà certa e tangibile, la realtà cui ho dedicato la vita. E se le dico che ci castiga perché abbiamo fatto qualcosa di male, è perché lo penso. Non è normale quello che sta succedendo. All'inizio credevo che il colpevole fosse un semplice ladro di reliquie, poi ho pensato che in realtà il delitto riguardasse la famiglia del nostro benefattore... ma alla fine risulta che l'assassino veniva qui due volte la settimana, e adesso suor Pilar... C'è qualcosa che offende Dio, qui dentro, lo sento. C'è qualcosa che puzza di marcio fra queste pareti.

Garzón ed io eravamo allibiti. Presi la parola con ansia, decisa a non perdere quell'opportunità:

– Noi siamo giunti alla stessa conclusione, madre. Ma non sappiamo come muoverci. Ci aiuti lei.

– Ma in che modo? Che cosa posso fare io?

– Lei ha già cominciato, madre. Ora sospetta, ammette che qualcuna delle consorelle potrebbe essere implicata in quest'orrore. Lei può essere i nostri occhi e le nostre orecchie qui dentro, solo lei ha la facoltà di farlo. Non dica alle monache che suor Pilar è stata vista con Lledó. Stia ad osservare, indaghi discretamente, rimanga in stato d'allerta.

Lei annuì tristemente. Si tolse gli occhiali, li pulì. Poi ci guardò e disse:

– Ci proverò. Ma Dio solo sa quanto mi costa fare ciò che lei mi chiede. E il dolore che mi dà.

– Lo sappiamo. Ma lei ha forza da vendere, madre. Ce la può fare – disse con foga Garzón.

Sentendosi incitare in tono quasi sportivo, madre Guillermina ebbe un attimo di imbarazzo. Poi ritrovò la sua abituale compostezza e ci accompagnò alla porta. Prima di lasciarci andar via, ci implorò:

– Cercate Pilar, per favore. È in pericolo.

Ci incamminammo verso il parcheggio senza scambiare parola. Soltanto in macchina Garzón si decise a domandarmi:

– Crede che servirà a qualcosa?

– Forse sì. È possibile.
– Sì, anch'io credo che sia possibile. Purché...
– Purché?
– Purché non sia la madre superiora a coprire gli altarini.
– Io di lei mi fido.
– Io no.
– Bisogna fidarsi dei propri uomini quando i soldati sono pochi.
– Il problema è distinguere fra i propri uomini e quelli del nemico.
– Ha fame, Garzón?
– Più di un cane randagio.
– È difficile fidarsi a stomaco vuoto.
– Andiamo a riempirlo allora, poi le saprò dire.

16

Non era facile mettere a verbale la nostra ultima conversazione con madre Guillermina, ma ci provai. Non mi andava che Coronas ci sapesse così disperati da affidare a lei il ruolo di nostra collaboratrice al convento. Nessuno che non avesse conosciuto le sorelle del Cuore Immacolato avrebbe capito quanto fosse difficile svolgere indagini sul loro territorio, quanto fosse problematico muoversi, parlare, ottenere un quadro non censurato della situazione. Di questo naturalmente non feci cenno nel mio rapporto. Ogni menzione di possibili intralci sarebbe stata interpretata come una richiesta di clemenza e ormai era tardi per ottenere favori. Tutto si era complicato al punto da imporre la massima prudenza con i superiori. Anche se, prudenza o no, quello sarebbe stato quasi certamente l'ultimo caso importante che ci avrebbero affidato. La notorietà della vicenda era ormai tale che se avessimo dovuto appiccicare l'etichetta «non risolto» su quel maledetto dossier qualche testa sarebbe rotolata.

Quel giorno volevo rientrare a casa presto per poter parlare con Marcos. Una delle ragioni per cui avevo deciso di ridiventare una donna sposata era la prospettiva di poter piangere di tanto in tanto sulla spalla dell'amato. Ebbene, fino a quel momento avevo approfittato assai poco di un simile privilegio. Non ne avevo avuto il tempo, oppure, quando non ne ero stata dissuasa dal timore di seccare mio marito, mi ero ritrovata circondata di bambini. Ma quel giorno ero nella disposizione d'animo giusta per bagnare di lacrime il maglione di Marcos. Allo stremo delle forze, schiacciata da un insopprimibile senso di fallimento, non vedevo altra possibilità di conforto. Tuttavia, come avrebbe detto madre Guillermina, il Signore non volle concedermi quella piccola forma di sollievo. Ma il Signore è giusto, dovetti ammetterlo perfino io, perché se quella sera non potei riabbracciare mio marito fu per un buon motivo.

Stavo guidando verso casa quando Coronas mi chiamò.

– Petra, dov'è finita?

– Saranno tre minuti che ho lasciato il commissariato.

– Rientri immediatamente.

– Qualche novità?

– La sua strategia ha funzionato. Miguel Lledó è venuto a costituirsi.

– Sono subito lì.

Chiamai Marcos, ma non mi rispose. Lasciai un messaggio vocale: «Marcos caro, non aspettarmi. Non vengo a cena e forse non tornerò neppure a dormire. Ci sono novità».

Garzón e Coronas mi aspettavano nel corridoio. Non lo avevano ancora interrogato.

– È lì dentro – mi disse Coronas indicando la sala interrogatori.

– Abbiamo chiamato il padre, fra poco dovrebbe essere qui.

– Dove si è consegnato?

– Alla stazione dei Mossos d'Esquadra di carrer Enric Granados.

– Bene, ha detto qualcosa?

– Solo che voleva parlare con chi stava cercando suo fratello.

– Perfetto. Forse ci dirà tutto. Nessuna notizia di Juanito e della suora?

– Ancora no. Pensate sia necessaria la mia presenza? – domandò il commissario.

– Non credo.

– Allora mi informerà, ispettore. Ho paura che la cosa vada per le lunghe. Chiamatemi quando verrà fuori qualcosa di sostanziale.

Il padre dei Lledó comparve un'ora più tardi. Rimasi di sasso quando lo vidi. In pochi giorni era invecchiato di dieci anni. Magrissimo, con il volto incavato e le vene in evidenza, sembrava uno di quei manichini che si usano a scuola per studiare l'anatomia. Ma camminava deciso. Serio come la morte, ci rivolse a stento un saluto.

– Dov'è?

– Sta aspettando di là. Ha chiesto di parlare con lei. Noi saremo presenti.

Annuì. Entrammo tutti e tre. Era la prima volta che vedevo Miguel Lledó. Fisicamente non doveva assomigliare molto a Juanito: magro e di aspetto nervoso, colpiva per gli occhi grandi e neri, per le ciglia folte. Sospirò di sollievo nel vedere suo padre e si alzò per abbracciarlo. Ma, con sua e nostra sorpresa, il vecchio lo trattenne con un braccio, impedendogli di avvicinarsi.

– Figlio di puttana – gli disse in catalano, lingua che usarono per l'intero colloquio.

– Papà, ti spiegherò, ti racconterò tutto. Io non c'entro con questa storia, davvero. Ho solo cercato di proteggere Juanito.

– Mi vergogno di voi. Non meritate il pane che mangiate.

– Papà, avremo tempo per parlare, più tardi, ma adesso ho bisogno che tu chiami l'avvocato Sales.

– Non contare su di lui. Tu non avrai più niente da me. Tienti l'avvocato d'ufficio. Arrangiati!

– Ma papà, sono tuo figlio!

– Non più. Non avrei mai dovuto cedere quando tua madre insisteva per avere figli. Quando lei è morta avrei dovuto buttarvi fuori casa come cani.

Si girò e uscì, lasciando lo sconsolato Miguel con gli occhi fuori dalle orbite. Garzón rimase in compagnia del ragazzo mentre io gli correvo dietro. Quando lo raggiunsi, lui mi rivolse uno sguardo sprezzante e disse:

– Mi chiami solo se c'è costretta per motivi legali. Non voglio più saperne di quel disgraziato, e neanche di suo fratello. Quelli non sono più figli miei. Non ho passato la vita ad ammazzarmi di lavoro per ottenere questo.

Vidi la sua fragile figura allontanarsi lungo il corridoio senza riuscire a dissimulare, con l'energia del passo, il grande peso che si abbatteva sulle sue spalle. Quella sua reazione poteva esserci d'aiuto, ma anche d'ostacolo. Un simile rifiuto metteva il ragazzo in una condizione di debolezza psicologica di cui avremmo potuto giovarci nell'interrogatorio. Ma se avevamo sperato che il padre esercitasse qualche influenza sul figlio spingendolo a una confessione piena, ora potevamo scordarcelo.

Tornai dentro. Miguel Lledó piangeva sconsolato. Garzón, infrangendo la legge, si era acceso una sigaretta e guardava impassibile dalla finestra.

– Hai diritto a un avvocato d'ufficio durante l'interrogatorio.

– Non lo voglio un avvocato d'ufficio! Non servirebbe. E poi, io non ho niente da nascondere.

– Tanto meglio. Cominciamo, allora. Dov'è tuo fratello?

– Non lo so.

– Piantala, e dicci dov'è. Facciamola breve.

– Vi dico che non lo so! Qualche giorno fa mi ha cercato e mi ha lasciato un messaggio sul cellulare. Può ascoltarlo, ce l'ho ancora in memoria.

Mise la mano in tasca e tirò fuori il telefonino. Smanettò un po' sui tasti e me lo porse. Ascoltai. Una strana voce, bassa e inespressiva, disse, sempre in catalano: «Miguel, mi è successa una cosa e mi cercano. Cerca di sparire per qualche giorno. Ti chiamo poi». La chiamata proveniva da un numero riservato e la data coincideva con quella della fuga di Juanito.

– L'avrò chiamato mille volte, ma il suo cellulare era sempre spento. Mi sono spaventato e sono scappato.
– Dove?
– Dalla mia ragazza.
– Non è vero. I nostri uomini sono andati a interrogarla a casa sua e lei ha detto di non sapere niente. In questi giorni è stata seguita, e non ti ha mai visto né ti ha mai chiamato. Segno che l'avevi avvertita.
– Ho detto da lei per modo di dire. Una sua amica ci aveva prestato un appartamento nella zona di les Corts. L'amica non sapeva niente, credeva ci servisse per scopare. Sono rimasto lì per tutti questi giorni, da solo. Ma a un certo punto ho capito che se non avevo fatto niente mi conveniva consegnarmi. A stare nascosto peggioravo solo le cose. Io non c'entro con i casini di mio fratello.
– Lo vedremo. Scrivici l'indirizzo dell'appartamento.
Mentre il ragazzo scriveva, il viceispettore ed io ci scambiammo uno sguardo. Andò avanti lui:
– Bravissimo. Ammettiamo che quello che dici sia vero e che tu con i casini di tuo fratello non c'entri niente. Vediamoli, questi casini. Parlacene un po'.
– Sono cose sue. Chiedetele a lui quando lo prenderete.
Con tre passi da orso Garzón si portò a un centimetro dalla faccia del ragazzo. Lo prese per il giubbotto e gli disse, con voce perfettamente calma:
– Senti, ragazzino, cerca di renderti conto che questo non è un gioco virtuale. Qui se parte un cazzotto lo ricevi tu, capito?

Ma al ragazzo non passava neppure per la testa di fare il sostenuto e la frase di Garzón ebbe effetto immediato.

– Io voglio solo vivere tranquillo! L'ho già detto: io non c'entro niente con le faccende di mio fratello – piagnucolò.

– D'accordo. Ricominciamo da capo. Quali sono queste faccende?

– Vi racconterò tutto quello che so.

– Ti ascoltiamo.

Per la prima volta dall'inizio di quell'interrogatorio, ci mettemmo tutti seduti.

– Qualche settimana fa mio fratello mi aveva detto che aveva un problema. Già questo mi aveva stupito, perché sia chiaro che qualunque cosa abbia fatto, Juanito non è mai stato tipo da mettersi nei guai. Lavora come un mulo tutto il santo giorno e il sabato e la domenica li passa in parrocchia a fare le sue opere di carità. Questo io non l'ho mai capito, ma se a lui va bene così...

– Veniamo al sodo.

– Diceva che una poveraccia, una che chiedeva l'elemosina, gli stava dando fastidio. Voleva farle prendere uno spavento. Pretendeva che andassi con lui a minacciarla. Mi è sembrato molto strano, ma visto che strano lui lo è sempre stato, ho pensato che non era poi una cosa dell'altro mondo e l'ho accontentato. Anche lui ogni tanto mi ha fatto dei favori. E così abbiamo trovato la tipa, le abbiamo detto di non rompere, e basta.

– E basta? – gridò il viceispettore imbestialito. Presi la parola:

– Miguel, non penserai che crediamo a questa storia.

– Ma se è la verità!

– Molto bene, ma questa verità non se ne sta da sola. Ci sono altre verità che rendono le cose più chiare.

– Non so cosa intende dire.

– Intendo dire che tu sapevi benissimo chi era la mendicante.

– No, non lo sapevo.

– Non avevi visto la televisione?

– L'ho saputo dopo, glielo giuro. Qualche giorno dopo ho visto al telegiornale che quella donna era stata uccisa. Solo allora ho capito che mio fratello si era messo in una brutta storia.

– E non avevi sentito parlare dell'assassinio di frate Cristóbal, né del furto del beato? Ti assicuro che giornali e televisione ne hanno parlato.

– Può darsi, ma io queste cose non le seguo. Io mi faccio i fatti miei, e di quel che succede in giro non mi preoccupo.

– Molto saggio da parte tua, molto buddista. Come ti capisco. Tu ti fai i fatti tuoi e nessuno ti parla, né al bar, né sul lavoro, del furto della mummia. Bene, ammettiamolo. E così non hai nemmeno chiesto a tuo fratello come mai ce l'avesse con quella mendicante. Capisco la discrezione. E quando hai cominciato a sospettare che l'avesse uccisa, cosa che hai saputo solo dalla televisione, hai preferito non fare domande per non seccarlo, è così?

– Ispettore, ma lei sa di chi stiamo parlando? Mio fratello non è normale, non lo è mai stato da quando è nato. È un po' autistico o qualcosa del genere. Non lo so nemmeno io cos'è, ma non è come gli altri. Parla pochissimo, non dice mai quel che gli passa per la testa, vive nel suo mondo, non ha amici, non ha mai avuto una ragazza. A qualunque domanda risponde di sì o di no.

– Allora è una specie di subnormale – disse Garzón, per abbattere il morale dell'interrogato.

– No! Sul lavoro è bravo, e a scuola se l'è sempre cavata. Non sarà una cima, ma ha intelligenza da vendere per tutto. Quello che non va è il carattere, il modo di fare. Mio padre dice che quando c'era mia madre era più comunicativo e che da quando lei è morta ha smesso di parlare. Io non me lo ricordo, può darsi che sia vero.

– E con questo discorso cosa vuoi dimostrare?

– Be', che sono abituato a non fare domande a mio fratello, perché tanto non serve. Se lui ha voglia di raccontarmi qualcosa, bene. Altrimenti va bene lo stesso.

– Quindi lui non ti ha raccontato che aveva ucciso frate Cristóbal e rubato la mummia dal convento. Non te l'ha raccontato perché tanto tu gli avevi dato una mano anche in quello – fece osservare molto opportunamente il mio collega.

– Io? Ma è allucinante! Perché Juanito avrebbe dovuto ammazzare un frate? E portarsi via una mummia, per di più?

– E non hai trovato allucinante che ti chiedesse aiuto? Non hai trovato allucinante che volesse minacciare una povera donna?

L'interrogato diede segni di cedimento. Si strofinò gli occhi con le nocche, rimase zitto per un po'. Rimanemmo in silenzio anche noi. Poi disse:

– Questa storia deve durare ancora per molto? Sono stanco.

– No, abbiamo finito – gli rispose Garzón. – Appena ci dici la verità ce ne andiamo.

– Che altro volete che vi dica?

– Ricominciamo da capo. Dove si nasconde tuo fratello?

Il ragazzo cominciò a piangere, si coprì la faccia con le mani.

– Voglio andarmene, voglio uscire di qui!

– Pensi sempre che non ti serva un avvocato?

– Io non lo voglio un avvocato, non ne ho bisogno! Voglio solo andarmene, non c'entro niente.

– Come lo preferisci il prosciutto, crudo o cotto?

– Non capisco.

– Adesso ti facciamo portare un panino, qualcosa da bere. È meglio che ti riposi un po'.

– E dopo potrò andare a casa? – domandò ingenuamente il ragazzo. Garzón lo incenerì con lo sguardo:

– Sei in arresto. Sei in arresto e sei solo. Non mi piacerebbe essere nei tuoi panni.

Uscimmo, lasciammo l'interrogato alle cure dell'agente Domínguez e ce ne andammo al bar. Dopo avere ordinato una bistecca, chiesi al viceispettore:

– Lei come lo vede?

– È debole, canterà.

– Non si può mai sapere. Se almeno avessimo uno

straccio di idea di come sono andate le cose! Non sappiamo nemmeno che tasti toccare con le domande...

– Meglio, così alla fine salterà fuori la sorpresa. Sarà più emozionante – disse Garzón addentando un pezzo di pane.

Non la pensavo come lui. Non potevamo far altro che girare in tondo intorno al ragazzo come due avvoltoi finché non si fosse deciso a dare un minimo di senso a quella follia. Garzón, che si concentrava sul suo piatto come se non avesse mai fatto nulla di più importante in vita sua, mi guardò per un istante con la forchetta alzata e disse:

– Mi sa che arriveremo fino alla fine senza capirci niente, ispettore. Il ragazzo deve solo dirci dove si è ficcato suo fratello. E lo farà. Con lui ritroveremo la suora e probabilmente anche la mummia mutilata.

– Lei non crede a quello che dice, vero?

– Neanche a una parola. Ma adesso lo faremo cantare.

– Mi domando come.

– Lo maltratteremo un po'. Non credo che resisterà. Non ha carattere. Ha visto come piangeva quando suo padre l'ha respinto?

– A volte i deboli sono ossi duri. Sembra abituato a nuotare contro corrente.

– Non sono d'accordo. Le va un dolcetto?

– Non me la sento più di mangiare.

– Allora vado a chiedere che ci preparino un termos di caffè. La notte sarà lunga.

Mentre si allontanava chiamai Marcos. Questa volta rispose.

– Hai sentito il messaggio? Stanotte non rientro.

– Sì, Petra, ho sentito. Qualcosa di grave?

– Abbiamo un interrogatorio.

– E dovrà durare tutta la notte?

– Almeno finché il ragazzo non cede.

– Che brutta cosa! – fu il suo commento, che non mi piacque.

– Ti ricordo che faccio il poliziotto, non l'arredatrice.

Lui si accorse del mio tono ostile.

– Lo so, ma se facessi l'arredatrice forse ti vedrei un po' di più.

– Buonanotte, non ho tempo per le liti coniugali.

Riattaccai. I malintesi di coppia si risolvono con due risate e un bacio, ma per questo bisogna essere presenti, convivere, poter parlare normalmente. Ancora un paio di mummie rubate e il mio matrimonio sarebbe andato a rotoli. L'amore e la maturità non bastano perché un rapporto funzioni: ci vuole il tempo.

– Ci muoviamo? – disse il mio collega con il termos sotto il braccio. Sembrava dovessimo partire per un picnic.

– Andiamo.

L'agente Domínguez ci informò che l'indiziato aveva mangiato, bevuto ed era andato in bagno. Ci stava aspettando. Garzón entrò con aria gioviale.

– Come va, ragazzo? Pronto per ricominciare?

Il ragazzo ci rivolse uno sguardo lugubre. Si era un po' ripreso ma pareva annoiato. Presi le redini.

– Prima di rispondere alle nostre domande faresti bene a sapere di cosa puoi essere accusato. E cioè: omicidio o concorso in omicidio, occultamento di cadavere, favoreggiamento, intralcio alla giustizia...

– Il giudice non se la prenderà con me.

– No di sicuro! – disse il viceispettore. – Ti darà anche un bacetto per consolarti. Proprio come ha fatto tuo padre.

– Mio padre è un grandissimo stronzo – rispose il ragazzo con calma. – Ma l'avete visto? Più chiaro di così: ci ha messi al mondo solo perché mia madre ha insistito. E quando lei è morta, se avesse potuto ci avrebbe volentieri eliminati. Per lui dovevamo solo sgobbare. Ma almeno non ce l'ha mai nascosto, è stato sempre sincero su questo. Certe volte sembrava quasi che desse la colpa a noi se nostra madre era morta.

– Senti, ragazzo, – replicò il mio collega, – può darsi che la vita ti abbia trattato male e che tu abbia un mucchio di traumi infantili da digerire. Mi spiace, sul serio. Ma qui ci sono due morti, ammazzati a bastonate, e una suora che a quanto pare tuo fratello tiene sequestrata. Nessuno di loro era colpevole della tua triste esistenza. Mi segui?

– Io non c'entro niente con quei morti! E di sicuro mio fratello nemmeno!

– Ah, dimenticavo, la mummia del beato – aggiunse Garzón come se non avesse sentito. – Vi siete divertiti a fare a fette frate Abulio come un salame.

– Ma questo tipo è matto! – esclamò Lledó rivolgendosi a me.

– Questo tipo ha tre volte la tua età. Potresti essere più rispettoso – dissi pacatamente. – A proposito, cosa mi dici della suora?

– Quale suora?

– La suora giovane, suor Pilar. Sai se tuo fratello la conosceva?

– Io non conosco nessuna suora.

– Juanito te ne avrà parlato.

– Le ho già detto che Juanito non parla mai di niente.

Era irremovibile. Sembrava aver sviluppato, forse con l'aiuto della stanchezza, una tattica di apatia controllata. L'inerzia con cui rispondeva non ci aiutava affatto. Era già il caso di smettere? No, in qualunque momento poteva arrendersi.

– Cosa sapevi del convento?

– Che era puntuale nei pagamenti.

– Nient'altro?

– No.

– E tuo fratello aveva altri rapporti con le suore? Voglio dire, faceva opere di carità anche da loro, o qualcosa del genere?

– Non lo so. Mio fratello non ne parlava. Sono stanco di ripeterlo.

Andammo avanti così per un altro paio d'ore. Alle cinque del mattino decidemmo di lasciar perdere. Gli occhi gli si chiudevano e non riusciva più ad articolare le parole in modo comprensibile. Domínguez se ne era già andato, al posto suo c'era un giovane agente che non avevo mai visto.

– Lo porti in camera di sicurezza. Alle otto lo rivoglio qui.

Garzón sembrava distrutto.

– Se ne va a casa? – gli domandai.

– Magari per un paio d'ore.

– Io credo che resterò. Farò un sonnellino sul divano di Coronas.

– Vada a dormire nel suo letto, ispettore. Un po' di riposo le farà bene.

– Trovo assurdo andarmene per tornare alle otto. Tanto ormai ho avvisato Marcos che non avrei dormito a casa. Preferisco non svegliarlo.

– Come vuole. Io scappo.

I suoi passi suonarono sempre più lontani finché si spensero del tutto. A notte fonda il commissariato era un luogo davvero inospitale. Non tornare a casa aveva i suoi svantaggi: non avrei potuto fare una doccia né cambiarmi. E poi l'impresa di pulizie avrebbe cominciato a lavorare prestissimo. Sul divano di Coronas non avrei dormito neanche un'ora. Forse avrei fatto meglio a seguire il consiglio del viceispettore e rientrare a casa. Sarei rimasta nel soggiorno per non svegliare Marcos.

Mentre percorrevo il corridoio scorsi una figura femminile che mi fece trasalire. Era Sonia. Non potevo crederci.

– Sonia, cosa diavolo ci fai qui?

– Veramente... ecco, ho saputo che stavate interrogando quel ragazzo. Volevo sapere se ha detto qualcosa per ritrovare l'indiziato che mi è scappato.

Avrei dovuto intenerirmi per quella sua dimostrazione di zelo, ma come sempre lo zelo di Sonia mi mandava fuori dai gangheri. Contai fino a dieci prima di dire:

– L'indiziato *è* scappato, Sonia, non *ti è* scappato. Non vedo per quale ragione tu sia rimasta qui tutta la notte. Dovresti prendere servizio alle nove, no?

– Sarò puntualissima, ispettore, vedrà.

– Buonanotte.

– Arrivederla.

Mi resi conto di essere stata eccessivamente sgradevole con lei. Mi voltai per domandarle:

– Ti sei ripresa dal colpo?

– Oh, sì, adesso sto bene – rispose sorridendo, come se mi credesse davvero interessata alla sua salute.

Mi sdraiai sul divano del soggiorno senza neanche togliermi l'impermeabile. Il mio destino, quella notte, era un divano. Posai il cellulare sul tavolino basso. Ero sicura di non riuscire a dormire, tante erano state le emozioni di quella giornata, e invece mi sbagliavo. Mi bastò chiudere gli occhi per sentirmi cadere in un sonno profondissimo dal quale mi parve che non sarei riemersa mai più.

Il risveglio fu brusco. Mi alzai a sedere di scatto. Cercai il cellulare, non lo trovai. Guardai l'orologio: le nove meno venti. Dio, che disastro! Per la casa aleggiava un delizioso profumo di caffè che mi guidò fino in cucina. Marcos, già lavato e vestito, preparava la colazione.

– Dov'è il mio telefono?

– Qui – disse tirandolo fuori dalla tasca. – Ti ha chiamato quella suora.

– La madre superiora?

– Sì, voleva parlarti. Le ho detto che stavi dormendo. Richiamerà.

– Ma... – L'enormità di quell'ingerenza nella mia vita lavorativa mi impedì di parlare. Gli strappai il telefono e chiamai madre Guillermina. Ci misero un po' a trovarmela, ma alla fine rispose.

– Venga appena può, ispettore. È urgente.

– Sono subito lì.

– Faccia con comodo. Io non mi muovo.

Marcos mi mise davanti una tazza di caffellatte fumante e pane tostato.

– Fai colazione, per favore.

– Marcos, come hai potuto...?

– Il telefono avrà suonato almeno cinque volte, tu non l'hai mai sentito. Allora ho risposto io. Eri così disfatta che mi è parso prudente lasciarti dormire ancora un po'.

– Prudente, hai detto? Prudente? Sono in un labirinto spaventoso, ricevo una chiamata importante, e per te la cosa più prudente è lasciarmi dormire.

– Petra, non chiedermi di pensare alla sicurezza del cittadino più di quanto non pensi alla tua salute. Per me la cosa più importante sei tu.

– Ma devi capire...

– Io capisco tutto quel che devo capire. Non sono uno stupido e nemmeno un bambino. So che cosa ho fatto. La superiora può aspettare, e tu dovresti imparare a fare altrettanto. Adesso me ne vado in studio. Se fossi in te mangerei qualcosa e mi farei una doccia. Con quell'aspetto dubito che tu possa andare da nessuna parte, nemmeno in un commissariato.

Non sembrava nemmeno seccato. Credeva di capire ma non poteva capire, non aveva la minima idea di che cos'è la vita di un poliziotto, della prontezza che esige, dell'abnegazione. Certo, forse cominciavo a dar segni di un difetto che avevo sempre criticato negli altri: la tendenza a ingigantire l'importanza del lavoro. Come se tutto il resto non contasse e la nostra presenza fosse indispensabile perché il mondo vada avanti. Forse il mio flemmatico marito aveva ragione. La cosa migliore era spalmare la marmellata sul pane, bere tutto il caffellatte, fare una bella doccia e liberarmi dei vestiti del giorno prima, stazzonati e appestati di fumo. Forse così sarei riuscita a uscire di casa in uno stato vagamente presentabile.

Funzionò. Dalla macchina chiamai Garzón, che non mostrò il minimo disappunto per il mio ritardo.

– Voglio che venga con me al convento, Fermín. Madre Guillermina deve averci preparato una sorpresa.

– E Miguel Lledó?

– Ci aspetterà in sala interrogatori. Così si temprerà lo spirito.

Ci aprì la suora portinaia. L'accoglienza, al solito, non fu per nulla amichevole. Ci condusse fino all'ufficio della madre superiora. Lei venne personalmente ad aprirci, socchiudendo la porta con cautela. Non mi fu difficile capire perché. La stanza era invasa dall'odore di sigaretta, che la suora portinaia non avrebbe dovuto sentire. Garzón si beccò la solita occhiata di diffidenza e dovetti intercedere per lui.

– Il viceispettore è al corrente di tutto.

– Lo so, lo so. Ma proprio oggi avrei preferito parlare da donna a donna. Non so se riuscirò ad affrontare certi argomenti in sua presenza. Abbia pazienza, viceispettore Garzón, non è nulla di personale, ma si tratta di una questione di sensibilità, di educazione. Non me la sento di raccontare certe cose davanti a lei.

– Non si preoccupi, aspetterò fuori.

– Allora vada in commissariato – gli dissi. – Il lavoro non le manca. La vedrò lì.

Rimasi sola con la suora. Eravamo sedute l'una di fronte all'altra. Lei si tolse gli occhiali, se li rimise, si accese una sigaretta, la spense. Aveva il viso contratto e congestionato. Finalmente trovò la forza di parlare.

– Ispettore, quel che devo dirle è molto grave. Probabilmente verrò ammonita dalla madre provinciale per avere parlato con lei prima ancora di informarla, ma non posso tenermi dentro questa cosa un attimo di più.

– Parli, la sua superiora non lo saprà.

– Ieri, dopo che lei se ne è andata... Ebbene, ho deciso di tentare il tutto per tutto. Ho chiamato le sorelle una per una. Volevo spaventarle e capire se sapessero qualcosa che io ignoravo. Ne ho viste cinque senza risultati, ma alla sesta... Era suor Bárbara, la sorella che si occupa dell'infermeria. Si è messa a piangere, e fra i singhiozzi mi ha detto una cosa terribile.

Si interruppe. Bevve dell'acqua. Sembrava che non riuscisse ad andare avanti.

– Parli, madre, per l'amor di Dio!

– Suor Bárbara ha aiutato suor Pilar a togliersi dai guai. Detto in altre parole, le ha provocato un aborto. Un peccato gravissimo contro la legge di Dio.

Lo stupore mi impediva di fare domande. Mi ripresi, ma la testa mi girava.

– Vuol ripetere, per favore?

– Non me lo faccia dire un'altra volta. Mi ha capita benissimo. Suor Bárbara era schiacciata dal peso della colpa, non ha più retto ed è esplosa. Ha accusato suor Domitila di averla coinvolta in questa orribile storia.

– Vada avanti, la prego.

– Ho mandato a chiamare suor Domitila, l'ho interrogata, lei non ha ammesso nulla. Allora l'ho messa a confronto con suor Bárbara... Ebbene, non sono riuscita a venire a capo di nulla. Suor Bárbara gridava che era lei l'istigatrice principale, suor Domitila le dava della pazza. Mi è parso che la cosa migliore fosse rimandarle tutte e due nelle loro celle e chiamare lei.

– Lei sa se... – Il cellulare mi interruppe. Era il viceispettore, dal commissariato.

– Ispettore, si porti immediatamente al numero 24 di carrer Sant Eloi, nella Zona Franca. È un magazzino. Io sono in partenza con quattro agenti. Miguel Lledó ha parlato. A quanto pare suo fratello si trova lì con la suora.

– Bene! – esclamai senza fiato. – Come c'è riuscito, Fermín?

– Non sono stato io, ispettore, è stata Sonia. Quando sono arrivato l'ho trovata con il Lledó. Me l'ha dato lei, l'indirizzo. Proprio così.

Il papa affacciato al suo balconcino in tenuta da *drag queen*, il presidente degli Stati Uniti in visita a Cuba, un orango vincitore del premio Nobel per la fisica... nulla, nulla avrebbe potuto stupirmi più delle notizie che avevo appena ricevuto. Suor Pilar aveva abortito e Sonia era riuscita a far parlare il fratello dell'indiziato. Mi voltai verso madre Guillermina e trovai ancora la presenza di spirito per ordinarle:

– Madre, chiuda il convento a doppia mandata. Che nessuno entri o esca di qui. L'indiziato è stato rintracciato e suor Pilar è con lui.

– Sta bene?

– Non lo sappiamo ancora. Non si preoccupi, la chiamerò. Per il momento farò mettere due agenti sulla porta. In borghese, per evitare scandali.

– Degli scandali non m'importa nulla.

– Tornerò appena posso.

Volai verso la Zona Franca senza nessuna certezza. Non riuscivo a credere che tutto fosse vero, che la soluzione fosse lì, a portata di mano, dopo averla aspettata per tanto tempo. Sapevo fin dall'inizio che Miguel Lledó conosceva il nascondiglio di suo fratello, ed ero certa che prima o poi l'avrebbe rivelato. Ma come aveva fatto Sonia a far crollare la sua resistenza? E se l'interrogato le avesse detto la prima cosa che gli veniva in mente pur di togliersela di torno? Via via che innalzava un muro di scetticismo, la mia mente vagliava le informazioni cercando di far quadrare l'insieme. Suor Pilar aveva abortito aiutata da una specie di monaca infermiera, e ora si trovava in compagnia di Juanito Lledó. Dovetti scacciare tutti i pensieri che mi vorticavano nella testa perché rischiavo di non vedere i semafori o di investire qualcuno.

All'indirizzo indicato trovai il viceispettore e due agenti. Gli altri due erano già appostati sul retro dell'edificio.

– Ispettore, abbiamo voluto aspettare lei. Il magazzino è chiuso, da fuori è impossibile vedere nulla. Ci prepariamo a fare irruzione?

– Avanti – dissi come in sogno, e tirai fuori la mia Glock.

Uno dei nostri uomini ruppe il lucchetto della porta metallica con facilità. Misi la testa dentro. Un po' di sole filtrava dai vetri sporchi rischiarando l'interno del capannone, apparentemente vuoto. La polvere vorticava nell'aria. Entrammo tutti e quattro, armi in pugno, e ci incollammo al muro.

– Avanziamo – ordinai. – Ma attenti a quello che fate. Non è detto che sia armato.

Ci distribuimmo a ventaglio rapidamente e con cautela. Sul fondo c'erano due porte chiuse. Quello era il nostro obiettivo. Mi avvicinai alla prima porta e gridai:

– C'è qualcuno? Aprite, polizia!

Le mie parole rimasero nell'aria per qualche secondo destando un'eco spettrale. Nessuna risposta. Ci riprovai:

– Aprite, polizia! Sappiamo che siete lì!

Silenzio assoluto. Garzón si mise a un lato della porta, io all'altro, e i due agenti fecero altrettanto con la seconda porta. Feci segno a tutti di alzare la voce. Partì un coro sconnesso di urla: «aprite, polizia!». In mezzo a quel pandemonio diedi ordine al più robusto dei miei uomini di entrare in azione. Con uno slancio che parve nascere dal nulla si piazzò davanti alla prima porta e sferrò un calcio poderoso all'altezza della maniglia. La serratura cedette. Un attimo dopo ripeté l'operazione con l'altra porta, e anche questa si aprì. Stringendo la pistola con tutte e due le mani mi piantai davanti alla prima stanza. Lì, rannicchiati in un angolo, stretti in un abbraccio che confondeva i loro corpi, c'erano Juanito Lledó e suor Pilar.

– Forza, tutti qui! – gridai.

I due agenti e Garzón entrarono, le pistole in pugno, e circondarono i due giovani. In quel momento suor Pilar implorò:

– Non fategli male, per favore!

Gli agenti cercarono di staccarla dal ragazzo, inutilmente. Lui non la mollava. Garzón gli puntò la pistola alla testa:

– Lasciala andare!

La suora continuava a supplicare, piangendo:

– Non fategli male, non è armato!

Lledó, rosso in faccia, con gli occhi chiusi, non faceva altro che tenerla incollata a sé, come per proteggerla, più che per trattenerla. Allora capii che anche lei lo abbracciava, piangendo. Cominciò a dargli piccoli baci sulla faccia, cercando di calmarlo.

– Amore mio, amore mio – sussurrava disperata. Mi avvicinai e feci segno agli uomini di rimanere indietro. Cercai di parlare con tranquillità:

– Venite con noi in commissariato. Non vi faremo alcun male.

La suora fece per staccarsi da Juanito, ma non le fu facile. Lui scuoteva la testa, pareva ipnotizzato. A poco a poco Pilar riuscì ad alzarsi in piedi. Allora il ragazzo aprì gli occhi e si tirò su di scatto, cercò di afferrarla, i nostri uomini lo immobilizzarono. Si mise a gridare e ad agitarsi selvaggiamente come una belva presa in trappola. In tre lo trattenevano a stento. Io presi la suora per le braccia e gliele portai dietro la schiena. Fu in quel momento che gridò fra le lacrime:

– Lasciatelo! Hanno ammazzato nostro figlio, l'hanno ammazzato! Che altro volete farci? Ditemelo!

Uno degli agenti mi chiamò dalla seconda stanza:

– Venga a vedere, ispettore!

Garzón ed io ci precipitammo. Lì giaceva quello che poteva sembrare un ceppo di legno avvolto in vecchi stracci. Era il corpo di frate Asercio de Montcada.

Diedi ordine agli agenti di portare in commissariato Juanito e Pilar, in due auto separate, per sicurezza. Lledó era già in manette. Il viceispettore ed io tornammo nella stanza.

Per un bel pezzo rimanemmo in silenzio davanti alla mummia. Quelli che all'inizio ci erano parsi stracci erano in realtà sacchi di plastica bianca con la scritta: «*Patatas de Galicia*».

– Porca miseria! – esclamò il mio collega. Poi rimase zitto. Frate Asercio era parecchio malridotto. A parte i pezzi mancanti, il volto incartapecorito si era spaccato in più punti, il saio era a brandelli. Scossi la testa e dissi:

– Lo vede, viceispettore? Per me questo è il simbolo della Spagna d'altri tempi: un rottame ridicolo e fasullo...

– Lasci stare la retorica, Petra. Lei ci capisce qualcosa di tutto questo?

– Credo di sì.

– E allora me lo spieghi.

– Prima il dovere.

Tirai fuori il cellulare e chiamai Coronas.

– Commissario, abbiamo trovato Lledó e suor Pilar. Stanno bene, fra poco saranno lì.

– Perfetto, Petra. E la mummia?

– Anche la mummia. Per prelevarla ci vorrà la scientifica, con una barella.

– D'accordo. Arrivo subito anch'io. E adesso, Petra, ce la farà a spiegarmi tutto?

– Ancora no, commissario. In realtà quando lei arriverà Garzón ed io non saremo più qui. Abbiamo una serie di interrogatori da finire.

– Bene. Allora è presto per convocare Villamagna.

Chiusi la comunicazione. Mi voltai verso il mio vice e dissi:

– Lo sa che cosa interessa di più al capo? Quando si potrà fare la conferenza stampa.

– Be', stavolta i giornalisti ne avranno da raccontare.

– Oh, certo, un romanzo a puntate.

– Dice?

– Aspetti e vedrà.

17

Suor Pilar fece molte domande prima di rispondere alle nostre. Voleva sapere che cosa sarebbe successo a Lledó, quali sarebbero stati i capi d'accusa contro di lui, a quanti anni avrebbero potuto condannarlo, che avvocato gli sarebbe stato assegnato e fino a che punto le sue dichiarazioni avrebbero potuto aiutarlo o danneggiarlo. Per quel che la riguardava personalmente pareva non provare interesse. Affinché prendesse coscienza della situazione, la avvertii:

– Ci saranno anche delle accuse contro di lei, suor Pilar. Mi piacerebbe che lo tenesse presente.

– Non mi chiami più suor Pilar. Il mio nome è Pilar Tolosa.

Quando l'avevamo trovata nel magazzino della Zona Franca, non portava il velo, ma aveva ancora indosso l'abito. Ero rimasta colpita dai suoi capelli corti che le davano un'aria da Giovanna d'Arco. Adesso Yolanda le aveva portato un paio di jeans e un maglione e aveva un aspetto del tutto normale. Anche nel carattere sembrava cambiata. Si comportava con energia e decisione, come se in lei non restasse traccia della suorina timida che avevamo conosciuto. Voleva parlare e lo faceva a fiotti, come se le parole trattenute per anni sgorgassero fuori tutte insieme. Il primo nome che pronunciò fu quello che mi aspettavo.

– Domitila, è stata suor Domitila a costringermi ad abortire. Lì è cominciato tutto.

– No, sorella – la corressi, – tutto è cominciato perché lei era incinta. Voglio sapere di chi e com'è successo.

– Io... – parve vinta dalla sua antica insicurezza, ma come sostenuta da una profonda determinazione, continuò: – Juanito ed io c'eravamo visti ogni tanto, veniva a portare le cassette della frutta. Un giorno mi ha seguita fino all'università e abbiamo parlato. La cosa si è ripetuta. Finché un giorno mi ha detto che si era innamorato di me. Io non ero mai stata con un ragazzo, lui era sensibile, buono, affettuoso e molto infelice. Abbiamo continuato a vederci, a un certo punto abbiamo cominciato ad avere rapporti e qualche tempo dopo mi sono accorta di essere incinta. Allora mi sono spaventata e ho commesso il grave errore di non dirlo a lui, ma a suor Domitila. Era la persona che più mi era stata vicina e diceva di volere il meglio per me, per il mio futuro.

– E lei come ha reagito?

– Male, malissimo. È diventata una belva, non l'avevo mai vista così. Mi ha fatto addirittura paura. Ha detto che nessuno doveva saperlo, nemmeno Juanito, perché l'avrebbe di sicuro raccontato in giro e per me sarebbe stata la rovina. Mi ha detto che se madre Guillermina fosse venuta a saperlo mi avrebbe buttata su una strada. È arrivata a convincermi che la sola cosa che potevo fare era abortire, che non se ne sarebbe accorto nessuno.

– A che mese di gravidanza era?

– Al quinto.

– Al quinto? Ed è riuscita a nasconderlo per tutto quel tempo?

– Stavo male, ma facevo il possibile per non dare a vedere il mio stato. Ho aspettato troppo, lo so. Quando ho abortito è stato terribile. Sono rimasta a letto per una settimana. Suor Domitila non ha voluto chiamare un medico. Ha detto che avevo una bruttissima influenza e che dovevo stare sola per non contagiare le altre. E poi... insomma, è stata lei ad avere l'idea.

– Quale idea?

– Il problema era come sbarazzarci del feto. Buttarlo nella spazzatura non si poteva, lei diceva che era pericoloso, anche facendolo a pezzi, perché se mai fosse stato scoperto... Che lo portassi fuori io, quando uscivo per andare in facoltà, le pareva altrettanto rischioso. Tanto più che la suora portinaia mi apre sempre la borsa quando esco e quando entro. Dirlo a Juanito era fuori discussione, lui non sapeva nulla. Allora si è ricordata della teca del beato.

Fu come se nella mente mi si spalancasse di colpo una finestra. «Ecco svelato l'arcano!» pensai. Garzón dovette pensare la stessa cosa ma sulle sue labbra lo stupore prese un'altra forma:

– Santa Madonna! – esclamò, sbarrando gli occhi.

– Continui, per favore – mormorai.

– Da sole non potevamo alzare il coperchio, pesa tantissimo. Allora abbiamo chiesto aiuto a suor Bárbara, ma neppure in tre ci siamo riuscite. Abbiamo dovuto tirare dentro anche suor Asunción.

– L'economa?

– Sì, e non è stato difficile, perché suor Domitila ha una capacità di persuasione davvero incredibile. In quattro ce l'abbiamo fatta. Suor Bárbara ha inciso con un bisturi il corpo mummificato del beato e lì ha infilato mio figlio, avvolto in uno strofinaccio da cucina. Poi ha risistemato il saio e tutto è rimasto come prima. Se ci fosse stata putrefazione, nessuno se ne sarebbe accorto: il coperchio era praticamente ermetico e non si sarebbe sentito alcun odore.

Guardai Garzón, trasmettendogli tutto il mio sbalordimento senza dire una parola. Nemmeno in un milione di anni saremmo riusciti ad arrivarci da soli! Ero fuori di me, in uno stato di agitazione febbrile. Avrei avuto bisogno che suor Pilar stesse zitta un attimo per elaborare tutto quel che avevo sentito, ma non era il caso di interromperla. Poteva cambiare idea da un momento all'altro e lasciare in sospeso quella spontanea confessione.

– Il giorno dopo ho detto a Juanito che avevo dei problemi di coscienza e che non me la sentivo più di vederlo. Lui c'è rimasto malissimo ma ha rispettato la mia decisione. Solo che qualche mese dopo si è presentata una difficoltà che non avevamo previsto. La madre provinciale aveva dato disposizioni per il restauro del corpo del beato, come si sta facendo per altre reliquie nel resto della Spagna. Noi siamo state le prime a saperlo, dato il ruolo di conservatrice e archivista di suor Domitila. Anzi, in un primo tempo madre Guillermina voleva incaricare Domitila delle ricerche preliminari. Ma lei, nel tentativo di mandare a monte la cosa, ha cercato di convincerla che non le sarebbe stato possibile. Quella scusa, naturalmente, non ha funzionato, perché madre Guillermina si è messa in contatto con i monaci di Poblet, specializzati in questo tipo di operazioni. E così suor Domitila ha accettato il ruolo da assistente, che le avrebbe permesso di essere almeno informata.

Avrei voluto chiederle come mai lei non si fosse opposta ai piani di suor Domitila, che cosa avesse provato, perché non avesse mai parlato, perché Juanito avesse accettato così facilmente di non rivederla più. Ma quelle erano semplici curiosità, irrilevanti ai fini delle indagini. Bisognava andare avanti.

– La bomba è scoppiata quando padre Cristóbal ha cominciato a parlare di un esame approfondito sul corpo del beato. Il rischio era così palese che suor Domitila si è vista costretta a escogitare un nuovo piano.

– E non le è venuto in mente nulla di meglio che uccidere frate Cristóbal.

A quel punto Pilar esitò, poi strinse i pugni e rispose:

– Infatti. E ha deciso di servirsi del povero Juanito. L'ha preso da parte una mattina mentre aspettava di essere pagato. Gli ha detto che i miei peccati sarebbero venuti alla luce, ha cercato di spaventarlo. Per un po' lui non le ha dato retta. Allora lei gli ha raccontato dell'aborto e lui è crollato. Ha pensato che ormai non poteva fare a meno di collaborare, mi voleva ancora bene e aveva paura di mettermi nei guai. La sorella gli ha parlato delle cose spaventose che mi sarebbero successe se lui si fosse sottratto al suo volere.

– Ma l'idea era di uccidere frate Cristóbal o solo di rubare la mummia?

Lei non rispose direttamente. Disse:

– Doveva portare via la mummia, come la chiama lei.

– Ma perché non gli ha dato ordine di distruggerla, di bruciarla da qualche parte?

– Forse suor Domitila pensava che magari più avanti potesse tornarci utile, o magari che la si potesse vendere a un museo se fosse stato necessario pagare Juanito. In realtà credo che le facesse impressione farla sparire, aveva pregato per tanti anni davanti al corpo del beato, e poi in quanto storica attribuiva un grande valore a quei resti.

La interruppi cercando di apparire calma:

– Pilar, questa non è ancora una deposizione davanti al giudice. Quindi devo avvisarla degli errori che può commettere.

– Ma se sto dicendo la verità! – rispose lei con foga.

– Vuole ascoltarmi, per favore? Lo so che dice la verità, però deve capire che nell'intento di proteggere Juanito lei rischia di comprometterlo ancora di più. Juanito ha ucciso frate Cristóbal, non è vero?

Lei abbassò gli occhi, si morse le labbra.

– Sì – disse con voce quasi impercettibile.

– In questo caso deve capire che le accuse contro di lui saranno molto più gravi se risulta che c'è stata volontà di uccidere. Se invece, per un caso fortuito, mentre stava compiendo il furto, frate Cristóbal è comparso nella cappella e lui l'ha ucciso, la cosa è ben diversa. Sarebbe omicidio preterintenzionale.

Lei rimase zitta, senza guardarci. Ostinata.

– Ci rendiamo conto che ha accumulato molto risentimento nei confronti di suor Domitila. Ha i suoi motivi, e questi nessuno li discute. Ma se il rancore la spinge a mentire, anche una sola volta, anche su un solo particolare, allora la sua deposizione non servirà a nulla.

Lei annuì e disse con piena consapevolezza:

– Juanito ha aggredito frate Cristóbal perché se l'è visto capitare lì all'improvviso, questo è vero. Si è spaventato e l'ha colpito. Non voleva ucciderlo, solo che non sa misurare la sua forza.

– E poi cos'è successo?

– Suor Domitila, che era presente, è inorridita, gli ha dato del subnormale, l'ha trattato come un cane. Abbiamo dovuto svegliare le altre due sorelle per cancellare tutte le tracce. Poi Domitila e Juanito hanno caricato il corpo sul furgone.

– C'è un'altra cosa importante che dobbiamo chiederle – intervenne Garzón. – Miguel Lledó, il fratello di Juanito, che parte ha avuto in tutto questo?

– Lui guidava solo il furgone. L'ha portato fin sulla porta della cappella. È stato allora che la mendicante li ha visti.

– Era il furgone delle consegne?

– Sì, ma con la scritta coperta.

– E allora perché la mendicante, per giorni, ha parlato del paradiso?

– Dev'essere stato dopo, quando sono andati a minacciarla e si sono dimenticati di coprire la scritta.

– Chi dei due ha ucciso Eulalia Hermosilla?

– Non lo so – disse lei in un sospiro.

– È stato sempre Juanito, vero, Pilar?

In quel momento lei scoppiò a piangere. Eravamo disposti ad aspettare che si riprendesse, ma il pianto degenerò subito in un urlo lacerante:

– Sì, è stato lui! Il giorno in cui lui l'ha uccisa, Miguel non era nemmeno a Barcellona! E anche questo gliel'ha ordinato suor Domitila, quel mostro, quella donna schifosa!

– Avrebbe potuto rifiutarsi.

– Lui non si sarebbe mai rifiutato di fare nulla, aveva troppa paura di danneggiarmi. Ma non si rende conto? Anche se l'avevo lasciato, era ancora innamorato di me.

– D'accordo, proseguiamo.

– Ormai non c'è più niente da raccontare. Quella notte suor Domitila ha preso in mano la situazione e ha scritto il biglietto. Voleva depistare le indagini, far pensare all'opera di una setta o di un maniaco. Poi voi stessi le avete facilitato le cose offrendole di collaborare alle indagini. Lei, prima ha fatto finta di contraddire il monaco, poi gli ha dato ragione, e alla fine l'ha portato dove ha voluto. E ogni volta che scoprivate un elemento nuovo, trovava il modo di venirvi dietro. Intanto Juanito teneva il corpo in quel magazzino. Domitila l'ha di nuovo cercato per ordinargli di tagliare i pezzi e lasciarli dove lei gli indicava. Così creava false piste e vi teneva impegnati. Juanito usava una roncola che gli serviva per i caschi di banane.

– Di chi è quel magazzino?

– Del padre di un amico di Miguel. È stato Miguel a farsi dare la chiave e a dire a Juanito di nascondersi lì.

– Ma poi lui è venuto a cercarla all'università, non è così?

– Sì, non ne poteva più di stare solo. E poi ormai suo fratello aveva deciso di consegnarsi. È venuto a chiedermi di scappare insieme, di andare all'estero. Poverino! Non si rendeva conto che ormai era troppo tardi.

– Quante suore erano a conoscenza di questa storia?

– In teoria, due. Ma non mi stupirei se col tempo molte altre ne fossero venute a conoscenza. Eppure, come vede, nessuna ha parlato. Siamo allenate a tacere.

– Crede che la madre superiora sapesse qualcosa?

– Madre Guillermina? Figuriamoci! Quella non si accorge mai di nulla. Si crede severissima, ma non ha la minima idea di quel che succede nel convento. A volte mi faceva pena.

– Non ha mai pensato di confidarsi con lei sull'accaduto?

– No, non mi avrebbe capita. Per lei il peccato non esiste, è una cosa che succede in un'altra dimensione.

– Eppure suor Domitila, che la capiva così bene, l'ha costretta ad abortire.

Lei rimase a guardare nel vuoto, poi scosse la testa facendo volare a destra e a sinistra le ultime lacrime.

– Nemmeno io volevo tenere il bambino, ispettore. E per cosa? Che cos'avremmo fatto quel poveretto di

Juanito ed io in un mondo che non conosciamo, e con un bambino poi? Non ce la saremmo mai cavata.

– Lei non ha mai amato Juanito, vero, Pilar?

Si pulì con forza gli occhi arrossati dal pianto. Mi lanciò uno sguardo severo e mi rispose con una domanda che non mi aspettavo:

– Quanta gente l'ha amata veramente in vita sua, ispettore? E non mi riferisco all'amore di coppia, ma all'affetto, alla dedizione, alla preoccupazione vera per l'altro, a... – Dovette fermarsi perché stava per rimettersi a piangere. Cercando di trattenersi, mi guardò:

– Mi risponda, la prego.

– Non lo so, non me lo sono mai chiesta.

– Questo dimostra quanto lei sia stata amata. Vuole sapere quante persone hanno amato me? Due, esattamente due: suor Domitila e Juanito. Nessun altro.

– Di questo non si può mai essere sicuri. Ci sarà stata molta altra gente che le ha voluto bene – disse Garzón, impietosito.

Lei fece di no con la testa, inghiottì le lacrime.

– Io non ero innamorata di Juanito, ma lui mi amava e mi ama ancora. Può darsi che non sia un ragazzo molto normale, ma è buono, malgrado quel che è stato costretto a fare.

– Mi dispiace – fu la sola cosa che riuscii a dire. Non era il caso di esasperare la sua emotività già provata. Per il momento quel che mi aveva detto poteva essere sufficiente, perciò aggiunsi, in tono professionale: – Ci saranno altri interrogatori e altre domande. Oggi verrà sentita dal giudice che dirige le indagini. Le serve un avvocato?

– Non mi serve un avvocato. E non si preoccupi, non tornerò indietro su quello che ho detto.

– Avrà un difensore di ufficio. Non faccia sciocchezze e lo accetti. La vita è ancora lunga per lei.

– Io non voglio più vivere.

Ci alzammo e la lasciammo sola. Lei si ripiegò su se stessa come un animaletto che cerchi la posizione fetale per riposare. In corridoio, dissi a Garzón:

– Avverta il dottor Beltrán. Bisognerà che venga a parlarle, che consigli un intervento di supporto psicologico.

– Ha paura che tenti il suicidio?

– Sì. E poi allo psichiatra piacerà questo capitolo finale. Si sentirà coinvolto nella conclusione delle indagini. Ce ne andiamo al convento?

– Ci sarà bisogno di agenti?

– Sì, e di un furgone. Una sola auto non basterà per tutte le suore che dobbiamo arrestare.

– Crede che ci sarà il tempo per una minuscola birretta? Dopo quel che ho sentito ne avrei proprio bisogno.

– Sì, mentre gli uomini si preparano. Dica che ci chiamino quando saranno pronti.

Mentre lui sbrigava le formalità io andai in bagno, mi lavai la faccia, mi pettinai. Il mio sguardo nello specchio era diverso, come perso in un luogo sconosciuto. Raggiunsi il viceispettore e ce ne andammo alla Jarra de Oro. Ordinammo due birre piccole. Di colpo, Garzón si mise a ridere fra sé.

– No, non ci posso credere, non è possibile! Frate Asmundo de Montcada trasformato in panzerotto. Il povero beato ripieno come un bignè! Non l'avremmo mai risolto questo caso se non fosse stato per lei.

– Per me?

– Ma certo! È stata lei a mettere in rapporto le farneticazioni di quella poveraccia con la scritta sul furgone. E di lì...

– Non ne sono tanto orgogliosa, sa? È come dire che l'abbiamo risolto per un colpo di fortuna.

– Macché fortuna! Juanito Lledó è scappato e lei ha avuto l'idea di far uscire allo scoperto il fratello, intuendo che era molto meno coinvolto di lui e si sarebbe consegnato.

– Dubito che mi daranno una medaglia per questo. A proposito, come avrà fatto Sonia a farlo parlare?

– Non ho avuto il tempo di chiederglielo, però sono curioso.

– Anch'io.

– Una mente diabolica, quella suor Domitila! Non le pare? Ci ha tenuti in ballo fino alla fine. E l'idea di farci trovare i pezzi del beato davanti ai conventi è stata geniale. Ci ha perfino spediti a caccia di quei Caldaña, con la storia della Settimana Tragica... Così non avremmo mai trovato un bel niente, questo è certo.

– Sembra che la cosa la diverta.

– Bisogna riconoscerle ingegno e preparazione.

– Sì, ma a me non piace affatto come ci siamo mossi noi.

– Ispettore, era impossibile applicare il metodo deduttivo! Nemmeno Sherlock Holmes ce l'avrebbe fatta.

– Su questo le do ragione. Holmes, da buon inglese, non avrebbe capito un bel niente in un simile guazzabuglio di conventi e sacre mummie. Un caso del genere può capitare solo in questo disgraziato paese, con il suo retaggio spaventoso di oscurantismo e superstizione.

Il viceispettore mi stava ancora prendendo in giro per quella mia antipatriottica conclusione quando vennero a cercarci: il furgone era pronto. Mentre ci dirigevamo ancora una volta verso il convento del Cuore Immacolato quel che più mi agitava era il pensiero di dovermi ritrovare faccia a faccia con la madre superiora per raccontarle quel che avevo saputo. Poteva essere un duro colpo per una donna che alla fine si era rivelata così ingenua. Del resto, era un ingenuo anche l'assassino: un'ingenua macchina per uccidere.

Quando entrai nell'ufficio di madre Guillermina non sapevo ancora da che parte cominciare, quindi rinunciai ai preamboli e dissi:

– Sono venuta ad arrestare tre delle sue suore: suor Bárbara, suor Asunción e, naturalmente, suor Domitila.

Lei annuì. Non era rimasta traccia del suo spirito ribelle e attaccabrighe. Era così abbattuta che non riusciva nemmeno a parlare.

– Gliele mando a chiamare – disse, in tono quasi di scusa.

– Farò un paio di domande a suor Domitila, prima di andare. Mi piacerebbe che lei fosse presente. Così sarà informata. Sa che all'interno del corpo del beato...?

Lei mi interruppe: – Sì, suor Bárbara me l'ha detto. Troppo tardi, ma alla fine si è decisa. Adesso, quando le sorelle verranno qui, vedrà che non portano più l'abito. La madre provinciale sta arrivando da Tudela in treno. Mi ha fatto sapere per telefono che tutte e tre sono già state espulse dall'ordine. È stato necessario acquistare dei vestiti in tutta fretta.

– Così si elude una responsabilità, non le pare, madre?

– A me non pare più niente, ispettore. Ho rinunciato a giudicare. La sola cosa che faccio è raccomandarmi a Dio e chiedergli perdono in ginocchio per non essermi opposta a crimini che non sono stata neppure capace di intuire.

Entrarono nella stanza tre donne insaccate in brutti tailleur da due soldi. Tutte e tre avevano i capelli corti. Solo dagli occhiali riconobbi suor Domitila. Ne fui impressionata. Si era trasformata in una donna di mezz'età dai tratti duri, troppo magra e tirata. Aveva sulla bocca un mezzo sorriso di superiorità. Mi guardò e disse, prima che potessi rivolgerle la parola:

– Non avreste mai scoperto niente se non fosse stato per la stupidità di quei due.

– E questo la riempie d'orgoglio?

– Avrei potuto elaborare qualunque teoria storica, qualunque. Qualunque piega avessero preso le indagini, avrei saputo portarvi dove volevo. Ma devo ammettere che è stato fin troppo facile. L'idea di frate Magí sulla Settimana Tragica mi è tornata comoda, e la coincidenza con il passato dei Piñol i Riudepera è stata un regalo della provvidenza.

– In carcere avrà tempo per approfondire i suoi studi. Diventerà senz'altro una storica brillante, ma almeno non sarà in condizioni di nuocere.

– Non sono pentita. Spero che anche gli altri paghino per le loro colpe. Soprattutto quella ragazzina idiota.

– Pilar?

– Credevo che fosse intelligente e avesse talento. In questa casa le è stato dato tutto ciò che poteva aiutarla a svilupparlo. Mi sono dedicata a lei anima e corpo. L'ho aiutata nei suoi studi, ho insistito perché andasse avanti, ho fatto in modo che potesse vivere in un ambiente di raccoglimento e rispetto per il sapere. E lei che cos'ha fatto per ripagarmi di tutti questi sacrifici? Si è messa con un povero disgraziato senz'arte né parte, una specie di disadattato povero di comprendonio! Se si fosse presa una cotta per qualche compagno di facoltà, non sarebbe stato meno grave, ma almeno non sarebbe finita in questo abisso di abiezione. E invece no, doveva essere il primo mentecatto che le ha messo gli occhi addosso, e si è fatta mettere incinta per di più. Una simile poco di buono non meritava niente di quel che ha ricevuto, niente!

Madre Guillermina saltò su come una belva:

– Le proibisco di parlare con questo cinismo!

– Lei non è più la mia superiora, quindi non può proibirmi di dire quello che voglio.

– Dopo quello che ha fatto!

– Ma si guardi allo specchio, Guillermina, e mi dica che cos'ha di fronte! Una donna incapace, cieca a tutto quel che le succede intorno, attenta solo a far funzionare quest'assurda organizzazione di donne che neppure conosce, fissata su un'idea di armonia del tutto vuota... Forse lei non è cattiva, Guillermina, ma il suo mondo è piccolo così – e mostrò un'unghia del mignolo.

Sul volto della superiora si leggeva l'effetto tremendo di quelle parole. Feci un cenno a Garzón. Era meglio chiudere un colloquio che stava scivolando in una direzione che non ci riguardava. Il viceispettore prese Domitila per un gomito, lei si divincolò come se avesse ricevuto una scossa elettrica:

– So uscire da sola, non si preoccupi!

Le altre due la seguirono. Mi avvicinai a madre Guillermina e mi accorsi che stava facendo grandi sforzi per non piangere.

– Tornerò presto a salutarla, madre.

Lei annuì e mi diede le spalle. Si allontanò in fretta, incapace di trattenere oltre la sua disperazione.

In commissariato c'era un considerevole trambusto. Coronas, con un sorriso da un orecchio all'altro, riceveva i complimenti dell'ispettore capo e del questore. Mi accolse con entusiasmo:

– Brava, Petra, brava! Per un attimo ho temuto che questo caso finisse in una bolla di sapone, e con tutto il polverone che ha sollevato...

– Non creda, commissario, la gente se ne sarebbe dimenticata in fretta.

– Può darsi, ma compito della polizia è fare in modo che gli assassini non se ne vadano in giro a piede libero, e quando l'attenzione dei media si concentra su un delitto, è l'occasione giusta per dimostrare che siamo dei professionisti.

– È già stata annunciata una conferenza stampa?

– Non prima che il giudice lo permetta. E poi abbiamo pensato che dovremo presenziare a una cerimonia che si celebrerà presso il convento del Cuore Immacolato.

– Come?

– Proprio così. La madre provinciale e il questore hanno già preso accordi. Il corpo incorrotto del beato verrà ricollocato nella cappella con tutti gli onori. Naturalmente un monaco di Poblet si occuperà degli opportuni restauri. Sarà un'occasione magnifica per le telecamere. Spero che ci sarà anche lei con Garzón.

– Vedremo.

Quell'accenno ai monaci dell'abbazia mi fece tornare in mente frate Magí. Domandai se l'incarico fosse stato affidato a lui. Ma Coronas non ricordava nemmeno chi fosse, o preferì non ricordare chi ci aveva messi su una pista fasulla.

Poco dopo incontrai Yolanda in corridoio. Fu lei a dirmi che proprio in quel momento il monaco era in commissariato.

– È venuto a deporre. È di là, in sala interrogatori.

– Grazie, Yolanda, vado a vedere.

Fatto qualche passo, mi voltai e le chiesi:

– Dov'è Sonia?

– In archivio. Vuole vederla?

– Sì, dille che mi aspetti nel mio ufficio.

– Non la sgriderà anche oggi?

– *No comment.*

In sala interrogatori il giudice Manacor si era sistemato con tutti i suoi incartamenti. Dovendo sentire tante persone, aveva preferito trasferirsi da noi. Domínguez montava la guardia sulla porta.

– Chi c'è dentro, Domínguez?

– Un frate.

– Quando esce, non lasciarlo andar via. Accompagnalo da me.

– Sarà fatto, ispettore.

Entrai in ufficio e trovai Sonia già seduta davanti alla scrivania. Scattò sull'attenti non appena mi vide.

– Siediti, Sonia.

Raggiunsi il mio posto e mi sedetti anch'io. Rimasi a guardarla in silenzio. Era nervosa, non riusciva a capire cosa dovesse aspettarsi.

– Sonia, ti ho mandata a chiamare per chiederti come hai fatto a convincere Miguel Lledó a rivelare il nascondiglio di suo fratello.

– Ah, certo! Glielo spiego subito. Avevo sentito dire che Juanito Lledó non era del tutto normale. Che era una specie di autistico o qualcosa del genere. Girava questa voce fra i colleghi. E allora... allora ho pensato che avrei saputo come parlargli.

– Ah, sì? Non sapevo che avessi nozioni di psicologia.

– No, ispettore, io non so niente di psicologia. Però... ecco, ho una sorellina un po' ritardata. Noi siamo in quattro e lei è la più piccola. Per i miei genitori è stato difficile. Ma alla fine la bambina è venuta su a meraviglia, va in una scuola speciale e fa un sacco di cose. Per questo anch'io so com'è vivere con un fratello un po' strano. So tutta la pazienza che ci vuole, so che i genitori si dimenticano di te e si preoccupano solo del ragazzino o della ragazzina che ha quel problema, so quanto ci si può sentire soli. E allora ho pensato che se avessi detto tutto questo a Miguel Lledó lui si sarebbe sentito capito. E infatti ha funzionato. Era rimasto solo, voi eravate andati via, e io mi sono fatta coraggio e sono andata da lui. Pensi che quando gli ho detto di mia sorella si è commosso, mi ha trattata come un'amica. E così l'ho convinto che la cosa migliore per il bene di suo fratello era tirarlo fuori da quell'incubo. Quindi vede che...

– Immagino tu sappia che hai fatto molto male.

– Sì, lo so.

– Un poliziotto non può fare quel che gli pare, seguendo i suoi ghiribizzi personali senza badare alle gerarchie. Non eri affatto autorizzata a parlare con l'indiziato senza consultarmi.

– Lo so, ispettore, e le chiedo scusa.

– Per questa volta passi, ma in futuro...

– Sì, ispettore, non si preoccupi.

Sembrava soddisfatta di essere scampata a qualche tipo di sanzione o di rimprovero ben più severo. Fece per alzarsi. Le dissi:

– Stai seduta, te lo dico io quando puoi andare.

– Sì, ispettore – sussurrò, confusa.

– Devo comunicarti che chiederò per te una piccola onorificenza.

Lei mi fissò come un'idiota. Continuai, cercando di non guardarla in faccia:

– In queste indagini hai messo a repentaglio la tua incolumità e hai dimostrato uno zelo ben al di là del senso del dovere. Perciò sono sicura che la mia richiesta non incontrerà ostacoli di sorta.

Era rossa come se stesse per venirle una sincope.

– Ecco, io... ispettore, io vorrei dirle che la mia gratitudine... che la mia..., insomma, che non so come ringraziarla.

– Ascoltami bene, Sonia. Se mai dovessi sentire ancora una parola di ringraziamento da parte tua, ti giuro... ti giuro che chiederò immediatamente il tuo trasferimento a un altro commissariato. Mi hai capita?

– Sì, ispettore! – esclamò al colmo della contentezza. La sua gioia si sovrapponeva alla sua eterna incapacità di capire le mie intenzioni. Si alzò e poi si risedette di colpo, sorridente.

– Ispettore, mi dà il permesso di alzarmi?

– Sì, santo Dio, e togliti dai piedi!

Rise scioccamente e se ne andò quasi saltellando dalla gioia. Una sorellina ritardata, una famiglia di possibilità modeste con quattro figli da mantenere... Mi sentii come doveva sentirsi madre Guillermina. Passiamo la vita circondati da gente della quale ignoriamo praticamente tutto. Sembra che solo l'organizzazione conti, e invece non è così, la gente ha i suoi drammi, le sue difficoltà, le sue passioni. Certo che per chi deve esercitare un ruolo di comando è impossibile tener conto di tutto. È nostro compito agire come se quella piccola parte della persona che vediamo rappresentasse il tutto. Una razionalizzazione efficace, ma riduttiva.

Mi ricordai di frate Magí e uscii in corridoio. Lui era lì, questa volta con la tonaca.

– Venga, fratello. Ha fretta?

– No – rispose, mentre si accomodava.

– In realtà l'ho fatta chiamare per fare due chiacchiere. Come va all'abbazia?

– Diciamo che va bene. L'abate è ragionevolmente soddisfatto di come si sono risolte le cose. Anche se, certo, nessuno può essere contento dopo un assassinio. Ma almeno la famiglia di frate Cristóbal adesso è più tranquilla. Hanno visto che il loro figliolo non era odiato da nessuno.

– Triste consolazione.

– Sì, ma tutti dobbiamo aggrapparci a qualcosa per andare avanti.

– E lei, come sta?

– Un po' scosso, se devo dirle la verità. Aver passato tanto tempo con... ecco, con suor Domitila, e poi dover venire a sapere...

– Non aveva mai sospettato nulla?

– Mai, glielo assicuro. Solo mi sbalordiva... ecco, mi sbalordiva l'interesse di quella donna per la storia. La sua era una vera passione, e la passione è un sentimento pericoloso.

– C'è chi dice che senza passione non si faccia nulla di grande.

– In linea di principio è così, ma poi bisogna capire se le cose che si fanno sono buone o cattive, ed è questo quel che a me interessa. Ad ogni modo non sono la persona giusta per dare pareri. Non sono mai stato istruito come frate Cristóbal o suor Domitila, che Dio la perdoni. E per fortuna le tentazioni sono minori per i meno dotati.

Sorrisi a quella sua dichiarazione di umiltà. Lui continuò:

– L'essere umano è pieno di contraddizioni. Suor Domitila non è stata capace di disfarsi del corpo del beato e poi l'ha fatto mutilare. Era integralista e tremendamente preconciliare e intanto aveva costretto suor Pilar a commettere il terribile crimine dell'aborto. In fin dei conti credo che dovremmo aver pietà di lei perché non era del tutto sana di mente.

– Questo è ancora da vedere. E lei, cosa farà ora?

– Niente, la mia solita vita monacale, che mi risparmia il peso di dover prendere decisioni. A proposito, volevo informarla che ci sarà una messa di suffragio congiunta per frate Cristóbal ed Eulalia Hermosilla. Quella povera donna non ha nessuno che preghi per lei.

– C'è molta gente sola a questo mondo.

– Per questo essere monaci è una condizione privilegiata.

Gli sorrisi di nuovo e lui mi ricambiò. Che uomo fortunato, pensai. In realtà la pace non è nel monastero né nel bordello, ma nel tesoro prezioso di un animo equilibrato, anche se per conquistarlo è necessaria la rinuncia alla genialità, alla passione o all'eccellenza.

Il monaco se ne andò ed entrò Garzón.

– Che cosa fa, ispettore?

– Filosofeggio.

– Allora mi scusi se la disturbo, ma Villamagna la sta cercando.

– In questo caso mi darò alla macchia.

– Be', io l'ho avvertita. Cosa gli rispondo? Vuole sapere che stile dare al comunicato stampa.

– Dica che lo faccia cubista.

– Va bene.

– E che non rompa più le scatole.

– Dico anche questo?

– Soprattutto questo.

E me ne scappai in tutta fretta prima che qualcuno mi desse altro da fare.

Per fortuna in casa c'era Marcos. Gli saltai fra le braccia.

– Caso risolto! – gli dissi, mordendogli un orecchio.

– Davvero?

– Davvero! Sono pronta per tornare a vivere. E tu? Come va il tuo lavoro?

– Peggio che mai! Però vieni, siediti e raccontami. Nei particolari, adesso.

Gli dissi tutto e lui stette ad ascoltare com'è giusto quando un racconto è così denso e scabroso: in silenzio, senza interrompermi, senza sorridere dei dettagli più imbarazzanti. Alla fine, sospirò:

– È una storia tremenda.

– Lo è.

– Mentre noi viviamo ben protetti nella nostra realtà ovattata, ci sono altri che vivono sentimenti terribili, sofferenze taciute, disgrazie d'ogni genere.

– È così.
– Saranno tutti incriminati?
– Sì, certo, ma i capi d'accusa saranno diversi.
– E forse chi ha ordito tutto questo se la caverà a buon mercato. In fondo non ha ucciso nessuno di propria mano.
– Può darsi. Ma questo non è più di mia competenza. Io il mio dovere l'ho fatto.
– Il tuo è uno strano mestiere, Petra, che ti mette a contatto con le persone più diverse. Ormai gli esseri umani dovresti conoscerli abbastanza bene.
– Forse, ma quanto più li conosco, meno li capisco.
– Stavo per dirti che è meglio così. Capire fino in fondo certi contorcimenti psicologici non dev'essere molto sano.
– Per questo tendo a provare pietà dei delinquenti. Penso sempre a quanto sia duro per loro dover sopportare se stessi e le disgrazie che li hanno resi così come sono.
– Provi pietà ma non perdoni.
– Sono pur sempre la temibile giustiziera Petra Delicado.
– Brava!
– Siamo stati piuttosto lontani ultimamente, vero?
– Lontani, ma non incompatibili. È normale. Abbiamo unito le nostre vite quando già avevano una forma, non possiamo pretendere troppo.
– E se fuggissimo su un'isola deserta?
– Non servirebbe. Entrambi abbiamo un carattere portato all'azione.

– Bella fregatura!
– Ma è così.
– Mi dà fastidio che tu sia sempre così equilibrato.
– Anche a me, non credere. Però mi piace ancora prendermi una sbronza di tanto in tanto. Che ne dici se stasera ce ne andiamo a cena in un posto accecante?
– Accecante?
– Sì, di quelli dove i piatti costano un occhio della testa e i vini l'altro.

Scoppiai a ridere, gli scoccai un grosso bacio e ce ne uscimmo di corsa tutti e due, a bere alla salute del beato.

Qualche giorno dopo fu dato avviso di chiusura delle indagini, e una volta che Villamagna ebbe raccontato ai giornalisti ogni più piccolo dettaglio della vicenda, decisi che era venuto il momento di andare a trovare madre Guillermina. La trovai nel suo ufficio, intenta a riordinare mestamente delle carte.
– Che cosa fa?
– Me ne vado, ispettore. La madre provinciale ha deciso di trasferirmi in un piccolo convento vicino a Valladolid.
– È una punizione?
– È per il mio bene. Certo che non sarò mai più madre superiora.
– Anche questo è per il suo bene?
– Se lo decide chi ne sa più di me, di sicuro.
– Personalmente non mi piace che siano gli altri a decidere per il mio bene. Preferisco farlo da sola.

– Ma lei è una donna libera.
– È proprio questo il problema.
– Il problema?
– Il problema è che lei non lo è.
– Un giorno ho scelto di non esserlo.
– Ma la smetta con queste storie, madre Guillermina! Sembra che un destino fatale incomba su di lei. Ma non è così. Anche lei può fare quello che vuole della sua vita. Perché non lascia l'ordine?
– Ho messo la mia vita nelle mani di Dio.
– Dio è dappertutto, no? Non è mica di guardia permanente nei conventi.
Le sfuggì un sorriso.
– Lei è brutale, Petra.
– La verità suona sempre brutale.
– Che cosa farei io nel mondo? Ho più di cinquant'anni.
– Lei? Ma lei è un fulmine di guerra, madre Guillermina, con la sua energia, le sue attitudini organizzative, le sue competenze amministrative... Qualunque azienda la prenderebbe!
– Lasci perdere, queste sono sciocchezze. Andrò dove mi dicono. In realtà non me ne importa molto. Solo una cosa mi dispiace: non aver saputo vedere tutto il dolore e tutto l'odio che covava intorno a me. Quanto a non essere più madre superiora, quel che mi preoccupa è che non avrò più un ufficio tutto mio. Mi sarà impossibile fumare...
– Infatti! Scappi, madre Guillermina, tagli la corda! Il mondo è grande e ci sarà un posto anche per lei. Ma

non si rende conto che una delle ragioni per cui è successo tutto questo è la struttura stessa di un convento? Una cosa innaturale: un mucchio di donne rinchiuse fra quattro mura che le separano dall'esterno. Un retaggio d'altri tempi, un modo di vivere obsoleto, malsano!

Lei mi guardò severamente e tornò quella che era, per dirmi:

– Adesso non esageri, ispettore, che non è una cosa così orrenda!

– Mi mancheranno gli scontri con lei, madre.

– Anche a me. Erano davvero memorabili.

Venne da ridere a tutte e due e ci stringemmo la mano.

– Mi chiami se ha bisogno di qualcosa, madre Guillermina. E mi prometta di pensare a quello che le ho detto. Almeno di pensarci.

– Glielo prometto.

Lei mi accompagnò fino alla porta e me ne andai. Probabilmente non l'avrei più rivista.

A quel punto la sola difficoltà che mi restava da affrontare era la spiegazione che avrei dato ai miei figliastri. Quel giovedì, al pensiero che nel pomeriggio sarei rimasta sola con loro per almeno un paio d'ore, quell'idea non cessò di tormentarmi. Senza dubbio tutti e tre mi avrebbero coperta di domande sullo scioglimento del mistero della mummia. Di sicuro avevano ascoltato Villamagna in televisione, ma sapevo che il mio collega aveva usato un linguaggio così tecnico ed eufemistico nell'esporre le parti più scabrose della storia che non potevano aver afferrato granché. Un racconto chiaro e a loro comprensibile era quel che si aspettavano. Glielo dovevo. Avevo sempre rimandato ogni spiegazione alla fine delle indagini e ora non potevo non saldare il debito. Ma come si fa a parlare a tre bambini, e soprattutto alla piccola Marina, di aborti clandestini, feti occultati, giovani disadattati e suore diaboliche? Gli elementi della storia non erano precisamente da tivù dei ragazzi. Se il mio racconto fosse stato troppo crudo avrebbe suscitato reazioni che non me la sentivo di affrontare, dopotutto loro non erano figli miei; se invece avessi edulcorato troppo i fatti... Ma era possibile edulcorare fatti come quelli? Alla fine decisi di affidarmi all'improvvisazione e chiesi soccorso spirituale al nostro beato.

Fin dal loro arrivo ebbi l'impressione che fossero stati istruiti dal padre per quell'incontro, perché mi si avvicinarono molto educatamente, mi diedero un bacio e mi dissero: – Congratulazioni, Petra, per aver risolto il caso.

– L'avete saputo dalla televisione?

– Sì, ha spiegato tutto quel poliziotto che parla sempre.

Bene. Non commentai, ma evitai di precipitarmi subito su un altro argomento. Nessuno disse nulla. Forse le mie preghiere al beato erano state esaudite, o forse avevo sopravvalutato il problema. Proposi di preparare insieme un aperitivo nell'attesa che il papà rientrasse e tutti parvero molto contenti dell'idea. Tirammo fuori olive, patatine fritte, croccantini di mais, bibite per loro e una birra fredda per me, e ci sedemmo allegramente in cucina. I gemelli ci tennero a informarmi sui campionati di motociclismo. Era una cosa che facevano spesso, e quella volta mostrai un interesse smisurato per quel che avevano da dirmi. Dopo una ventina di minuti, quando già mi credevo fuori pericolo, Teo domandò, in tono casuale:

– Petra, c'è una cosa sulla storia della mummia che non abbiamo capito. O forse non l'hanno spiegata bene.

Strinsi il tovagliolino di carta come un talismano e ascoltai la domanda:

– La suora cattiva e la novizia stavano insieme?

Sentii salirmi al volto un'ondata di sangue caldo e guardai Marina che, imperturbabile, sgranocchiava una manciata di patate fritte. Ma Teo continuò ad elaborare la sua domanda come se non l'avesse posta con sufficiente chiarezza:

– Sì, perché questa storia che le facesse da maestra e che pensasse solo al suo futuro sembra un po' strana, no? È per questo che l'ha fatta abortire? Di sicuro fra quelle due c'era qualcosa, no?

Qualunque spiegazione avrebbe richiesto parole e concetti troppo complicati.

– Non lo so – dissi.

– Come, no? Ma se avete chiuso le indagini!

– Sì, però questo particolare non avrebbe cambiato niente. Quali che fossero i suoi motivi, quella suora verrà giudicata per quello che ha fatto.

– Eh no! – rispose Hugo in tono di protesta. – Non è giusto fare così, perché se la suora voleva...

Lo interruppi con fermezza:

– Se questa è la tua opinione, dovrai aspettare di avere diciott'anni e parlarne con un giudice.

– Io lo farei anche adesso – disse Teo.

– Non ho dubbi. Solo che nessuno ti darebbe retta.

– Me lo immagino.

Intervenne Marina:

– Anch'io ho una domanda.

Data la piega che aveva preso la discussione, temetti che la sua curiosità potesse spingermi su un terreno ancora più insidioso. Le sorrisi, tesa.

– Ma come faranno a riattaccare i piedi e le mani della mummia? Una mia compagna dice che dentro ci metteranno del filo di ferro, ma io dico che così poi si vedrebbe.

La adorai. Quella sì che era una domanda cui potevo rispondere senza imbarazzo.

– Un altro monaco dell'abbazia di Poblet, che sa tutto su queste cose antiche, anche se non tanto come frate Cristóbal, andrà al convento e lo aggiusterà. Non so come farà, però possiamo chiederglielo.

– Quello rischia grosso! – disse Hugo, e tutti scoppiammo a ridere come matti.

E così ci trovò Marcos, che sorrise incantato nel vederci riuniti come una famigliastra felice tutta presa dai suoi innocenti discorsi.

Epilogo

Un mese dopo, il beato era pronto per essere nuovamente esposto nella cappella. Come aveva annunciato Coronas, qualcuno di noi avrebbe dovuto assistere alla cerimonia di riconsacrazione a nome della polizia di Barcellona. In realtà ci eravamo già dimenticati di tutta la vicenda e del gran daffare che ci aveva dato, e nessuno aveva una gran voglia di fare da ambasciatore presso le sorelle del Cuore Immacolato. Forse per questo il commissario volle concedere a noi l'onore di presenziare al grande evento. Io non mi sentivo tanto attirata dalla cosa, ma Garzón aveva voglia di andare e così non mi opposi. In fin dei conti sarebbe stata una scusa per avere una mezza mattinata libera. Non capivo l'entusiasmo del viceispettore per quell'occasione e non condivisi il suo parere quando me ne spiegò il motivo. Secondo lui dal caso del beato tutti, tranne noi, avevano ricevuto una qualche gratificazione: Sonia sarebbe stata decorata al valore, Villamagna si era esibito davanti alle telecamere come una star, il dottor Beltrán aveva fatto la sua figura, tanto che un quotidiano a diffusione nazionale gli aveva commissionato una serie di articoli sulla personalità criminale. A noi, invece, era toccata una querela da parte dei Piñol i Riudepera per aver leso il loro buon nome, sebbene i nostri legali ci avessero fatto sapere che ne saremmo usciti senza un graffio. Per me poteva bastare, ma per il viceispettore quella cerimonia era una sorta di riparazione simbolica per l'affronto subito.

E così ci andammo, in borghese, confusi fra i fedeli che si accalcavano nella piccola chiesa del Cuore Immacolato. La folla era tale, che la porta sulla strada venne lasciata aperta. Le monache erano sedute nelle prime file, con la madre provinciale. Il vescovo officiò la messa, coadiuvato da due diaconi. Vi furono cori verginali, ansiti d'armonium e alleluia. Bisognava riconoscere, come disse Garzón, che il cattolicesimo in fatto di liturgia batte qualsiasi altra religione. Alla fine, prima che il vescovo impartisse la benedizione finale, si formò una coda interminabile davanti alla teca del beato. Mai frate Asercio era stato tanto ammirato, sebbene tutta quella bigotteria mi sembrasse un po' sospetta. Avevo la netta impressione che tutta quella gente fosse lì per vedere da vicino la famosa mummia e verificare se si vedessero le cuciture della ricostruzione. Il viceispettore mi mormorò all'orecchio:

– Vado a dargli un'occhiata anch'io.

– La aspetto qui – risposi, ben sistemata sul mio banco di legno. Di lì osservavo quella fila di gente normalissima che aspirava a essere testimone di un fatto straordinario. A un certo punto comparve sulla porta una donna che credetti di riconoscere. Alta e robusta, con i capelli corti, portava un vestito nero a minuscoli pois bianchi. La guardai meglio per capire chi fosse e allora lei mi sorrise. Era madre Guillermina! Era lei? Possibile? Rimasi a guardarla come un'allocca. E allora lei tirò fuori un paio d'occhiali dall'antiquata borsetta e li inforcò. Mio Dio, madre Guillermina, era lei, senza alcun dubbio! Solo che non era più suora. Mi alzai in piedi, chiesi scusa a destra e a sinistra, sgomitai, ma quando alzai gli occhi lei era già sparita. La cercai fra la gente, ma ormai lei era fuori, sul marciapiede, accanto a una grossa valigia, pronta a salire su un taxi che la aspettava col motore acceso. Mi feci largo con difficoltà, lei stava già salendo sull'auto. Prima di chiudere la portiera mi guardò, sorrise di nuovo e fece il segno della vittoria con l'indice e il medio della mano destra. Poi il taxi partì. Rimasi impalata fra i fedeli senza sapere bene cosa fare, poi rientrai in chiesa e riguadagnai il mio posto. Ero così emozionata che seduta lì, sul banco di legno, mi misi a piangere. Una signora accanto a me mi disse:

– Non si preoccupi, cara, il beato è venuto benissimo. L'hanno attaccato con una colla speciale e non si vede quasi niente. Tanto ormai era morto...

Il pianto si trasformò in una risata che faticavo a trattenere. Così, approfittando del ritorno di Garzón dal suo omaggio personale a frate Asercio, gli dissi, senza dargli il tempo di sedersi:

– Scappiamo.

Una volta fuori respirai l'aria pulita con tutta la forza dei miei polmoni. Il viceispettore mi guardò:

– Non si sentiva bene?

– No, no, mi sentivo benissimo.

– Sembra che abbia pianto.
– È stata l'emozione di vedere frate Asercio così ben messo, pronto per altri cinquecento anni in posizione orizzontale.
– Sì, lei ride, ma la cerimonia è stata bellissima. Tutti quei preti in pompa magna, le suore che cantavano, i ceri che brillavano, la mummia tirata a lucido... Devo proprio dire al commissario che la prossima festa del patrono dobbiamo farla qui.
– Ma lei cosa crede, che questa sia una sala per battesimi, comunioni e cresime?
– Secondo me pagando ci dicono di sì.
– Non sia blasfemo, Fermín. E andiamocene. Sono arrivata a detestarli, i chiostri. Le andrebbe un bel pranzo ricco di calorie e colesterolo?
– E come no?
– Allora si muova.
– Che cosa festeggiamo, la rinascita del beato?
– Il beato, lasciamolo dormire. Festeggeremo la rinascita di quelli che sono vivi.
– Una cosa difficile.
– Ma profonda.
– Non discuto.
– Per discutere troveremo altri argomenti.
E ce ne andammo nel miglior ristorante dei dintorni. Mangiammo, bevemmo, discutemmo e ridemmo... Mi sentivo quasi felice. Alla fine la vita non è fatta solo di labirinti pieni di giravolte, strettoie, spigoli e gomiti dove uno rimane intrappolato. Ci sono anche sentieri, strade, pianure, praterie e orizzonti illimitati da

esplorare. Si tratta solo di non aver paura, di mettersi in cammino e non voltarsi mai verso il passato.

Vinaroz, 11 luglio 2008
Revisione: 18 settembre 2008

Indice

Il silenzio dei chiostri

Questo volume è stato stampato
su carta Palatina
delle Cartiere Miliani di Fabriano
nel mese di luglio 2009
presso la Leva Arti Grafiche s.p.a. - Sesto S. Giovanni (MI)
e confezionato
presso I.G.F. s.r.l. - Aldeno (TN)

La memoria

Ultimi volumi pubblicati

327 Marc Soriano. La settimana della cometa
328 Sebastiano Addamo. Non si fa mai giorno
329 Giovanni Ferrara. Il senso della notte
330 Eduardo Rebulla. Segni di fuoco
331 Andrea Camilleri. Il birraio di Preston
332 Isabelle, Véronique e Marc Soriano. Il Testamour o dei rimedi alla malinconia
333 Maurice Druon. Il bambino dai pollici verdi
334 George Meredith. Il racconto di Cloe
335 Sergio Marzorati. Ritorno a Zagabria
336 Enrico Job. Il pittore felice
337 Laura Pariani. Il pettine
338 Marco Ferrari. Alla rivoluzione sulla Due Cavalli
339 Luisa Adorno. Come a un ballo in maschera
340 Daria Galateria. Il tè a Port-Royal
341 James Hilton. Orizzonte perduto
342 Henry Rider Haggard. Lei
343 Henry Rider Haggard. Il ritorno di Lei
344 Maurizio Valenzi. C'è Togliatti!
345 Laura Pariani. La spada e la luna
346 Michele Perriera. Delirium cordis
347 Marisa Fenoglio. Casa Fenoglio
348 Friedrich Glauser. Morfina
349 Annie Messina. La principessa e il wâlî
350 Giovanni Ferrara. La sosta
351 Romain Colomb. Stendhal, mio cugino
352 Vito Piazza. Milanesi non si nasce
353 Marco Denevi. Rosaura alle dieci
354 Robert Louis Stevenson. Ricordo di Fleeming Jenkin
355 Andrea Camilleri. Il cane di terracotta
356 Francesco Bacone. Saggi
357 Wilkie Collins. Testimone d'accusa
358 Santo Piazzese. I delitti di via Medina-Sidonia
359 Patricia Highsmith. La casa nera
360 Racconti gialli
361 L'almanacco del delitto
362 Baronessa Orczy. Il vecchio nell'angolo
363 Jean Giono. La fine degli eroi
364 Carlo Lucarelli. Via delle Oche

365 Sergio Atzeni. Bellas mariposas
366 José Martí. Il processo Guiteau
367 Marcella Olschki. Oh, America!
368 Franco Vegliani. La frontiera
369 Maria Messina. Pettini-fini
370 Maria Messina. Le briciole del destino
371 Maria Messina. Il guinzaglio
372 Gesualdo Bufalino. La luce e il lutto
373 Christopher Morley. La macchina da scrivere
374 Andrea Camilleri. Il ladro di merendine
375 Pino Di Silvestro. Le epigrafi di Leonardo Sciascia
376 Francis Scott Fitzgerald. La crociera del Rottame Vagante
377 Franz Kafka. Sogni
378 Andrea Camilleri. Un filo di fumo
379 Annie Messina. Il banchetto dell'emiro
380 Lucio Anneo Seneca. Alla madre
381 Tommaso Di Ciaula. Acque sante, acque marce
382 Giovanni Papapietro. L'amica di mia madre
383 Ignazio Buttitta. La vera storia di Salvatore Giuliano
384 Giovanni di Alta Selva. Dolopato ovvero Il re e i sette sapienti
385 Andrea Camilleri. La bolla di componenda
386 Daphne du Maurier. Non voltarti
387 Daphne du Maurier. Gli uccelli
388 Daphne du Maurier. L'alibi
389 Julia Kristeva. Una donna decapitata
390 Alessandro Perissinotto. L'anno che uccisero Rosetta
391 Maurice Leblanc. Arsène Lupin contro la Mafia
392 Carolyn G. Hart. Morte in libreria
393 Fabrizio Canfora, Gotthold Ephraim Lessing. L'educazione del genere umano
394 Maria Messina. Ragazze siciliane
395 Maria Messina. Piccoli gorghi
396 Federico De Roberto. La sorte
397 Federico De Roberto. Processi verbali
398 Andrea Camilleri. La strage dimenticata
399 Andrea Camilleri. Il gioco della mosca
400
401 Andrea Camilleri. La voce del violino
402 Goliarda Sapienza. Lettera aperta

403 Marisa Fenoglio. Vivere altrove
404 Luigi Filippo d'Amico. Il cappellino
405 Irvine Welsh. La casa di John il Sordo
406 Giovanni Ferrara. La visione
407 Andrea Camilleri. La concessione del telefono
408 Antonio Tabucchi. La gastrite di Platone
409 Giuseppe Pitrè, Leonardo Sciascia. Urla senza suono. Graffiti e disegni dei prigionieri dell'Inquisizione
410 Tullio Pinelli. La casa di Robespierre
411 Mathilde Mauté. Moglie di Verlaine
412 Maria Messina. Personcine
413 Pierluigi Celli. Addio al padre
414 Santo Piazzese. La doppia vita di M. Laurent
415 Luciano Canfora. La lista di Andocide
416 D. J. Taylor. L'accordo inglese
417 Roberto Bolaño. La letteratura nazista in America
418 Rodolfo Walsh. Variazioni in rosso
419 Penelope Fitzgerald. Il fiore azzurro
420 Gaston Leroux. La poltrona maledetta
421 Maria Messina. Dopo l'inverno
422 Maria Cristina Faraoni. I giorni delle bisce nere
423 Andrea Camilleri. Il corso delle cose
424 Anthelme Brillat-Savarin. Fisiologia del gusto
425 Friedrich Christian Delius. La passeggiata da Rostock a Siracusa
426 Penelope Fitzgerald. La libreria
427 Boris Vian. Autunno a Pechino
428 Marco Ferrari. Ti ricordi Glauber
429 Salvatore Nicosia. Peppe Radar
430 Sergej Dovlatov. Straniera
431 Marco Ferrari. I sogni di Tristan
432 Ignazio Buttitta. La mia vita vorrei scriverla cantando
433 Sergio Atzeni. Raccontar fole
434 Leonardo Sciascia. Fatti diversi di storia letteraria e civile
435 Luisa Adorno. Sebben che siamo donne...
436 Philip K. Dick. Le tre stimmate di Palmer Eldritch
437 Philip K. Dick. Tempo fuori luogo
438 Adriano Sofri. Piccola posta
439 Jorge Ibargüengoitia. Due delitti

479 Alicia Giménez-Bartlett. Giorno da cani
480 Josephine Tey. La figlia del tempo
481 Manuel Puig. The Buenos Aires Affair
482 Silvina Ocampo. Autobiografia di Irene
483 Louise de Vilmorin. La lettera in un taxi
484 Marinette Pendola. La riva lontana
485 Camilo Castelo Branco. Amore di perdizione
486 Pier Antonio Quarantotti Gambini. L'onda dell'incrociatore
487 Sergej Dovlatov. Noialtri
488 Ugo Pirro. Le soldatesse
489 Berkeley, Dorcey, Healy, Jordan, MacLaverty, McCabe, McGahern, Montague, Morrissy, Ó Cadhain, Ó Dúill, Park, Redmond. Irlandesi
490 Di Giacomo, Dossi, Moretti, Neera, Negri, Pariani, Pirandello, Prosperi, Scerbanenco, Serao, Tozzi. Maestrine. Dieci racconti e un ritratto
491 Margaret Doody. Aristotele e la giustizia poetica
492 Theodore Dreiser. Un caso di coscienza
493 Roberto Bolaño. Chiamate telefoniche
494 Aganoor, Bernardini, Contessa Lara, Guglielminetti, Jolanda, Prosperi, Regina di Luanto, Serao, Térésah, Vertua Gentile. Tra letti e salotti
495 Antonio Pizzuto. Si riparano bambole
496 Paola Pitagora. Fiato d'artista
497 Vernon Lee. Dionea e altre storie fantastiche
498 Ugo Cornia. Quasi amore
499 Luigi Settembrini. I Neoplatonici
500
501 Alessandra Lavagnino. Una granita di caffè con panna
502 Prosper Mérimée. Lettere a una sconosciuta
503 Le storie di Giufà
504 Giuliana Saladino. Terra di rapina
505 Guido Gozzano. La signorina Felicita e le poesie dei «Colloqui»
506 Ackworth, Forsyth, Harrington, Holding, Melyan, Moyes, Rendell, Stoker, Vickers, Wells, Woolf, Zuroy. Il gatto di miss Paisley. Dodici racconti gialli con animali
507 Andrea Camilleri. L'odore della notte
508 Dashiell Hammett. Un matrimonio d'amore

509 Augusto De Angelis. Il mistero delle tre orchidee
510 Wilkie Collins. La follia dei Monkton
511 Pablo De Santis. La traduzione
512 Alicia Giménez-Bartlett. Messaggeri dell'oscurità
513 Elisabeth Sanxay Holding. Una barriera di vuoto
514 Gian Mauro Costa. Yesterday
515 Renzo Segre. Venti mesi
516 Alberto Vigevani. Estate al lago
517 Luisa Adorno, Daniele Pecorini-Manzoni. Foglia d'acero
518 Gian Carlo Fusco. Guerra d'Albania
519 Alejo Carpentier. Il secolo dei lumi
520 Andrea Camilleri. Il re di Girgenti
521 Tullio Kezich. Il campeggio di Duttogliano
522 Lorenzo Magalotti. Saggi di naturali esperienze
523 Angeli, Bazzero, Contessa Lara, De Amicis, De Marchi, Deledda, Di Giacomo, Fleres, Fogazzaro, Ghislanzoni, Marchesa Colombi, Molineri, Pascoli, Pirandello, Tarchetti. Notti di dicembre. Racconti di Natale dell'Ottocento
524 Lionello Massobrio. Dimenticati
525 Vittorio Gassman. Intervista sul teatro
526 Gabriella Badalamenti. Come l'oleandro
527 La seduzione nel Celeste Impero
528 Alicia Giménez-Bartlett. Morti di carta
529 Margaret Doody. Gli alchimisti
530 Daria Galateria. Entre nous
531 Alessandra Lavagnino. Le bibliotecarie di Alessandria
532 Jorge Ibargüengoitia. I lampi di agosto
533 Carola Prosperi. Eva contro Eva
534 Viktor Šklovskij. Zoo o lettere non d'amore
535 Sergej Dovlatov. Regime speciale
536 Chiusole, Eco, Hugo, Nerval, Musil, Ortega y Gasset. Libri e biblioteche
537 Rodolfo Walsh. Operazione massacro
538 Turi Vasile. La valigia di fibra
539 Augusto De Angelis. L'Albergo delle Tre Rose
540 Franco Enna. L'occhio lungo
541 Alicia Giménez-Bartlett. Riti di morte
542 Anton Čechov. Il fiammifero svedese
543 Penelope Fitzgerald. Il Fanciullo d'oro

544 Giorgio Scerbanenco. Uccidere per amore
545 Margaret Doody. Aristotele e il mistero della vita
546 Gianrico Carofiglio. Testimone inconsapevole
547 Gilbert Keith Chesterton. Come si scrive un giallo
548 Giulia Alberico. Il gioco della sorte
549 Angelo Morino. In viaggio con Junior
550 Dorothy Wordsworth. I diari di Grasmere
551 Giles Lytton Strachey. Ritratti in miniatura
552 Luciano Canfora. Il copista come autore
553 Giuseppe Prezzolini. Storia tascabile della letteratura italiana
554 Gian Carlo Fusco. L'Italia al dente
555 Marcella Cioni. La porta tra i delfini
556 Marisa Fenoglio. Mai senza una donna
557 Ernesto Ferrero. Elisa
558 Santo Piazzese. Il soffio della valanga
559 Penelope Fitzgerald. Voci umane
560 Mary Cholmondeley. Il gradino più basso
561 Anthony Trollope. L'amministratore
562 Alberto Savinio. Dieci processi
563 Guido Nobili. Memorie lontane
564 Giuseppe Bonaviri. Il vicolo blu
565 Paolo D'Alessandro. Colloqui
566 Alessandra Lavagnino. I Daneu. Una famiglia di antiquari
567 Leonardo Sciascia scrittore editore ovvero La felicità di far libri
568 Alexandre Dumas. Ascanio
569 Mario Soldati. America primo amore
570 Andrea Camilleri. Il giro di boa
571 Anatole Le Braz. La leggenda della morte
572 Penelope Fitzgerald. La casa sull'acqua
573 Sergio Atzeni. Gli anni della grande peste
574 Roberto Bolaño. Notturno cileno
575 Alicia Giménez-Bartlett. Serpenti nel Paradiso
576 Alessandro Perissinotto. Treno 8017
577 Augusto De Angelis. Il mistero di Cinecittà
578 Françoise Sagan. La guardia del cuore
579 Gian Carlo Fusco. Gli indesiderabili
580 Pierre Boileau, Thomas Narcejac. La donna che visse due volte
581 John Mortimer. Avventure di un avvocato

582 François Fejtö. Viaggio sentimentale
583 Pietro Verri. A mia figlia
584 Toni Maraini. Ricordi d'arte e prigionia di Topazia Alliata
585 Andrea Camilleri. La presa di Macallè
586 Guillaume Prévost. I sette delitti di Roma
587 Margaret Doody. Aristotele e l'anello di bronzo
588 Guido Gozzano. Fiabe e novelline
589 Gaetano Savatteri. La ferita di Vishinskij
590 Gianrico Carofiglio. Ad occhi chiusi
591 Ana María Matute. Piccolo teatro
592 Mario Soldati. I racconti del Maresciallo
593 Benedetto Croce. Luisa Sanfelice e la congiura dei Baccher
594 Roberto Bolaño. Puttane assassine
595 Giorgio Scerbanenco. La mia ragazza di Magdalena
596 Elio Petri. Roma ore 11
597 Raymond Radiguet. Il ballo del conte d'Orgel
598 Penelope Fitzgerald. Da Freddie
599 Poesia dell'Islam
600
601 Augusto De Angelis. La barchetta di cristallo
602 Manuel Puig. Scende la notte tropicale
603 Gian Carlo Fusco. La lunga marcia
604 Ugo Cornia. Roma
605 Lisa Foa. È andata così
606 Vittorio Nisticò. L'Ora dei ricordi
607 Pablo De Santis. Il calligrafo di Voltaire
608 Anthony Trollope. Le torri di Barchester
609 Mario Soldati. La verità sul caso Motta
610 Jorge Ibargüengoitia. Le morte
611 Alicia Giménez-Bartlett. Un bastimento carico di riso
612 Luciano Folgore. La trappola colorata
613 Giorgio Scerbanenco. Rossa
614 Luciano Anselmi. Il palazzaccio
615 Guillaume Prévost. L'assassino e il profeta
616 John Ball. La calda notte dell'ispettore Tibbs
617 Michele Perriera. Finirà questa malìa?
618 Alexandre Dumas. I Cenci
619 Alexandre Dumas. I Borgia
620 Mario Specchio. Morte di un medico

621 Giorgio Frasca Polara. Cose di Sicilia e di siciliani
622 Sergej Dovlatov. Il Parco di Puškin
623 Andrea Camilleri. La pazienza del ragno
624 Pietro Pancrazi. Della tolleranza
625 Edith de la Héronnière. La ballata dei pellegrini
626 Roberto Bassi. Scaramucce sul lago Ladoga
627 Alexandre Dumas. Il grande dizionario di cucina
628 Eduardo Rebulla. Stati di sospensione
629 Roberto Bolaño. La pista di ghiaccio
630 Domenico Seminerio. Senza re né regno
631 Penelope Fitzgerald. Innocenza
632 Margaret Doody. Aristotele e i veleni di Atene
633 Salvo Licata. Il mondo è degli sconosciuti
634 Mario Soldati. Fuga in Italia
635 Alessandra Lavagnino. Via dei Serpenti
636 Roberto Bolaño. Un romanzetto canaglia
637 Emanuele Levi. Il giornale di Emanuele
638 Maj Sjöwall, Per Wahlöö. Roseanna
639 Anthony Trollope. Il Dottor Thorne
640 Studs Terkel. I giganti del jazz
641 Manuel Puig. Il tradimento di Rita Hayworth
642 Andrea Camilleri. Privo di titolo
643 Anonimo. Romanzo di Alessandro
644 Gian Carlo Fusco. A Roma con Bubù
645 Mario Soldati. La giacca verde
646 Luciano Canfora. La sentenza
647 Annie Vivanti. Racconti americani
648 Piero Calamandrei. Ada con gli occhi stellanti. Lettere 1908-1915
649 Budd Schulberg. Perché corre Sammy?
650 Alberto Vigevani. Lettera al signor Alzheryan
651 Isabelle de Charrière. Lettere da Losanna
652 Alexandre Dumas. La marchesa di Ganges
653 Alexandre Dumas. Murat
654 Constantin Photiadès. Le vite del conte di Cagliostro
655 Augusto De Angelis. Il candeliere a sette fiamme
656 Andrea Camilleri. La luna di carta
657 Alicia Giménez-Bartlett. Il caso del lituano
658 Jorge Ibargüengoitia. Ammazzate il leone

659 Thomas Hardy. Una romantica avventura
660 Paul Scarron. Romanzo buffo
661 Mario Soldati. La finestra
662 Roberto Bolaño. Monsieur Pain
663 Louis-Alexandre Andrault de Langeron. La battaglia di Austerlitz
664 William Riley Burnett. Giungla d'asfalto
665 Maj Sjöwall, Per Wahlöö. Un assassino di troppo
666 Guillaume Prévost. Jules Verne e il mistero della camera oscura
667 Honoré de Balzac. Massime e pensieri di Napoleone
668 Jules Michelet, Athénaïs Mialaret. Lettere d'amore
669 Gian Carlo Fusco. Mussolini e le donne
670 Pier Luigi Celli. Un anno nella vita
671 Margaret Doody. Aristotele e i Misteri di Eleusi
672 Mario Soldati. Il padre degli orfani
673 Alessandra Lavagnino. Un inverno. 1943-1944
674 Anthony Trollope. La Canonica di Framley
675 Domenico Seminerio. Il cammello e la corda
676 Annie Vivanti. Marion artista di caffè-concerto
677 Giuseppe Bonaviri. L'incredibile storia di un cranio
678 Andrea Camilleri. La vampa d'agosto
679 Mario Soldati. Cinematografo
680 Pierre Boileau, Thomas Narcejac. I vedovi
681 Honoré de Balzac. Il parroco di Tours
682 Béatrix Saule. La giornata di Luigi XIV. 16 novembre 1700
683 Roberto Bolaño. Il gaucho insostenibile
684 Giorgio Scerbanenco. Uomini ragno
685 William Riley Burnett. Piccolo Cesare
686 Maj Sjöwall, Per Wahlöö. L'uomo al balcone
687 Davide Camarrone. Lorenza e il commissario
688 Sergej Dovlatov. La marcia dei solitari
689 Mario Soldati. Un viaggio a Lourdes
690 Gianrico Carofiglio. Ragionevoli dubbi
691 Tullio Kezich. Una notte terribile e confusa
692 Alexandre Dumas. Maria Stuarda
693 Clemente Manenti. Ungheria 1956. Il cardinale e il suo custode
694 Andrea Camilleri. Le ali della sfinge
695 Gaetano Savatteri. Gli uomini che non si voltano
696 Giuseppe Bonaviri. Il sarto della stradalunga

735 Jacques Boulenger. Il romanzo di Merlino
736 Annie Vivanti. I divoratori
737 Mario Soldati. L'amico gesuita
738 Umberto Domina. La moglie che ha sbagliato cugino
739 Maj Sjöwall, Per Wahlöö. L'autopompa fantasma
740 Alexandre Dumas. Il tulipano nero
741 Giorgio Scerbanenco. Sei giorni di preavviso
742 Domenico Seminerio. Il manoscritto di Shakespeare
743 André Gorz. Lettera a D. Storia di un amore
744 Andrea Camilleri. Il campo del vasaio
745 Adriano Sofri. Contro Giuliano. Noi uomini, le donne e l'aborto
746 Luisa Adorno. Tutti qui con me
747 Carlo Flamigni. Un tranquillo paese di Romagna
748 Teresa Solana. Delitto imperfetto
749 Penelope Fitzgerald. Strategie di fuga
750 Andrea Camilleri. Il casellante
751 Mario Soldati. ah! il Mundial!
752 Giuseppe Bonarivi. La divina foresta
753 Maria Savi-Lopez. Leggende del mare
754 Francisco García Pavón. Il regno di Witiza
755 Augusto De Angelis. Giobbe Tuama & C.
756 Eduardo Rebulla. La misura delle cose
757 Maj Sjöwall, Per Wahlöö. Omicidio al Savoy
758 Gaetano Savatteri. Uno per tutti
759 Eugenio Baroncelli. Libro di candele
760 Bill James. Protezione
761 Marco Malvaldi. Il gioco delle tre carte
762 Giorgio Scerbanenco. La bambola cieca
763 Danilo Dolci. Racconti siciliani
764 Andrea Camilleri. L'età del dubbio
765 Carmelo Samonà. Fratelli
766 Jacques Boulenger. Lancillotto del Lago
767 Hans Fallada. E adesso, pover'uomo?
768 Alda Bruno. Tacchino farcito
769 Gian Carlo Fusco. La Legione straniera
770 Piero Calamandrei. Per la scuola
771 Michèle Lesbre. Il canapé rosso
772 Adriano Sofri. La notte che Pinelli
773 Sergej Dovlatov. Il giornale invisibile

774 Tullio Kezich. Noi che abbiamo fatto La dolce vita
775 Mario Soldati. Corrispondenti di guerra
776 Maj Sjöwall, Per Wahlöö. L'uomo che andò in fumo
777 Andrea Camilleri. Il sonaglio
778 Michele Perriera. I nostri tempi
779 Alberto Vigevani. Il battello per Kew